Enquanto o Amor não vem

Revuelta 2000

Iyanla Vanzant

Enquanto o Amor não vem

Em busca de si

e do amor que se deseja

8ª Edição

SEXTANTE

tradução
Fabiana Colasanti

preparo de original
Regina da Veiga Pereira

capa
Traço Design

revisão
Sérgio Bellinello Soares

fotolitos
Mergulhar Serviços Editoriais Ltda.

impressão
Hamburg Donnelley Gráfica Editora S.A.

CIP-BRASIL. CATALOGAÇÃO-NA-FONTE
SINDICATO NACIONAL DOS EDITORES DE LIVROS, RJ.

V497e Vanzant, Iyanla
Enquanto o amor não vem : em busca de si e do amor que se deseja / Iyanla Vanzant ; tradução Fabiana Colasanti. – Rio de Janeiro : Sextante, 1999

Tradução de: In the meantime
ISBN 85-86796-23-9

1. Amor. 2. Relações humanas. 3. Autoconsciência. I. Título. II. Título: Em busca de si e do amor que se deseja.

99-0590. CDD 158.2
CDU 159.94

GMT Editores Ltda.
Av. Nilo Peçanha, 155 Gr. 301 - Centro
20020-100 - Rio de Janeiro - RJ
Tel.: (021) 524-6760 - Fax.: (021) 533-1622
Serviço de Atendimento a Clientes: 0800 22 6306 (ligação gratuita)

AGRADECIMENTOS

Oh, Deus! Como és bom! Tu me guiaste por um caminho muito, muito longo. Sou extremamente grata por isso! Também sou grata pelos anjos visíveis e *invisíveis* que mandaste para me guiarem, protegerem, encorajarem e apoiarem. Com sincera gratidão, gostaria de agradecer a meus anjos visíveis:

Meus filhos por nascimento, Damon, Gemmia, Nisa;

As crianças, Asole, Oluwalomoju, Adesola, Niamoja Adilah Afi;

Meus filhos por adoção, J. Alexander Morgan, Maia, Lumumba, Atiba, Coujoe, Kobie, Gamba e Nwandu Bandele;

Meu padrinho, Awo Osunkule Erindele;

Meus anciãos, que me agüentaram por mais de trinta anos, Omi Relekun, Osun Tolewa, Babatunde, Chief e Barabara Bey, Stephanie Weaver e Oseye Mchowi;

Meu treinador de vida, Dr. David Phillips;

Sua esposa, Sra. Peggy Phillips;

Meus treinadores de renascimento, Ken Kizer, Rene Kizer e Dujuna Wuton;

Meus companheiros de oração, Dra. Barbara Lewis King e Reverenda Linda Beatty-Stephens;

Meus queridos amigos que me forneceram excelentes modelos de relacionamentos, Joia Jefferson e Rashid Nuri, Stan e Tulani Kinard, Freddie e Marge Battle, Reverendo Cochise e Viviana Brown, Natu e Fatimah Ali, Susan e Kephra Burns, Stanley e Chemin Bernard, Ralph e Jeanne Blum;

Minha extraordinária agente, Denise Stinson;

Minha editora dos céus, Dawn Marie Daniels (você realmente mereceu seu halo por isso!);

Meus colegas escritores e professores, Neale Donald Walsch, Paul Ferrini, John Randolph Price, Eva Bell Werber, Fundação para a Paz Interior, Marianne Williamson, Wayne Dyer, Tom Johnson; Alexis Davis, da Ketcum Relações Públicas; Michelle Buckley e Kimberly Graham, da Cartões Mahogany, Hallmark, Inc., e Valencia Scott, da 7-Up, por me fornecerem informações atualizadas sobre relacionamentos.

E gostaria de agradecer humildemente ao meu Eu por estar disposto a enfrentar o medo, a negação, a confusão e a raiva que foram exigidas para que eu pudesse descobrir por que tinha que escrever este livro.

Este livro é dedicado
apaixonadamente e com amor a

DRA. BETTY SHABAZZ,
que ensinou ao mundo como viver
no meio-tempo e transformá-lo
em algo muito valioso;

COLEEN GOLDBERG,
que rezou por mim sem parar e
passou os últimos dias de sua vida
viajando para ir ao meu casamento;

REVERENDA FERNETTE NICHOLS,
que fez o sermão que
deu origem a este livro;

e a meu marido,
IFAYEMI ADEYEMI BANDELE,
que me ajudou a perceber que
o meio-tempo vale a pena!

SUMÁRIO

COMEÇA A JORNADA

Haverá um momento em sua vida em que o amor vai chegar. Antes disso, você terá feito tudo o que podia, tentado tudo o que podia, sofrido o quanto podia e desistido muitas vezes. Mas com a mesma certeza com que você está lendo esta página, posso lhe garantir que esse dia virá. Nesse meio-tempo, este livro vai lhe contar muitas histórias e lhe ensinar algumas coisas que você pode fazer para se preparar para o dia mais feliz de sua vida: o dia em que experimentar o amor verdadeiro.

INTRODUÇÃO

O que você faz enquanto o amor não vem? Em algum lugar no fundo de sua mente você sabe e espera que chegue o dia em que o relacionamento que você tem agora se torne o grande amor que você sempre esperou. Ou que, um dia, apareça alguém que preencha seu desejo de amor. Porém, a pergunta permanece: o que você vai fazer nesse meio-tempo? O amor é uma coisa engraçada. Ele nos encontra nas circunstâncias mais incomuns, no momento mais improvável. O amor cai de surpresa em cima de você, joga os braços em sua volta e transforma toda a sua existência. Infelizmente, a maioria de nós não reconhece a experiência ou entende o impacto quando está acontecendo. Talvez porque o amor raramente surja nos lugares em que esperamos ou tenha a aparência que imaginamos.

Ele era alto, magro, muito quieto, quase tímido. Eu era baixinha, gorducha e bastante, devo dizer, intempestiva. Eu estava sempre fazendo coisas que chamavam a atenção – normalmente atenção negativa. Ele tinha dezessete anos. Eu tinha treze. Ele era líder de grupo em uma colônia de férias e eu tinha sido contratada durante o verão. Uma desorganização administrativa apagou meu nome da folha de pagamento. Ele foi designado para garantir que eu recebesse.

Parecia que ninguém se importava com o que estava acontecendo comigo, a não ser ele. Guiou-me através de um processo que levou semanas para ser resolvido. Enquanto íamos de escritório em escritório, de supervisor em supervisor, ele era paciente, me assegurando constantemente que tudo ia acabar bem, e eu estava com raiva. Ele era encorajador e eu realmente precisava ser encorajada! Eu acreditava nele porque me dava a oportunidade de estar em sua presença. A persistência dele finalmente foi recompensada. Recebi três cheques de quarenta e cinco dólares cada um. Foi um momento emocionante para mim. Foi uma realização para ele. Ele estava simplesmente fazendo o seu trabalho. Eu estava simplesmente apaixonada. Ele tinha outros vinte e cinco funcionários com os quais se preocupar. Eu não conseguia pensar em mais nada, a não ser nele. Havia apenas um pequeno problema que precisava resolver. Esse rapaz, por quem eu estava enlouquecidamente apaixonada, estava saindo com uma das minhas melhores amigas. Foi o começo do meu *aprendizado*.

Passei trinta anos da minha vida apaixonada por esse homem. Concluí que nunca iríamos ou poderíamos ficar juntos. Ele era muito velho para mim e eu não era *boa o suficiente* para ser amada por ele ou por qualquer outra pessoa. Durante esse processo de tirar conclusões, viver e acreditar, também tomei algumas decisões.

Decidi que nunca mais seria machucada pelo amor. Ainda que eu não estivesse muito certa sobre o que me havia ferido em relação ao amor, sabia que nunca mais queria ter a mesma experiência dos meus treze anos. Também decidi que nenhum homem faria comigo o que meu pai havia feito à minha mãe. O que ele havia feito não era problema meu, mas transformei em problema meu ao observar, julgar e tentar entender o que ninguém parecia ser capaz de me contar abertamente. Quem é que sabe a verdade a respeito do amor, ou dos relacionamentos? O que realmente havia de errado com o que eu sentia, via, com o que eu acreditava e com o que eu concluía a partir dos modelos de relacionamento que havia presenciado? Boas perguntas! Eu tinha que descobrir as respostas.

Com dezesseis anos, pensei que realmente havia encontrado o amor. Em vez disso, fiquei grávida e fui deixada sozinha para cuidar de uma criança. Com dezenove, eu *sabia* que havia encontrado o amor, portanto casei-me com ele. Errada de novo! Aos vinte e um, o amor me telefonou, saiu comigo três vezes e se mudou para a minha casa. Foi aí que houve um salto no meu *aprendizado*. Durante esse processo as coisas foram se tornando muito, muito claras. Ficou claro que tudo o que eu pensava sobre o amor não tinha nada a ver com ele. Percebi que não conseguia reconhecer o amor porque, na realidade, nunca o havia visto. É claro que eu tinha uma imagem na cabeça, mas ela não servia mais. Também descobri que o amor é mais do que um sentimento bom. É mais do que se sentir necessário ou ter suas carências preenchidas. Levei trinta anos para perceber que o amor é uma experiência pessoal e interior de bem-estar total que não combinava com nenhuma das imagens que eu conhecera até então.

Quando eu estava com meu amor dos treze anos, sentia como se pudesse voar! O erro foi acreditar que era ele que me fazia voar. Depois de muitas aterrissagens forçadas, percebi que voar era uma coisa que eu fazia sozinha, dentro de mim, quando era capaz de relaxar. Isso mesmo, relaxar! Soltar todos os medos, feridas, decisões, julgamentos e conclusões provocados pela raiva e pelos ressentimentos. Soltar as exigências, expectativas e fantasias. O amor, descobri, é ficar quieta o suficiente para sentir o que se passa dentro de você e então aprender a reconhecer e aceitar o que está sentindo.

Na presença dele, eu ficava bem. Infelizmente, eu achava que era *ele* que me fazia sentir bem. Passei quinze anos tentando encontrar alguém que conseguisse fazer comigo a mesma coisa que ele – tornar boa tanto a vida quanto eu mesma. Foi só quando percebi que tudo ficava bem quando eu gostava de ser do jeito que era que as coisas melhoraram e se tornaram muito mais fáceis. Foi aí que ele entrou de novo na minha vida.

A diferença de idade entre nós havia miraculosamente diminuído, e pensamos que estávamos prontos para o amor – e um para o outro. Pensamos que, porque queríamos e precisávamos um do outro, tudo sairia bem. Isso foi o que pensamos! Na realidade, ainda estávamos confusos demais, carentes demais e com medo demais de não sermos bons o suficiente um para o outro. Todos os nossos "demais" eram coroados por um monte de outras questões que nós dois carregávamos – questões da infância, questões de identidade, ou qualquer outra questão que você possa imaginar. Passamos cinco anos juntos, botando nossas questões para fora – raiva, culpa, vergonha, medos relacionados ao amor e às fantasias amorosas – sem nos darmos conta do que estava acontecendo. Finalmente, essas questões caíram em cima de nossas cabeças. Estávamos os dois em pleno processo de aprendizagem.

É isso o que normalmente acontece no processo de aprendizagem. Nele você terá uma série de experiências que podem ser dolorosas e avassaladoras, mas que acontecem para ajudar você a eliminar as falsas necessidades e tudo o que nos atrapalha no caminho em busca do amor. Livrar-se das coisas antigas é um trabalho pesado. É como a grande faxina, quando você tem que esvaziar os armários, organizar a bagunça, jogar coisas fora e arrumar a casa toda. No processo de aprendizagem, limpar, eliminar e descartar podem parecer desonestidade, infidelidade e traição às nossas coisas antigas. Não são! O que nos impede de ter uma experiência amorosa verdadeira e honesta são todas essas coisas às quais nos agarramos.

Quando finalmente nós nos separamos, eu estava ferida. Estava com medo. Havia passado a maior parte da vida rezando silenciosamente para que esse homem me amasse. Quando ele finalmente disse que sim, não parecia com o que eu havia esperado. O processo é assim: conseguimos o que queremos apenas para descobrir que não é como pensávamos! Então nos sentimos perdidos – ou pelo menos pensamos que estamos perdidos! Eu não estava apenas perdida, estava desapontada com meu caso de amor fracassado, e achando que a culpa era minha! Passei os dez anos seguintes tentando descobrir o que havia feito de errado. Por que ele não podia me amar? O que havia de errado comigo? Se você se parece um pouquinho comigo, essas são apenas algumas das perguntas que você vai se fazer durante o processo de aprendizagem.

Conforme o tempo for passando, você irá descobrindo respostas. Acreditando que cada uma é a resposta certa, irá incorporar comportamentos e crenças novas à sua vida. Quando algumas dessas crenças e comportamentos se mostrarem também um pouco fora do rumo, você irá encontrar novas crenças, parâmetros e condições para ajustar ao processo de dar e receber amor. Pode parecer cansativo e muitas vezes você vai sentir medo, desânimo e até raiva! Mas não há outro jeito, é esse o caminho para chegar à verdade sobre o amor que você deseja tão desesperadamente. A verdade é que o amor está dentro de você e que nenhum relacionamento com alguém pode desenterrá-lo e ativá-lo na sua vida. É você quem, primeiro, tem que tomar posse dele. Esta é a verdade que eu levei dez anos para descobrir.

Nas diversas experiências que vivi durante meu processo de aprendizagem, eu tive o que, um dia, considerei relacionamentos problemáticos e desastrosos. O que percebo agora é que cada experiência me ensinou um pouco mais a respeito de mim mesma. Veja, existem estágios e níveis no processo. Você aprende um pouco e usa o que aprendeu, mas sempre existe mais para aprender. Você descobre uma coisa e começa a praticar, mas, depois de algum tempo, vai perceber que o que está fazendo não funciona mais. Essa é a beleza do processo. Ele não nos deixa estagnar. Ele nos força a crescer, e crescer um pouco mais. Porém, para crescer, temos que trabalhar. E é esse trabalho que precisamos realizar em nós mesmos para chegar ao amor que torna o processo tão desafiante.

Nada nos faz aprender mais a respeito de nós mesmos e da

vida do que os relacionamentos. Falo por mim: aprendi a ser muito grata a meus professores/amantes/parceiros pelas lições que me ensinaram a respeito do medo, da raiva e da carência que eram freqüentemente camuflados como amor. Quando aprendi minhas lições e comecei a aplicá-las, minha vida mudou completamente de direção. Não precisava mais fazer coisas para provar que eu era digna de ser amada. Não tinha mais medo de pedir o que queria por pavor de não conseguir. Não ficava mais com raiva quando as coisas não saíam do meu jeito. Mais importante ainda, não ficava com raiva com o que eu não conseguia ou não tinha em um relacionamento. Durante o processo, aprendi como cuidar dos meus próprios problemas. O problema de amar a mim mesma e de ficar emocionada comigo. Aprendi a voar sozinha.

Qualquer acontecimento em nossa vida, por mais particular que seja, tem relação com tudo o que somos e vivemos. O que você está passando em um relacionamento amoroso irá aparecer em todas as outras áreas da sua vida. Você não pode desligar os canais do seu cérebro e do seu coração como se fossem canais de televisão nos quais o programa do canal dois não tem nada a ver com o do canal dez. Os vários canais de nossas vidas são interligados e interdependentes. Os meus são! A mesma confusão que eu sentia a respeito de amar a mim mesma e amar o meu parceiro se refletia na minha carreira. Afetava o relacionamento com meus filhos. Afetava todos os meus relacionamentos com homens. Mais ou menos da mesma maneira como eu tinha um relacionamento e o perdia, tive empregos e os perdi. Mais ou menos da mesma maneira como o tempo em que ficamos juntos foi decepcionante e insatisfatório, minha carreira foi decepcionante. Gastei quarenta e sete mil dólares na faculdade de Direito, apenas para descobrir que odeio a prática do Direito.

Tive que trabalhar muito duro para tornar-me consciente de mim e para me aceitar do jeito que sou. Preciso admitir que não foi um trabalho fácil! Foi doloroso e muito assustador. Refletir, avaliar e desaprender exigem muita disposição. Tive que peneirar e descartar várias crenças e idéias a respeito de mim mesma e do amor. Em outras palavras, tive que mudar a imagem. Foi como limpar a casa, tentando identificar as coisas que estavam empoeiradas ou quebradas, jogando fora coisas das quais eu não precisava mais. Era como mexer nas gavetas e armários da minha mente. Tive que me desfazer das coisas que possuíam valor sentimental mas que já não eram práticas. Tive que admitir que algumas coisas simplesmente não me cabiam mais e que nunca mais caberiam. Verifiquei que tinha deixado as mágoas e os medos se empilharem, como roupa suja, e a pilha era impressionante. Lentamente, metodicamente, tive que limpar meu coração para me preparar para o verdadeiro amor. No meio-tempo, tive que abrir caminho pela bagunça – uma bagunça enorme.

Tive que começar pelo porão da minha casa, onde todas as coisas da minha infância estavam guardadas. Isso significa que tive que desenterrar minha auto-imagem, que estava debaixo de um monte de coisas que meus pais haviam me dado. Quando vislumbrei um pouco do meu verdadeiro *Eu*, subi para o primeiro andar, abri as cortinas e deixei a luz da verdade expor meus medos e fantasias do jeito que eram – distorções e sombras do passado. Quando enxerguei a verdade, tive que me responsabilizar por ter permitido que a casa ficasse em tal desordem e tive que assumir o fato de que eu era a única pessoa que podia arrumar a bagunça. Havia chegado a hora de arregaçar as mangas e trabalhar para valer. Acredite, tive que ter muita coragem para subir para o segundo andar, onde eu tinha arrumado direitinho a visão de como eu queria que as coisas fossem. Com um pouco de fé e muita confiança, eu estava finalmente pronta para me livrar das cortinas velhas e desbotadas, tapetes e móveis, reconhecendo o custo de todos os erros que havia cometido. Olhando em volta, senti como se tivesse desperdiçado muito tempo e energia, mas eu sabia a verdade. A verdade é que ninguém tem culpa. Todos nós fizemos o melhor que podíamos até descobrirmos que era preciso nos tornarmos mais fortes, sábios, dispostos e prontos para fazer ainda melhor. Nossa, que sensação maravilhosa!

Resolvi exercer minha criatividade, usando novos estilos e cores, inventando um novo padrão de vida que me levou direto das coisas antigas e familiares para o terceiro andar. Era um lugar fantástico, cheio de luz e cores. Finalmente eu conseguia ver com clareza e estava extremamente feliz, porque descobria que o trabalho tinha valido a pena e que eu chegara aonde desejara sempre estar: a um lugar de paz. Sentia tanto orgulho de mim mesma que convidei alguns amigos para compartilhar comigo o que eu havia aprendido. Alguns não gostaram da minha casa nova. Era diferente demais, todas as coisas haviam sumido! Eu estava muito diferente, vivendo sem medo! Quiseram ir embora. Por mim, tudo bem! Arrumei as pequenas bagunças que eles haviam feito, acreditando de todo o coração que, se mantivesse minha casa limpa, aqueles que viessem com amor ficariam. Na verdade, transformei o sótão da minha casa em um santuário para o amor. Escolhi tudo o que fiz ou falei com o maior cuidado. Quando finalmente acabei de arrumar a cama e afofar os travesseiros, virei-me e meu amor dos treze anos estava ali. Um pouco mais velho, muito mais sábio, meu amor e eu estávamos prontos para ficar juntos.

Rezei para que não chovesse. Não choveu, mas estava muito frio. Eu não sentia frio. Estava aquecida de dentro para fora naquele lindo dia de maio, o dia em que nos casamos. Eu estava quente e radiante, como as noivas normalmente estão. Tinha levado trinta anos e três casamentos, somando os de nós dois, mas estávamos mais sábios, fortes e lúcidos. Mais precisamente, estávamos apaixonados por nós mesmos, e um pelo outro. Sabíamos que agora estava certo. Sabíamos que a imagem estava clara e que o processo vivido no meio-tempo havia sido uma parte absolutamente necessária de nossa relação. Agora poderíamos passar o resto de nossas vidas juntos, tentando nos lembrar do que não sabíamos antes.

Neste livro vamos limpar a casa, o lugar onde guardamos todas as coisas em que acreditamos a respeito do amor. Vamos desinfetar o coração para nos prepararmos para o amor que queremos ter. Vamos examinar aquilo que chamamos de amor, quando está acontecendo em nossa vida. Vamos examinar o amor que não dá certo, quando perdemos o controle, o amor disfarçado e todas as coisas que se disfarçam astutamente de amor. Mais importante, vamos examinar e explorar as coisas que às vezes fazemos para encontrar o amor, manter o amor e experimentar o amor.

Capítulo 1

O AMOR TEM TUDO A VER COM O MEIO-TEMPO

Ela não estava procurando por ele. Ele não estava procurando por ela. Para falar a verdade, ambos estavam ligados a outras pessoas. Mesmo assim, no momento em que se viram, seus corpos começaram a palpitar e seus olhos a brilhar. Cada um atravessou a sala sem perceber que o outro estava fazendo a mesma coisa. Ele falou primeiro. Não, ela falou primeiro. Perguntou alguma bobagem, à qual ele e seu corpo palpitante estavam mais do que dispostos a responder. Ele deixou seu par de lado. Ela deixou o seu. Precisavam de algum tempo para conversar. Conversaram e riram, coisa que nenhum dos dois parecia fazer muito freqüentemente com seus parceiros. Trocaram os números de telefone do trabalho. Relutantemente, voltaram para seus parceiros e mergulharam juntos em um processo de *meio-tempo*.

O meio-tempo é um termo que você vai encontrar várias vezes no decorrer deste livro. Por isso acho importante começar a explicá-lo, para que sua leitura e a comunicação entre nós não encontrem obstáculos.

Pense um pouco na maneira como fomos educados, formados, adestrados. Havia um padrão a ser seguido: nascer, ser vacinado, estudar – de preferência obtendo notas altas –, formar-se, encontrar, junto com um bom emprego, o grande amor de nossas vidas. Fomos educados para alcançar resultados e não para valorizar os processos, esses *meios-tempos* indispensáveis para irmos construindo a auto-estima e a liberdade necessárias para fazermos as escolhas capazes de nos trazer felicidade. O meio-tempo é o espaço de aprendizagem em nossas vidas, quando as experiências – quaisquer que sejam – não são objeto de julgamento, mas oportunidades para aprendermos. O meio-tempo é o momento em que temos coragem de dizer "não sei": não sei o que estou sentindo, não sei o que fazer, não sei como fazer. Não sei, mas vou descobrir, não vou tomar decisões precipitadas só para escapar da dúvida, porque já fiz isso antes e me dei mal.

Não é preciso explicar tudo aqui. À medida que você for lendo este livro, irá entendendo cada vez mais e, sobretudo, tornando-se capaz de identificar os *meios-tempos* em sua própria vida. Identificar, valorizar e investir neles, para seu crescimento e de todos aqueles com quem convive. Para encontrar o amor pelo qual você anseia.

Quando você não está feliz onde está e não tem muita certeza se quer sair, ou como sair, encontra-se no *meio-tempo*. Fica se segurando, com medo de cair, sem querer se machucar, com medo de machucar a outra pessoa. Reza para que a outra pessoa vá embora primeiro para você não arcar com a culpa.

A outra pessoa vive dando dicas, dizendo que é hora de desistir. Você nega! Por quê? Você não sabe por quê, mas, como já disse, o meio-tempo é assim mesmo, cheio de *não sei* e *não posso. Não sei por que não posso ir. Não sei por que devo ficar. Não sei para onde estou indo. Não sei como vou chegar lá, onde quer que seja.* Ambivalência, confusão, relutância e paralisia são características do meio-tempo. Se você soubesse a resposta para essas perguntas, estaria tudo bem. No meio-tempo você sente muitas coisas, mas certamente não se sente bem.

A vida seria tão mais fácil se, quando nos deparamos com um obstáculo durante um relacionamento, conseguíssemos parar, lidar com aquilo e seguir suavemente. A verdade é que, na maioria dos casos, poderíamos fazer exatamente isso. A realidade é que não fazemos! Tocamos em frente, sem parar. Deixamos que pequenos insultos se tornem fúrias, pequenas discussões se tornem disputas acirradas, pequenas dores se tornem ferimentos profundos, e continuamos indo em frente, sem parar. Em muitos casos, continuamos a sofrer. Quando o tal relacionamento é íntimo e amoroso, tentar ir em frente sem lidar com a dor só complica as coisas, envenenando ainda mais o relacionamento.

Como posso ficar e não me machucar? Como posso ir embora sem machucar a outra pessoa? Você não consegue responder a essas perguntas quando está sofrendo. Se conseguíssemos manter o amor por nós mesmos e pelo outro através de uma comunicação honesta e consciente, os desentendimentos, obstáculos ou dificuldades do relacionamento serviriam para nos fortalecer. Quando não conseguimos, praticamos o pior *comportamento do meio-tempo:* machucando, brigando, omitindo a verdade e indo em frente completamente confusos. Confusão gera confusão.

Voltando ao nosso casal do meio-tempo. Duas semanas depois, ela ligou para o trabalho dele. Ele já havia ligado para ela duas vezes, mas desligou quando a secretária eletrônica atendeu. Nesse *meio-tempo* os dois haviam tentado se convencer de que não deveriam ligar de novo, mas precisavam desesperadamente se ver. Ele a convidou para um drinque. Ela determinou o dia, a hora e o lugar. Ele chegou com uma rosa, uma única rosa cor-de-rosa. No instante em que ela o viu, as mesmas partes de seu corpo começaram a palpitar. Seu parceiro se tornou um vulto e ela não sabia o que fazer. Ele sabia. Disse todas as coisas certas, no tom de voz certo, no momento certo, o que criou uma palpitação correspondente nas partes correspondentes de seu corpo. Ela lhe contou sobre sua ligação. Ele lhe contou sobre a sua. Foi aí que ela percebeu que estava procurando problemas. Desculpou-se rapidamente e levou para casa as partes palpitantes de seu corpo. Ele tomou mais dois drinques e tentou descobrir o que faria e como iria fazê-lo.

VAMOS FALAR SOBRE O AMOR NO MEIO-TEMPO

Tudo na vida se relaciona com o amor. O amor é o único significado real da vida. Estar vivo significa que ocupamos a casa do amor e devemos seguir suas regras. Nem a vida nem o amor exigem que as pessoas desistam de sua dignidade, auto-estima, objetivos de trabalho, programa favorito de televisão ou bom-senso. Por algum motivo, nem sempre entendemos isso direito. Acreditamos que é preciso desistir de algo para conseguir outra coisa. Acreditamos nisso especialmente em relação ao amor. Não entendemos que o amor é crescimento, é realização de potencial – ser mais quem você é, fazer melhor o que faz, acreditar com mais convicção e tomar mais posse do que tem. Infelizmente, achamos que podemos nos unir a outras pessoas antes de nos unirmos a nós mesmos. Isso é absolutamente impossível. Você não irá *receber* amor de fora enquanto não *for* amor por dentro.

Vivemos no *meio-tempo* enquanto estamos aprendendo a respeito do amor. Tropeçamos por aí, nos envolvendo em estranhas ligações, estabelecendo as regras à medida que passamos por experiências, em nome do que *pensamos* ser amor. Observamos e ouvimos outras pessoas, acreditando que elas sabem tudo sobre o amor e os relacionamentos. A verdade é que essas pessoas, assim como nós, estão aprendendo através de tentativa e erro. No meio-tempo, quando estamos aprendendo a verdade a respeito do amor, podemos nos confundir muito. E é em nossas relações amorosas que fazemos a maior confusão. Lá estavam eles de novo! Tanto ele quanto ela sabiam que deviam romper com seus parceiros rápida, porém amorosamente. Nenhum dos dois tinha coragem, força ou presença de espírito para fazê-lo. Ele não se separou porque sua parceira havia sido muito boa para ele. Nos mais de três anos em que estiveram juntos, tinham passado por muita coisa, entre as quais muita histeria sobre se deveriam ou não continuar com a relação! No final, ficaram juntos porque não tinham para onde ir. E ela permaneceu com seu parceiro porque tinha medo de ficar sozinha, mas continuou esperando, contra toda a esperança, que ele desaparecesse milagrosamente ou se tornasse o homem de sua vida, o que a faria feliz para sempre. Fora assim que ela se convencera várias vezes a ficar. No meio-tempo, continuava sempre procurando alguma outra coisa, apesar de não saber direito o que estava procurando.

A única coisa de que precisamos é amor. O amor é nossa paz. O amor é nossa alegria, saúde e riqueza. O amor é nossa identidade. Entramos em um relacionamento procurando o amor, sem perceber que já temos que trazer o amor conosco. Temos que saber quem somos, o que queremos, o que valemos. Temos que levar para o relacionamento entusiasmo e respeito por nós mesmos e por nossas vidas. Se conseguirmos fazer isso razoavelmente, poderemos entrar nos relacionamentos dispostos a *compartilhar o que possuímos*, em vez de temer que alguém nos roube. Compartilhar com alegria, respeito e entusiasmo. É disso que é feito o amor. Quando trazemos essas coisas para um relacionamento, o amor se torna um grande multiplicador e intensifica a experiência da vida. Quando ainda não temos essas coisas, a procura pelo amor nos faz passar por experiências que precisamos ter para descobrir o que é verdadeiro em relação ao amor, e o que não é. Esse processo de descoberta é o que eu chamo de *meio-tempo*.

Entramos nos relacionamentos procurando pelo amor, esperando que alguém nos ame ou nos aceite amorosamente. Isso acontece porque todos nascemos para expressar e receber amor. Queremos tanto receber amor e aceitação que às vezes somos capazes de fazer qualquer coisa para consegui-los. Quebramos as regras do amor. Não respeitamos a casa do amor. Permitimos que as pessoas entrem, fiquem, se mudem, vivam em nossas vidas de maneiras que não têm nada a ver com o amor. O que não conseguimos entender é que, enquanto não conseguirmos viver em harmonia com nós mesmos, haverá em nós um vazio se tornando maior, mais fundo e mais doloroso.

Ele ligou várias vezes durante as semanas seguintes. No começo, ela se recusou a retornar as ligações. Estava lutando para romper sua ligação. Ele já havia rompido a sua, ainda que tivesse esquecido de informá-la de que fora dispensada! *"Lógico que ela sabe!"*, pensou. *"Tem que saber!"* No meio-tempo, muitas pessoas se esquecem de dizer o que pensam porque partem do princípio de que você já sabe. Ele não achou que a encontraria na rua, mas encontrou. No momento em que se viram, a pulsação recomeçou – a cabeça dele, o coração dela e os corpos dos dois. Conversaram. Na verdade, ela falou primeiro. Ele respondeu perguntando sobre os telefonemas. Sentindo-se culpada, como freqüentemente nos sentimos no meio-tempo, ela concordou em telefonar para ele mais tarde. Telefonou e decidiram se encontrar.

Quando você está no meio-tempo, deseja achar uma forma de fuga! Eles queriam fazer alguma coisa a respeito das pulsações de seus corpos. Queriam estar ligados um ao outro. Acharam que era amor. Tinha que ser amor! Por que outro motivo esse sentimento iria continuar aparecendo, pulsando e lhes dando a desculpa perfeita para romper suas outras ligações? O meio-tempo não é feito para romper ligações. É para criar ligações, honesta e amorosamente. Entretanto, no meio-tempo, as pulsações do corpo ignoram completamente esta pequena informação. Ele fez a proposta. Ela aceitou. Do outro lado da cidade, as outras duas ligações não agüentavam mais as desculpas e estavam prontas para saírem em busca de outro parceiro que também lhes provocasse pulsações!

NO MEIO-TEMPO, MANTENHA SUAS NECESSIDADES PARA SI!

As pessoas não conseguem preencher as nossas necessidades. Podem querer fazê-lo, podem tentar. Podem nos convencer de que são capazes de preenchê-las, mas não é verdade. O que as pessoas podem fazer pelas outras é tornar a necessidade menos urgente.

Ao longo dos anos, ouvi verdadeiras histórias de horror sobre os namoros chamados de amor. Algumas vezes, fiquei admirada de que algo tão divino quanto o amor pudesse ter uma aparência tão ridícula. Em outras situações, fiquei estarrecida com as coisas revoltantes que as pessoas fazem em nome do amor. Finalmente, percebi que existe um comportamento que se repete! Os jogadores são diferentes. Os acontecimentos são diferentes, mas por baixo de tudo existe uma igualdade. Homens e mulheres têm uma tendência para repetir as mesmas coisas quando estão tentando conseguir o que precisam. Decidi fazer uma lista. Escrevi as treze coisas mais comuns que fazemos quando estamos procurando amor ou um relacionamento no qual queremos ser amados. É inevitável que cada uma dessas coisas não consiga preencher nossas necessidades e há um grande risco de que elas criem situações insuportáveis e dolorosas:

1. Todos os sinais indicam que esta não é a pessoa certa, mas você ignora seus alarmes internos e continua insistindo.
2. Por medo de ficarmos sozinhos, ou por acreditarmos que não podemos ter o que queremos em um relacionamento, aceitamos a primeira pessoa que aparece, apenas para sermos abandonados, derrotados, enganados ou engravidadas.
3. Confundimos amizade e gentileza com amor romântico.
4. Quando alguém é gentil conosco e não estamos acostumados, ficamos sem saber como dizer não para essa pessoa, mesmo quando percebemos que não é quem queríamos que fosse.
5. Ficamos presos a aparências e promessas.
6. Forçamos uma pessoa a ficar conosco ou lhe damos um ulti-

mato. Como a pessoa não sabe como dizer não, ela fica conosco... por algum tempo.

7. Como a outra pessoa demonstra interesse por nós, correspondemos sem verificar profundamente se encontramos quem ou o que queríamos.
8. Permitimos que a fé cega, que leva ao *amor cego*, nos leve para um relacionamento que não é saudável.
9. Decidimos acreditar que nossos parceiros não farão conosco o que fizeram com outras pessoas.
10. Compatibilidade sexual é confundida com amor.
11. Permanecemos em um relacionamento, tentando teimosamente resolver os problemas, mesmo estando infelizes e mesmo quando o parceiro não demonstra interesse em superar as dificuldades.
12. .Não expressamos o que realmente sentimos porque achamos que vamos magoar o parceiro.
13. Decidimos acreditar nas mentiras do parceiro, mesmo quando sabemos a verdade! Agimos como se não soubéssemos o que está acontecendo, mesmo quando sabemos.

O AMOR É O NADA QUE NOS DÁ TUDO

O que podemos fazer quando um relacionamento não está funcionando da maneira como gostaríamos? Quando as coisas não estão saindo do jeito que queríamos? Como usar o que temos – mesmo que seja pouco – a nosso favor? Quando faço essas perguntas, lembro-me da história de uma mulher chamada Luanne Bellarts, que nasceu com paralisia cerebral. Luanne só tinha controle completo de um dos dedos do pé, em um pé. Criada por pais muito religiosos, aprendeu muito sobre verdade, confiança, fé e amor. Tenho certeza de que a maioria de nós consideraria este tipo de limitação física uma derrota intransponível. Luanne, entretanto, aprendeu a digitar em um teclado de computador usando o dedão do pé. Escreveu desta maneira a história de sua vida, *Bird with a Broken Wing*.[1] O livro era seu testemunho do poder da fé e nele ela descrevia como transformar os problemas em triunfo e a tragédia em vitória.

A história de Luanne é mais sobre princípios do que sobre relacionamentos. Mas verdade, confiança, paciência, honra e fé são os princípios básicos de todos os relacionamentos amorosos. Foi isso que Luanne aprendeu enquanto permanecia deitada olhando para o teto, totalmente dependente de outras pessoas, e é exatamente nisso que nós, seres fisicamente capacitados, tropeçamos, nos atrapalhamos, e não conseguimos reconhecer a respeito dos relacionamentos. Ainda que Luanne nunca tenha vivido um relacionamento íntimo e amoroso com um homem, ela realizou com um dedo de um pé o que passamos a maior parte da vida tentando fazer. Ela descobriu o amor. Amor por ela mesma. Amor pelos outros. Entendeu qual a *sensação* que o amor provoca e qual a sensação quando há ausência de amor. Descobriu como encontrar o amor, alimentá-lo e fazer com que dure dentro de você e na sua vida. Com trinta e seis anos, Luanne morreu de câncer. Nesse meio-tempo, no curso de sua vida, viveu para o amor com uma dignidade enorme. Encontrar o amor e manter nossa dignidade é algo que freqüentemente lutamos para conseguir em nossos relacionamentos. A experiência vivida nessa luta é o que chamo de *meio-tempo.*

Vamos voltar aos nossos amantes: é claro que foram descobertos. E agora tudo o que haviam ignorado, negado, evitado e resistido estava de frente para eles. Era uma situação típica do meio-tempo: ser pego, mentir, resistir. Ele foi pego porque mentiu. Disse à sua parceira que a amava, quando não tinha certeza. Disse que não queria ir embora, quando queria. Disse que tinha certeza, quando não tinha. Para disfarçar a culpa que sentia por mentir, assim que foi descoberto disse à sua parceira que ela

[1] Pássaro de Asa Quebrada (N.T.).

não tinha o direito de questioná-lo! As pessoas que são pegas mentindo no meio-tempo normalmente se tornam agressivas e hipócritas. Ele falou para sua parceira que era adulto, com todo o direito de fazer o que quisesse com quem bem entendesse! Esta é outra característica das pessoas que estão no meio-tempo: agem de uma maneira muito cruel.

Ela foi pega porque estava resistindo e se sentia culpada. Resistia em ficar sozinha. Resistia em dizer a verdade. Resistia em fazer qualquer coisa que a fizesse se sentir culpada! E o que acontece, quando estamos tentando parecer inocentes, é que inevitavelmente dizemos algo que prova nossa culpa. Ela disse a seu parceiro que havia feito aquilo porque ele também já fizera a mesma coisa. Ela estava tentando descarregar seus próprios problemas em cima dele.

No meio-tempo, uma das coisas que fazemos é nos tornarmos audaciosos o suficiente para dizermos ou fazermos coisas que nunca diríamos ou faríamos em circunstâncias normais. Não é que não devêssemos dizê-las ou fazê-las, mas é porque, quando as coisas estão toleráveis em um relacionamento, achamos que o melhor é esconder, evitar, negar e resistir. Nós nos convencemos de que estamos poupando a pessoa querida da dor e do sofrimento. Mas a verdade é que nós estamos sofrendo! Estamos sufocando nossos sentimentos e nos atormentando. "Por quê? Por quê? Por que não consigo entender direito esse negócio de amor?" Atormentar-se é o comportamento do meio-tempo que nos faz dizer ou fazer coisas que realmente não queremos – do mesmo jeito que fez nosso casal.

Quer estejamos no meio de um divórcio, separação, rompimento ou de uma discussão violenta, a coisa mais amorosa que podemos fazer por nós mesmos é não ceder à tentação de culpar a outra pessoa pelo que estamos sentindo. Somos nós! Somos nós! Sei que não é fácil de engolir. Sei, porque tive que engolir várias vezes! Mais cedo ou mais tarde, todos temos que aceitar o fato de que, em um relacionamento, *a única pessoa com a qual estamos lidando somos nós mesmos.* Nosso parceiro não faz nada além de nos revelar o que sente. Seu medo! Sua raiva! Sua forma de agir! Suas loucuras! Enquanto insistirmos em apontar o dedo para ele, continuaremos a perder a oportunidade de nos livrarmos de nossos problemas. Aqui vai uma preciosa dica: *amamos nos outros o que amamos em nós mesmos. Rejeitamos nos outros aquilo de que não gostamos, mas não conseguimos ver em nós mesmos.* Freqüentemente, quando uma relação vai mal, ficamos cegos ou resistentes em relação aos nossos próprios problemas, fazendo um esforço extraordinário para descarregar tudo na outra pessoa. As pessoas resistem em deixar que descarreguemos nossos problemas no seu colo porque, com muita freqüência, também são os problemas delas – os problemas que não conseguem ou não querem ver. Resistem brigando ou fugindo. Agora preste atenção no que vou dizer: por mais absurdo que pareça, a pessoa que fica para brigar conosco (isto não significa briga física) normalmente é a que realmente nos ama. Nos ama e está disposta a lidar conosco e com nossos problemas porque deseja investir no fortalecimento mútuo.

Não tenha dúvida: quando estamos brigando em um relacionamento, se não explicitarmos claramente nossas intenções, ou se resistirmos em saber a verdade, iremos nos machucar. Por outro lado, se a pessoa com quem estivermos brigando jogar a toalha e sair correndo, nós também iremos sofrer. Nossos problemas se acalmarão por algum tempo, mas com certeza irão surgir novamente em outro relacionamento. Apesar da resistência, confusão ou medo, por favor, saiba que brigar é normal e bastante comum. É até natural que sejamos cruéis com os outros. Mas nunca acredite que o que você faz na situação do meio-tempo é o que você é. Não é não! A verdade é que, se estivermos dispostos a passar pelo processo de brigas, de correr o risco de sermos cruéis e de nos machucarmos, percebendo que *deve haver um jeito melhor do que esse!*, e estivermos dispostos a buscá-lo, em algum momento poderemos mudar nosso padrão de comportamento e caminharemos em direção da cura.

ONDE ESTOU?

É importante afirmar clara e enfaticamente que o meio-tempo não é um lugar ruim de se estar. Nem você deve achar que, se está no meio-tempo, você ou a outra pessoa fez alguma coisa errada. O meio-tempo não é sinal de que você errou de novo ou de que, mais uma vez, alguém está errando. O meio-tempo é e sempre será um momento e um meio de aprendizagem e crescimento em direção ao amor por si e pelos outros.

Quando estamos envolvidos em um relacionamento, a maioria se sente perdida a maior parte do tempo. Ficamos tentando descobrir o que fazer e como fazê-lo. Continuamos perguntando: Por quê? Por que não deu certo? Quando? Quando irei conseguir? Com quem? Com quem irei terminar? Como? Como saberei que *essa pessoa* é *a pessoa certa*? Essas são as perguntas mais comuns no meio-tempo. Independente de como anda seu relacionamento, se você está se fazendo essas perguntas, está tendo uma experiência de meio-tempo. Mas muitas vezes resistimos em fazer esse tipo de perguntas, porque elas nos incomodam. Não tem importância! Podemos ter certeza de que nos encontramos no meio-tempo se:

- Sabemos o que há de errado com todos os nossos ex-parceiros, mas não enxergamos nossas próprias fraquezas.
- Choramos sem nenhum motivo aparente e não queremos que ninguém saiba que andamos chorando.
- Fomos demitidos ou dispensados do trabalho.
- Nos separamos ou divorciamos recentemente.
- Fomos roubados ou enganados.
- Namoramos cinco pessoas diferentes nos últimos nove meses.
- Não namoramos ninguém nos últimos nove meses.

- Estamos casados ou dividindo a pasta de dentes com alguém, mas continuamos procurando outra pessoa.
- Não estamos casados, mas dividimos a pasta de dentes e o espaço no armário com alguém e não temos certeza de que é isso o que queremos fazer.
- Não estamos casados, não dividimos a pasta de dentes e desistimos de namorar.
- Nossa mãe vive perguntando quando teremos filhos.
- Nossa mãe vive perguntando quando foi a última vez que vimos nossos filhos.
- Esquecemos como é o jeito das crianças.

Ainda que existam centenas de situações diferentes, essas são situações do dia-a-dia mais comuns que sinalizam que você está tendo uma experiência de meio-tempo. Também posso afirmar que, se você estiver vivendo uma dessas situações, está passando por uma grande confusão interna, enquanto tenta descobrir o que fazer a seguir.

O conflito e a confusão interna causados por uma experiência do meio-tempo acontecem quando não conseguimos fazer por nós mesmos e em nossos relacionamentos uma das quatro coisas abaixo:

1. Não fomos claros e não conseguimos saber exatamente o que queríamos, precisávamos ou esperávamos de nós mesmos e dos outros.
2. Não dissemos a verdade microscópica, absoluta e sem qualquer deformação para nós mesmos, para os outros, sobre nós mesmos, sobre os outros, em relação ao que queríamos, precisávamos e esperávamos de qualquer relacionamento.
3. Não pedimos o que queríamos e aceitamos o que nos foi oferecido apesar de estarmos absolutamente conscientes de que não chegava nem perto do que havíamos imaginado.
4. Levamos um relacionamento adiante, embora tivéssemos consciência do medo que sentíamos.

Vamos viver o meio-tempo conscientes de que esta é uma oportunidade que a vida nos dá para sermos mais claros, mais verdadeiros e para curarmos nossas feridas, preparando-nos para dar e receber a única coisa fundamental que todos nós queremos: um amor puro, honesto e incondicional.

LEVA TEMPO

Não existe um tempo determinado no meio-tempo. Não é uma questão de "se eu fizer isso, vai acabar mais rápido!" ou "se eu fizer desse jeito, nunca mais vou passar por isso!". Cada um tem a sua própria experiência. Você ficará no meio-tempo o tempo que for necessário para botar suas questões internas em ordem e para que a outra pessoa fique pronta. Em outras palavras, podemos estar prontos, mas nosso parceiro pode não estar. Podemos estar curados de nossas inseguranças, porém nosso parceiro pode não estar curado ainda. Podemos ter perdoado tudo o que tínhamos para perdoar, mas a pessoa pela qual estamos esperando pode nem ter começado a perdoar e a abrir mão. Conseqüentemente, você permanecerá no meio-tempo até que a pessoa especial para a qual você está se preparando também esteja preparada e pronta. Não desanime! Isso é bom! O meio-tempo, além de *preparatório*, é *protetor*.

A paciência é o elixir da cura para a melancolia do meio-tempo. O desafio, quer gostemos ou não, é aprender a ser paciente com nós mesmos. Quando estamos no meio-tempo, existe uma tendência para nos culparmos e castigarmos pelo que deveríamos ou não deveríamos estar sentindo e fazendo. Nada disso! Sinta simplesmente o que está sentindo, relaxe e deixe passar. Não devemos julgar nossos sentimentos nem rotulá-los como bons ou ruins, certos ou errados. Quando já estivermos cansados de nos sentir mal, ou quando tivermos entendido a causa do problema que está nos atormentando, o sentimento irá passar. Cada vez que surge um sentimento, é sinal seguro de que estamos lidando com ele a fim de liberá-lo. Se resistirmos ao sentimento, ele irá brigar conosco, criará dentes e garras que usará para nos atacar – estará lutando pela própria sobrevivência! Quando sentimentos e padrões antigos de comportamento estão lutando para se perpetuarem, a coisa mais amorosa que podemos fazer é ter paciência com nós mesmos e com o que estamos sentindo.

Enquanto estamos caminhando em direção ao amor, podemos ter experiências de meio-tempo que são valiosas e significativas. Não acredite nunca que o que você faz no meio-tempo, mesmo que sejam relacionamentos curtos, é uma perda de tempo. Todos os relacionamentos são o relacionamento de que precisamos naquele momento. Tudo o que fazemos em todos os relacionamentos que temos nos prepara para a grande experiência de amor total e incondicional por nós mesmos e pelos outros e nos aproxima dela. O importante é resistir à tentação e à armadilha de pensar que todo relacionamento tem que ser o relacionamento que dura para todo o sempre, amém. Lembre-se de que estamos sendo preparados para algo melhor ou protegidos de algo pior.

A FRUTA E A ÁRVORE

Existem grandes possibilidades de que a maioria de nós irá passar a vida tendo uma experiência de relacionamento depois da outra – algumas agradáveis, outras não – sem nos darmos conta de que estamos presos ao seguinte padrão: relacionar-se e ser magoado, ser magoado e recuar. Poucos entendem que quem somos e o que sentimos agora é o que temos sido e sentido há muito tempo. São as nossas *coisas*, que nos tornam superagressivos ou passivamente autodestrutivos na busca do amor. No meio-tempo elas vêm à tona para que possamos entendê-las e nos curar.

Nossos padrões de comportamento passivo/agressivo nascem

conosco. Em grande parte são determinados pelos padrões de nosso nascimento. Nossas reações ao que aconteceu em nosso nascimento com freqüência são inconscientes, e esta é a razão pela qual nem sempre conseguimos reconhecer o que fazemos e por que o fazemos, ao sermos passivos ou agressivos. Se gastássemos um tempinho para refletir e examinar a nós mesmos, poderíamos fazer a ligação entre o que acontece em nossos relacionamentos e os padrões de nosso nascimento. Enquanto não temos consciência disso, nos concentramos em tentar descobrir o que *acabou de acontecer* e por que está nos afetando tão profundamente, e com freqüência dolorosamente, no meio-tempo.

Minha mãe era alcoólatra. Logo depois que eu nasci, diagnosticaram que minha mãe tinha câncer de mama e leucemia. Portanto, quando não estava bêbada, estava sedada, pois o câncer ameaçava levar as duas coisas que ela amava, seus seios e sua vida. Disseram-me que minha mãe tinha muito orgulho de seus seios, que eram grandes e firmes. Eles acentuavam sua cintura fina, chamando muita atenção, e ela se alimentava de atenção. O fato de meus pais não serem casados um com o outro também chamava muita atenção. Meu pai era legalmente casado com outra mulher que morava a dois quarteirões de distância da casa em que meus pais moravam com minha avó paterna. Minha mãe era sua amante e lhe deu três filhos. Não preciso dizer que havia muitos problemas na atmosfera em que eu nasci!

Quando estamos no útero, ficamos mergulhados na energia que se torna o alicerce de nossa identidade. Algumas pessoas ficam imersas em cuidados, atenção e uma alegria amorosa. Eu fiquei mergulhada em uma atmosfera interna e externa entremeada de medo, confusão, culpa, desonestidade e doença. Isso deixou marcas em minha personalidade. Meus primeiros relacionamentos eram estranhamente parecidos com o tipo de disfunção que meus pais demonstravam. Meu primeiro amor era emocionalmente comprometido. Meu primeiro casamento foi uma experiência de abuso verbal e físico. Como é que alguém que você ama pode causar tanto sofrimento? Como é que você pode desistir de alguém que ama tão profundamente? Provavelmente essas eram as perguntas da minha mãe, e estavam entre as primeiras perguntas que fiz, de uma forma muito agressiva, a respeito do amor e dos relacionamentos.

Você pode não conhecer as condições exatas de seu nascimento, ou pode ser que elas não tenham sido tão dramáticas quanto as minhas. Porém, permanece o fato de que você aprendeu e experimentou coisas no útero, e provavelmente continuou com o mesmo padrão de comportamento em sua vida. Eu já era adulta quando descobri que meu pai abusava verbal e às vezes fisicamente de minha mãe. Ele tentou fazer com que ela parasse de beber. Ela não parou. Ele tentou fazer com que ela cuidasse de si mesma. Ela não podia. Ele foi agressivo em seu *amor* por ela, pois todos os relatos indicam que eles brigavam que nem cão e gato! A violência é a agressividade se manifestando de uma forma bastante física. Se você pensar sobre isso, o nascimento também é violento. É um ato de agressão que empurra você para fora de um lugar confortável e seguro que você conheceu fisicamente. Em muitos relacionamentos confundimos agressão e/ou violência com demonstrações de amor.

QUEM ESCREVEU O SEU LIVRO SOBRE O AMOR?

Quando uma alcoólatra grávida entra em trabalho de parto, existem grandes possibilidades de que seus sentidos estejam entorpecidos. Acho que foi isso o que aconteceu com a minha mãe. Ela estava bêbada, por ter tomado álcool ou comprimidos, quando as dores começaram. Acho que foi por isso que ela esperou até o último minuto possível para contar que eu estava a caminho. Teve que descer quatro andares de escada e quando finalmente um táxi parou, a bolsa d'água havia estourado. Dizem que os nascimentos são muito difíceis e dolorosos. Contaram-me que minha mãe tentou me manter dentro dela, mas, para sua surpresa e terror do motorista do táxi, eu nasci dentro do carro, bem na frente do hospital! Isso é muito agressivo!

Houve uma comoção e tanto, como normalmente acontece no início de qualquer relacionamento. Minha mãe apagou e eu fiquei mais ou menos por minha própria conta, no chão do carro, tentando entender o que estava acontecendo. Posso imaginar que tenha sido mais ou menos como chegar em casa depois de um primeiro encontro, pensando se você vai ser convidada para sair novamente! Havia pessoas em volta, mas acho que estavam assustadas. É isso! Sempre existe um pouco de medo misturado à sensação de ser amado. Disseram-me que uma das enfermeiras que veio me resgatar do táxi olhou para mim e disse: "Você não conseguiu esperar, hein? *Quanta impaciência!* Olhe só essa bagunça!" *Fiz tudo errado de novo!* Também havia o pequeno problema de que meu pai não estava ali para ajudar minha inebriada mãe a ter seu bebê. Minha mãe e eu ficamos envergonhadas com isso. Desde então, tive inúmeras experiências em que me senti envergonhada de mim mesma.

Este foi o padrão do meu nascimento, o que provavelmente resultou na minha percepção de que:

- A culpada sou sempre eu. Gostaria de ter recebido um dólar por cada vez que disse "*Ah, entendo! Então a culpa é minha!*" em um relacionamento.
- Tenho que fazer tudo por mim mesma, sozinha, pois nunca há um homem por perto quando preciso! Será que já disse que a independência foi freqüentemente um problema nos meus relacionamentos?
- Amar e ser amada é algo que causa vergonha. Mais especificamente, tenho vergonha do que fiz em nome do amor.

Acontece com muitos de nós, de uma forma ou de outra. A experiência mais amorosa de nossas vidas, o nascimento, pode rapidamente ser ofuscada por tudo o que está acontecendo e que não tem nada a ver com amor. Enquanto estamos nascendo, existe muita correria, barulho, medo e agitação. Também existem puxões, empurrões e gritos. É uma atmosfera muito agressiva, muitas vezes violenta, disfarçada como uma expressão natural da vida e do amor. O que aconteceu para a maioria de nós é que algum elemento de nosso nascimento ou de nossa infância foi traumático. No meu caso, o trauma deixou marcas permanentes que se manifestaram no meu relacionamento comigo mesma, com meus pais e, de maneira mais profunda, nos meus relacionamentos amorosos.

O AMOR TEM TUDO A VER COM ISSO!

Você sabe, não é totalmente nossa culpa. A maioria não consegue lembrar do nascimento. Além disso, desde o dia em que nascemos, existem muito poucas experiências nas quais fomos amados total e incondicionalmente, sem ter que dar nada em troca. É assim que Deus nos ama, do instante em que nascemos até nossa morte. Nesse meio-tempo, a maioria das pessoas que entram e saem de nossas vidas colocam minúsculas etiquetas de preço no seu amor. Às vezes, as etiquetas são tão pequenas que não percebemos que são etiquetas cheias de condições, até que chega o momento de pagar. Algumas das etiquetas são presas quando nascemos pelas pessoas e pelo ambiente em que nascemos. Tornam-se o preço que cobramos e o preço que pagamos em nossos relacionamentos.

Nossos pais, médicos e enfermeiras ficavam preocupados conosco. Por que será que as pessoas que realmente nos amam se preocupam conosco? Queriam que déssemos sinais de que estávamos vivos, como chorar ou gritar. Quando você chora por alguém, a pessoa realmente acredita que você a ama! As pessoas que assistiram ao nosso nascimento desejavam que estivéssemos bem e estavam convencidas de que sua presença era indispensável para isso. Quantas vezes você permaneceu em um relacionamento, achando que, se fosse embora, a outra pessoa não agüentaria? Ou que você não agüentaria sem a outra pessoa? Durante o nascimento, aqueles que nos amavam, ou que estavam agressivamente preocupados conosco, tentaram ajudar, aspirando, soprando na nossa cara e, se não reagimos da forma certa no tempo prescrito, ficaram tão preocupados que bateram no nosso traseiro! "*Ei! Calma aí! O amor machuca!*" Quantas vezes na vida tropeçamos, caímos ou fomos empurrados para chegarmos à conclusão de que o amor machuca?

A verdade é que o amor é apoio e doação, não agressão e exigência. É protetor, não esmagador. Para a maioria de nós, a entrada na vida foi um procedimento médico padrão. Como resultado deste processo, concluímos inconscientemente que o amor é doloroso, confuso, invasivo, agressivo e às vezes violento.

Um amigo meu, Ken Kizer, que me ajudou a entender o impacto da forma do nascimento, contou-me que foi retirado a fórceps. É claro que isso foi feito com preocupação e amor, mas ele percebeu que o impacto foi profundo. Ele verificou que, durante a maior parte de sua vida, entrava em projetos e relacionamentos com grande entusiasmo, mas no meio do caminho ele se cansava. Parava. Simplesmente não conseguia encontrar forças para terminar o que havia começado. Como resultado de seu padrão de nascimento, tomou uma atitude passiva diante da vida. Tenho certeza de que todos conhecemos alguém que tem que ser arrastado, quicando e berrando, para dentro de um relacionamento. Depois, quando as coisas parecem estar indo bem, a pessoa sai fora. Isso às vezes é chamado de *medo do compromisso.* É uma demonstração de comportamento passivo, resultado de um padrão de nascimento.

Acredito que exista uma relação direta entre meu padrão de nascimento e minha forma de agir nos relacionamentos. Meu amigo Ken admite que é mais fácil para ele ser passivo. Normalmente, eu estava pronta para brigar. Ele ficava desesperado assim que as coisas começavam a ficar boas. Eu era obsessiva em conseguir o que queria, exatamente do modo que queria. Na vida existem momentos em que você tem que ser passivo e outros em que tem que ser agressivo. Nos relacionamentos, isso normalmente se traduz em não saber quando ou como deixar o parceiro nos apoiar ou quando estamos sendo dependentes. Nem o comportamento passivo nem o agressivo são inerentemente inadequados. Entretanto, quando você está aprendendo sobre o amor-próprio e o amor incondicional dos outros, o objetivo é destruir o padrão de nascimento. Você percebe que o que vem fazendo em seus relacionamentos não funciona e que cabe a você desaprender o que aprendeu para criar um novo modelo de amor baseado em novas informações. Olhe para sua vida. Examine seus relacionamentos e suas expectativas a respeito do amor. Reflita a respeito do preço que vem pagando, a quem pagou e o que *realmente* custou.

O que sabemos e acreditamos se revela através dos nossos padrões de comportamento. Não olhem apenas para seus relacionamentos com outras pessoas, olhem para seu relacionamento com vocês mesmos. Olhem para sua carreira. Como reagem às pressões da vida? Do amor? Como demonstram amor? Quais são suas expectativas de retorno em seus investimentos amorosos? Quais são as suas prioridades? No mais íntimo do seu ser algo afirma: "Aprenda a se amar incondicionalmente, não importa o que esteja acontecendo!" A sua pergunta bem poderia ser: "Como, diabos, devo fazer isso?" Para alguns, a pergunta é: "Como posso aprender a desenvolver e demonstrar amor-próprio?" ou então: "Como perdi o rumo?" ou "Como posso achar o rumo?". E enquanto tentamos desesperadamente responder essas e outras perguntas sobre o amor e o amar, a vida continua, assim como nossos relacionamentos.

Capítulo 2

MAMÃE DIZIA...

Gail soube no momento em que o viu. Paul também soube, mas, segundo consta, tinham que agir como se não soubessem. Tinham que cumprir as seguintes etapas: se conhecer, ver se gostavam um do outro, ver o que tinham em comum. Tinham que "ir devagar". A mãe de Paul disse: "Assegure-se do que vai fazer." A mãe de Gail avisou: "Não tenha tanta pressa!" O roteiro de Gail estava escrito. "E se eu estiver errado?", gritou o ego de Paul. Resumindo, ambos sabiam que o amor estava no ar, passando o braço em volta deles, mas suas cabeças estavam cheias das cautelas e precauções de amigos e parentes bem-intencionados e do resto do mundo que lhes aconselhavam o que fazer e não fazer. O que os outros diziam estava tendo um impacto muito maior do que o que eles sentiam e sabiam por dentro. E por isso eles dançavam em volta da verdade, como se fosse uma cobra pronta para mordê-los. Quando dançamos em volta ou evitamos a verdade, teremos maiores chances de ficar paralisados no meio-tempo, tentando entender o que fizemos de certo ou errado.

Quando você sabe, você sabe! Quando chegou a hora, chegou a hora! Não existem dúvidas nem perguntas. Você será capaz de fazer o que for necessário: agir ou admitir que não quer agir. Quando estiver começando um relacionamento, deve ser capaz de distinguir entre o que você sabe e o que foi escrito por outras pessoas no seu roteiro. Também haverá ocasiões em que você acha que sabe, acha que chegou a hora, acha que sabe o que precisa ser feito, mas não tem certeza do que é ou de como fazê-lo. Cada uma dessas situações é uma atividade do meio-tempo. São projetadas para garantir que sabemos onde estamos, o que queremos e o que estamos dispostos a fazer para conseguir o que queremos com o mínimo de drama possível. Onde quer que você esteja no meio-tempo, o segredo é manter-se em contato com seu coração e sua mente. Pense o que estiver pensando e permita-se ter um pensamento inteiro. Não deixe que o seu roteiro, seu padrão viciado, o medo ou qualquer outra emoção tóxica detenha um pensamento ou emoção no meio do caminho. Não se convença de que não pode fazer o que precisa fazer ou de que fazê-lo não irá produzir o resultado que você deseja. No meio-tempo, assuma o controle! Tome as rédeas dos pensamentos, dos sentimentos, do medo e da raiva. Você está se livrando de seus antigos padrões de comportamento! Isso é um assunto sério e um trabalho sério. Dê-se tempo para sentir e pensar. Seja paciente, lembra-se? Você pode ser paciente se lembrar que o amor e toda a sua glória estão pacientemente esperando que você destrua seu padrão de comportamento e faça uma coisa diferente.

Já haviam-se passado quatro anos desde que Pat e Eddie terminaram. Falavam-se pelo menos uma vez por semana, mas ele estava saindo com outras pessoas. Ela tentava fazer o mesmo, mas algo estava errado, e Pat queria saber exatamente o que era para poder *consertar*. Tinha a sensação de que as pessoas olhavam para ela toda vez que saía sozinha. Ela não queria estar sozinha, mas odiava os joguinhos da paquera. Encontrar alguém, sair algumas vezes, achar que você gosta deles, mas que eles não gostam de você. Começar tudo de novo. Encontrar alguém, sair algumas vezes, você gosta dele, ele gosta de você, mas não acontece nada. Você fica cansada. Você vai em frente. Encontra outra pessoa, sai uma vez, descobre que ele é casado. Aí vem mais um, bem parecido com o primeiro. Você sai com ele, descobre que é um idiota, um canalha, ou que ele pensa isso a seu respeito. Pode ser enlouquecedor! Nesse meio-tempo, você não sabe o que pensar a seu respeito. Será o seu cabelo? Seu hálito? O espinafre que você não sabia que estava preso no dente enquanto você sorria durante o jantar? É um mistério que você está determinada e *destinada* a deslindar.

Enquanto você está no jogo da paquera, terá amigos platônicos do sexo oposto. Você pode sair com essas pessoas e se divertir de verdade, conversando sobre tudo. São ótimas, mas não irão, nem podem, satisfazer os desejos românticos que com certeza você terá no meio-tempo. Ainda que elogiem sua aparência ou lhe digam como você é interessante, deixam bem claro que não querem comprar uma casa ou ter filhos com você. Podem, num mesmo movimento, lhe dar um abraço caloroso e lhe dizer: "Passe a pipoca." É por isso que nos sentimos seguros com essas pessoas, pois sabemos que podemos fazer perguntas e conseguir respostas honestas. A única pergunta que repetimos muitas vezes é: "O que há de errado comigo? Por que não consigo achar ou manter um relacionamento?" Esses amigos nos amam realmente e por isso podem nos dizer a verdade: "Não se preocupe. Você ainda não está pronto." É isso mesmo! Estamos no meio-tempo! Não estamos prontos porque ainda temos algumas feridas para curar e limpezas para fazer!

VOCÊ GOSTARIA DE SABER O CAMINHO PARA CASA?

Certa vez ouvi a história de um garotinho que perguntou ao pastor de sua igreja: "Se todos nós viemos de Deus e ele quer que encontremos o caminho de volta para Ele, por que simplesmente não nos deixou ficar lá?" Saído da boca das crianças! Se viemos do amor de Deus, por que não podemos simplesmente ficar por lá? Qual é o propósito de nascer, esquecer de onde viemos, apenas para descobrir o caminho e poder voltar? Eu me fiz essa pergunta pelo menos um milhão de vezes. A resposta, pelo menos a melhor que eu consegui, é que a viagem pela vida nos ajuda a redescobrir e lembrar como é a casa. A vida é nossa casa. Em casa nos é permitido explorar e examinar a arquitetura de cima a baixo, por dentro e por fora. A exploração é chamada viver. O propósito dessa exploração é aprender a ficar firme em cima do alicerce da vida. O alicerce da vida é lembrar e experimentar o amor puro e incondicional.

Os relacionamentos são os guias turísticos que nos levam pelos vários andares da casa. São como quartos, cada um ligeiramente diferente dos outros, oferecendo um pouco mais ou um pouco menos do que queremos ou precisamos para lembrar. Os relacionamentos também nos dão a oportunidade de escolher e decidir onde gostaríamos de dormir e como queremos ser tratados durante a viagem exploratória pela vida. Para sermos ajudados pelo caminho, recebemos um mapa dentro de uma maletinha minúscula chamada coração. O mapa contém a planta de nossa verdadeira casa e é cheio de indicações que nos levam à verdade sobre o amor. Junto com o mapa recebemos uma bússola. É chamada de mente. O propósito da mente é nos ajudar a usar o mapa. De alguma maneira, ficamos confusos enquanto andamos pelos quartos da casa. Deixamos que a bússola – cheia de pensamentos, crenças, juízos e, é claro, percepções-padrão a respeito da casa – assuma sozinha o papel de guia. Enquanto tentamos ler a bússola, abandonamos a maletinha no canto de um dos quartos e nos arrastamos para cima e para baixo, procurando descobrir a direção certa. Usar a bússola sem o mapa nos leva a tropeçar em calombos obscuros no carpete, a entrar em rachaduras assustadoras na parede, em quartos que estão sendo reformados e em espaços escuros e vazios.

De tempos em tempos, constatamos que estamos perdidos. Percebemos que o que estamos pensando e fazendo não está nos levando para onde queremos estar – o sótão. É nesse momento que paramos para verificar se a bússola está funcionando direito. A maioria de nós só analisa o que está pensando quando cai dentro de um buraco ou esbarra num monte de lixo. É também nesse momento que nos lembramos da maleta, do coração que estamos agora ignorando, que nos deu o primeiro alerta. Foi o coração, que temos medo de escutar, que nos ajudou a encontrar o caminho através das viradas e das esquinas da casa. Mesmo quando temos coragem para ouvir e confiar no coração, agimos como se seu papel fosse apenas secundário. Prestamos pouca atenção nele porque as pessoas que fizeram a viagem antes de nós disseram: *"Nunca, em nenhuma circunstância, confie em seu coração!"* Ao tentarmos fazer com que a bússola funcione e nos dê uma indicação precisa, continuamos a explorar, procurar e investigar a casa, sem encontrar o tesouro enterrado lá dentro.

Vamos fazer uma primeira descrição do que se passa nos vários níveis da casa. Depois voltaremos detalhadamente aos procedimentos necessários em cada andar para conseguir o amor que buscamos.

ABAIXO DA LINHA DO GOL

Todos nós começamos no porão da vida. É nele que desenvolvemos nossa auto-imagem e esbarramos em questões de auto-estima e valor próprio. Esses atributos são essenciais para que possamos construir e manter relacionamentos amorosos sólidos. É no porão que desenvolvemos questões relacionadas à sobrevivência, onde aprendemos os padrões de comportamento passivo/agressivo que, em última análise, determinam a nossa abordagem diante da vida. O fato de dançarmos e termos uma noite divertida ou de passarmos a noite encostados na parede do porão, levando chá de cadeira, vai ser determinante em nossa existência. O que experimentamos e aprendemos no porão se infiltra em todos os aspectos de nossas vidas como adultos e nem sempre contribui para a qualidade dos relacionamentos! Nossa tarefa na vida é vasculhar no meio do lixo mental e das bugigangas emocionais acumuladas no porão para começar a encontrar o caminho para o sótão, onde reina o amor.

Quando você mora no porão, não sabe o que está errado com você. Pode até saber que não está feliz, mas não tem a menor idéia do que fazer para mudar. Também não faz idéia de que, para ser feliz, tem que dizer para si a verdade sobre quem é, o que quer e o que se dispõe a fazer para conseguir o que quer. A maioria dos habitantes do porão e aqueles que o visitam com freqüência são tão programados sobre o que *deveriam* querer, que não sabem *o que* realmente querem. Quando descobrem, ficam com medo de que o que desejam da vida vá contrariar as outras pessoas. Por isso, deixam de fazer o que querem, duvidam de si, negam seus desejos e sofrem em silêncio, respondendo à expectativa dos outros. O sofrimento silencioso é um sinal certo de que a bússola não está funcionando direito.

O porão da casa da vida pode ser um lugar bastante triste e seu ambiente sempre nos afeta. Quando estamos infelizes, nós nos culpamos e culpamos outras pessoas, achando que o mundo está contra nós. Repetimos várias vezes: *"Ninguém quer me ver progredir! Ninguém quer que eu tenha nada! Ninguém quer me ver feliz! Ninguém quer me amar!"* Mesmo as pessoas mais próximas viram inimigas. O porão é o depósito para a *síndrome do por que eu*: "Por que todo mundo me odeia? Por que todo mundo quer me ver por baixo, me botar para baixo, quer que eu me dê mal? Por que a vida e o amor não acontecem do jeito que eu quero, se eu batalhei tanto para isso?" Por quê? Porque você está fazendo tudo errado! É por isso!

O objetivo da nossa permanência no porão é aprender a reconhecer as coisas que precisam ser curadas em nós mesmos e entender de que forma contribuímos para nossa própria infelicidade. Enquanto estamos no porão, não fazemos a menor idéia de que precisamos curar alguma coisa. O problema é com os outros, não é conosco! É o padrão familiar com o qual fomos amaldiçoados! Enquanto estamos no porão, usamos os padrões herdados de nossos pais, achando que são nossos. No porão, precisamos aprender a olhar os relacionamentos que estão em volta como um reflexo de nós mesmos, para que possamos descobrir o lugar que queremos ocupar em qualquer relacionamento. A única maneira de fazer isso é dispondo-se a fazê-lo. Temos que estar dispostos a liberar as coisas que não estão funcionando, abrindo-nos para escutar as verdades que não quisemos ouvir até agora. A disposição é o equipamento indispensável para sair do porão.

No momento em que estivermos dispostos a nos ver, a reconhecer o que estamos fazendo, iremos subir rapidamente. A disposição é a única maneira pela qual podemos limpar o coração e a mente de todo o sofrimento por que passamos durante tantos anos, em nome do amor. O amor não tem nada a ver com sobrevivência. Tem a ver com crescimento e, se insistirmos em buscar a sobrevivência, nosso crescimento será interrompido. A disposição, por outro lado, é a chave para lembrar que, depois de tantas coisas ruins, irão aparecer coisas boas, fazendo com que as experiências dolorosas se tornem lembranças. Lembranças do que *não fazer* e do que *fazer*. Essas experiências sofridas foram a maneira do amor chamar a nossa atenção. No meio de tanto tumulto interno, como poderíamos saber que estávamos sendo preparados para amar a nós mesmos e compartilhar nosso amor com outra pessoa? No porão, desejamos desesperadamente a verdade e a clareza! A pergunta é: será que estamos dispostos a realizar o trabalho necessário para consegui-las?

A única coisa que realmente temos que fazer para sair do porão é admitir que precisamos de ajuda e estarmos *dispostos* a recebê-la. Em outras palavras, devemos transformar o padrão agressivo/passivo em um padrão receptivo/ativo. Devemos estar dispostos a encarar nossas próprias imperfeições sem evitá-las ou desculpá-las. Devemos estar dispostos a parar de dizer: *"É assim que eu sou! E é assim que vou continuar sendo!"* Isso é *falta de disposição,* que nos impedirá de atingir a cura interior e uma experiência amorosa mais elevada. Devemos estar dispostos a pegar a vassoura, o esfregão e o espanador e começar a nos limpar por dentro e por fora, livrando-nos dos pensamentos antigos e dos padrões viciados de comportamento. A boa notícia é que, no porão, não iremos realmente trabalhar. A única exigência é que estejamos dispostos. Quando isto acontecer, começaremos a mudar. Iremos nos descobrir no primeiro andar da casa do amor, que é o lugar onde a limpeza realmente começa.

PRIMEIRO ANDAR! SUBINDO!

O primeiro andar da casa da vida é o lugar onde moramos quando sabemos que precisamos nos curar, mas ainda não sabemos exatamente o que há de errado. Durante essa fase admitimos que estivemos envolvidos em relacionamentos infelizes, e, em vez de culpar as outras pessoas, olhamos para nós mesmos. Este pode ser um lugar muito assustador, porque é no primeiro andar que devemos admitir: "Sei que contribuí de alguma forma para minha própria infelicidade, mas não sei como e nem por quê." Isso é bom sinal! Você finalmente entendeu, quer tenha consciência ou não, que o amor está ouvindo cada palavra sua. Na parte mais sagrada de seu ser você quer que o amor saiba que há um grande empenho em se curar.

Começar o questionamento dá início ao processo de cura. Fazer perguntas significa abrir-se para as respostas e estar em busca da verdade. No primeiro andar, o produto de limpeza a ser usado é a *verdade*. A verdade é como um desinfetante bactericida que irá impedir que os germes do medo, da fantasia e das escolhas inconscientes se espalhem pela nossa vida. A fim de nos desinfetar usando a verdade, devemos aprender a escutar nosso corpo. Devemos identificar os sinais de desconforto, infelicidade e insatisfação com o que estamos fazendo para conseguir ou manter o amor. São bons sinais! Expresse o desconforto corporal e emocional sob a forma de perguntas. As perguntas facilitam a reflexão sobre nossas atitudes e experiências passadas.

É aqui, no primeiro andar do amor, que descobrimos que a sabedoria obtida através da experiência é nosso melhor professor. Refletir sobre nossas escolhas antigas é a chave para entendermos o que houve de errado e para percebermos as ilusões e fantasias que nos mantinham presos. Vamos nos perguntar: *"O que é que estou pensando? O que estou sentindo?"* A resposta virá porque estamos dispostos a saber e a assumir a responsabilidade pelo que sabemos. *A responsabilidade* é o detergente que você deve usar para descobrir o que faz, quando faz, como faz e por que faz. As respostas irão revelar exatamente por que acabamos no meio-tempo confusos e/ou sem amor!

No primeiro andar estamos envolvidos no processo de reunir informações para começar a limpar os germes e os fungos dos comportamentos programados, dos pensamentos negativos, da tristeza e infelicidade. Iremos perceber que fomos *nós* que atraímos uma pessoa que não estava disponível emocionalmente, uma pessoa abusiva, uma pessoa que não nos apoiava. Iremos reconhecer que *nós* nos interessamos por uma pessoa que não estava nem um pouco interessada em nós. Iremos entender todas as coisas que *nós* fizemos para transformar uma situação insustentável em sustentável. Quando a bagunça estiver arrumada, estaremos melhor equipados e dispostos a aceitar: *"Ei, esse ou essa aí sou eu! Eu sou esse relacionamento! Eu sou essa infelicidade! Esses são os meus problemas! Estão bem aqui, na minha cara, e tenho que começar a me livrar deles!"* Aprender a aceitar a responsabilidade pela limpeza da bagunça no primeiro andar é exatamente o motivo pelo qual temos que passar algum tempo no *meio-tempo.*

Antes que você possa sair do primeiro andar, tem que saber o que funciona e o que não funciona. Deve entender que fechar-se quando tem um atrito não resolve nada. Precisa perceber que esconder-se, fugir ou evitar as dificuldades não leva você a conseguir o que deseja. Você vai descobrir o que está fazendo para criar atrito e estagnação na sua vida e nos seus relacionamentos, o que faz quando está com medo, do que é capaz de fazer para evitar dizer a verdade. Você decobrirá que tudo isso é resultado e reflexo de suas experiências e padrões viciados de comportamento. Mas, apesar de perceber e descobrir tudo isso, não terá ainda a menor idéia do que fazer! Não tem problema, essa não é a sua tarefa neste andar. O primeiro andar serve para você descobrir o que está errado. É no segundo andar que você vai descobrir o que fazer a respeito. Quando tiver todas as informações de que precisa, arrume as malas. Tem uma vaga para você em um andar mais alto.

NÃO EXISTE MONTANHA ALTA DEMAIS!

No segundo andar da casa da vida, sabemos que precisamos ser curados. Por termos refletido sobre nossas experiências sem sentirmos culpa ou sem nos colocarmos no papel de vítimas, possuímos um novo nível de compreensão a respeito de nós mesmos. O desafio aqui é termos consciência de que é preciso fazer alguma coisa, mas ainda não sabermos o quê. Por isso, você vai começar a ler livros sobre amor, a freqüentar *workshops* e a procurar ajuda terapêutica na tentativa de melhorar. É possível que você fique correndo em círculos, tentando encontrar a maneira, o caminho e o método certos para sua cura, pois ela virou um assunto urgente. Você quer realizá-la, você *tem* que realizá-la. Sua ansiedade transforma todas as pequenas experiências em grandes questões. Fiscaliza-se o tempo todo, com medo de que, se descuidar um segundo, irá se apaixonar perdidamente e tudo ficará bagunçado novamente. Não saber o que fazer para conseguir ou manter um relacionamento amoroso deixa qualquer pessoa maluca!

O segundo andar da casa do amor é o mais importante de todos, pois é nele que se inicia um nível mais profundo de aprendizado. A primeira, última e única lição que você tem que aprender neste andar é: *não existe nada de errado comigo!* Ou com as outras pessoas! Agora, você entende que todas as experiências, todos os relacionamentos, todos os acontecimentos dolorosos ou constrangedores do seu passado foram necessários para o seu crescimento. Irá descobrir que Deus sempre amou e sempre irá amar você, não importa o que tenha feito ou o que possa fazer. E você descobre isso quando percebe que só o amor de Deus poderia ter retirado você do porão. Você não conseguiria sair sem ajuda, porque não sabia o que fazer!

Agora que você entendeu isso, pense que o seu progresso foi fenomenal! No porão, você não sabia o que estava errado. No primeiro andar, descobriu o que era. Aqui no segundo andar irá aprender que não havia nada de errado com o que você vinha pensando, acreditando, dizendo ou fazendo, a não ser o fato de que você não estava conseguindo o que queria. Em resumo, isso significa que agora *você sabe o que não fazer.* Ainda que se ache completamente sem rumo, saber *o que não fazer* significa saber *o que fazer.* É *mudar de idéia.* Se o que você está fazendo não está funcionando, mude de idéia! Mude o piso, as cortinas, o papel de parede, toda a decoração da sua mente. Para fazer isso questione e, se for preciso, renuncie a tudo que um dia pensou ser verdade – verdade a seu respeito e verdade a respeito do amor. Se você descobrir que não são verdades, em vez de tentar consertar, renuncie a essas idéias! Não faça nada, não tome uma única decisão, não realize uma única atividade baseando-se nelas. *Renunciar* é o detergente espiritual para o trabalho que você tem que fazer neste andar. Uma palavra de precaução: a renúncia funciona melhor quando é usada junto com o *perdão.*

Disponha-se a ouvir coisas desagradáveis e desconfortáveis. Estamos mais do que equipados para lidar com qualquer situação quando nos mantemos conscientes da renúncia e do perdão. Sabe por quê? Porque não precisamos mais estar certos. Nosso único objetivo será viver, amar e ser feliz. Nossos caquinhos serão colados pelo amor. Nossa mente dilacerada será curada pelo amor. Nossa casa será arrumada pelo amor. Agora sabemos que esconder-se, evitar, julgar, fechar-se e viver com medo não torna ninguém feliz. E, como desejamos o amor, faremos uma escolha: não repetir essas coisas.

No segundo andar, você está realmente mudando do modelo passivo/agressivo para uma abordagem receptiva/ativa. Este é um andar de transições profundas. A transição é o resultado da renúncia e do perdão. Quando você desiste de alguma coisa, tem que substituí-la por outra. Para substituir o que você liberou, tem que abrir-se para receber. É por isso que você tem lido tanto e é por isso que tem procurado ajuda e investido nos *workshops*. Quer reunir novas informações para substituir a programação antiga. Quer procurar novas abordagens para antigas situações. Tendo se livrado de grande parte das bugigangas mentais, pode agora ouvir seus próprios pensamentos e escutar outras pessoas. Estará mais livre para se expressar, sem medo do julgamento dos outros, e para permitir que os outros se expressem sem ter que carregar a responsabilidade pelo que eles fazem ou sentem. Nossa, como você cresceu! É a beleza da renúncia. É a bênção do perdão. Com essas duas ferramentas de limpeza no cinto, você começará a subir para o terceiro andar.

O SONHO POSSÍVEL

Agora você está a caminho de descobrir a verdade sobre si e sobre o amor. A esta altura saberá o que está errado e o que fazer a respeito. Isso por si só já é difícil, mas existe outro problema. Ao subir do segundo para o terceiro andar, cada vez que aplicar o que sabe, irá surgir outra situação para testar sua confiança no que sabe. O porão é vontade e disposição. O primeiro andar é verdade e responsabilidade. O segundo andar é renúncia e perdão. Para chegar ao terceiro andar, precisará de *confiança e paciência*. É preciso ter paciência para saber o que, quando, onde e quanto do que você aprendeu precisa ser aplicado em cada experiência de sua vida. É fundamental confiar *no que você sabe* para desenvolver a paciência e a auto-estima. Você tem que se dar tempo para crescer e aprender enquanto está crescendo através da vida e das experiências amorosas. O que faz a experiência da passagem do segundo para o terceiro andar ainda mais desafiadora é o fato de cada degrau entre os dois andares estar coberto por suas experiências! Experiências de infância, de medo! Questões do ego! Para chegar ao fim da viagem sem um cansaço excessivo, você deve aprender como passar por suas experiências, abraçá-las, aceitá-las e amá-las. Isso, meus queridos, não é uma tarefa fácil!

Para alguns pode haver apenas dois ou três degraus entre o segundo e o terceiro andar. Para outros pode haver duzentos ou três mil. Os degraus vão ser o número de experiências novas, parecidas ou repetidas pelas quais você tem que passar para aprender. Você tem que aprender que amar a si é a única coisa importante. Quando você se ama, pode amar a todos e a qualquer um. Isso não quer dizer que as pessoas não irão enfurecer-nos. Irão, sem dúvida, mas você deve aprender a maneira de não se enfurecer e de amar as pessoas mesmo quando sente raiva. Nesta parte da viagem, a tentação de desistir aparecerá muitas vezes. Você vai querer reclamar, emburrar, voltar a fazer as coisas do seu jeito. Tenha paciência, isso vai passar. Haverá momentos em que seu equipamento parecerá precário. Mas tenha certeza de que você chega lá! Irá rever os passos que deu e comemorar o quanto andou. Pode não ser fácil, mas você possui este livro e muitas experiências que pode compartilhar com alguém que esteja no porão. Compartilhar o que aprendeu e ajudar os outros é uma ótima fonte de renovação.

Um dia, quando você não estiver esperando, verá a luz! Irá ouvir as palavras e experimentar o esplendor de morar no terceiro andar da casa da vida. Sentirá paixão por si e pela vida. Você conseguiu! Ainda que a cura não seja completa, sabe o que fazer, como fazê-lo e por que é necessário manter o amor no centro de tudo. Começará a ensinar a outras pessoas o que aprendeu, compartilhando suas histórias pessoais sem medo do que possam pensar de você. Falará de suas experiências amorosas positivas e negativas sem sentir dor ou raiva. Saberá, no fundo da alma, que, enquanto estava aprendendo, lembrando e recriando suas idéias a respeito do amor, o amor estava ao seu lado, ouvindo e observando. Quando entender isso, quando realmente entender que o amor sempre foi e sempre será a única coisa da qual precisa, irá se sentir completamente em casa no terceiro andar. O trabalho ainda não terminou, mas agora você é capaz de fazer muito mais e muito mais rapidamente

NÃO PRECISA TER MEDO DE ALTURA!

O terceiro andar é onde você vai morar enquanto a cura não estiver completa. Não existe ansiedade ou urgência. Você sabe *o que* precisa ser feito e agora está aprendendo *como* fazê-lo, o tempo todo, em cada situação. No terceiro andar tudo faz sentido e, quando não faz, você não se preocupa. Neste estágio do seu desenvolvimento, você sente disposição para renunciar, perdoar e confiar em si. Você possui amor suficiente para participar ativamente de qualquer cura que ainda precise ser feita, em você ou em qualquer outra pessoa. Você vai para o terceiro andar buscando aperfeiçoar-se.

Quando chegar ao terceiro andar, você terá aprendido a importância de dizer a verdade total o tempo todo. Poderá relacionar cada experiência com suas verdadeiras idéias e sentimentos. Irá reconhecer que as escolhas prejudiciais, as decisões erradas e os maus julgamentos eram motivados por medo ou impaciência, em vez de serem feitos em busca do amor e da verdade. No terceiro andar, você desenvolve a coragem para assumir total responsabilidade por todos os aspectos da vida, sem precisar se culpar pelo que pensa ou sente. Quando não estamos nos sentindo machucados ou espancados pela vida podemos nos olhar no espelho todas as manhãs e ter satisfação com o que vemos. Isso é que é vida mansa! O que pode não ser tão manso assim são os ajustes que terão que ser feitos. Sabe por quê? É porque no terceiro andar a *mudança* realmente começa a acontecer e as pessoas à sua volta terão que se adaptar. Você aprendeu o que fazer e o está fazendo de uma maneira diferente. As pessoas não vão ficar felizes com isso! Gostavam do velho você, do você previsível, do você histérico. Agora você está tentando ser diferente, e as pessoas não vão gostar!

No terceiro andar, tudo o que você sabe terá um significado diferente. Renunciar, por exemplo, agora significa que você é capaz de abrir mão de todos os relacionamentos que possui. É isso mesmo! Todos os relacionamentos que se baseiam no padrão antigo têm que ser mudados, transformados ou liberados. Esses são os relacionamentos que nos deixam tentados a agir da forma como agíamos no porão ou no primeiro andar. Quando chegar ao terceiro andar, você vai verificar que, à medida que muda seus padrões de comportamento, algumas coisas e pessoas vão sair de cena. As atitudes e o comportamento que um dia ocuparam a sua vida, transformando-a numa produção dramática, não valem mais seu esforço e energia. Este será provavelmente o momento mais difícil, pois é aqui que o seu antigo eu irá desafiar o seu novo eu. Isso é chamado de conflito interno. Mas não se preocupe! Você saberá exatamente o que fazer. Se ainda não souber, é para isso mesmo que estará aqui no terceiro andar da casa da vida: para praticar, aperfeiçoar e descobrir.

Enquanto perambula pela sua nova residência, irá perceber que, como possui informações novas, você tem a oportunidade perfeita para fazer as coisas de uma maneira diferente. Isso é um milagre! Vai descobrir que o seu papel na vida é servir e apoiar as pessoas e ao mesmo tempo gostar de si. Esses são os únicos detergentes espirituais de que irá precisar daqui por diante – *aceitação, apoio* e *amor a si.* Enquanto usar esses detergentes como base de suas decisões e atos nos relacionamentos, tudo o que fizer vai acabar dando certo – em algum momento. Quando as coisas não acontecerem do jeito que você achou que aconteceriam, agora você sabe que não deve se preocupar.

Muitas pessoas se tornam moradores permanentes do terceiro andar. Isso é perfeitamente aceitável. Você pode morar nesse lugar e nesse estado de consciência durante muitos anos e sentir total satisfação. Pode morar aqui depois da morte de seu parceiro de vida ou após o término de um relacionamento longo. Pode morar aqui quer seja heterossexual ou *gay*, branco ou preto, homem ou mulher. O terceiro andar é como um lugar de retiro – você vai para ele quando precisa descansar, rejuvenescer, refletir e aprofundar sua consciência. Nele estão coisas que amamos e que nos manterão ocupados, nele há vizinhos maravilhosos, bons amigos, que farão a vida parecer um sonho bom. Você perceberá que existe um andar acima e que a única coisa que precisa fazer para subir é uma ligeira mudança. O andar de cima é o sótão.

PODE BOTAR A MESA?

Antes de explorar o sótão, eis um teste simples que vai definir "Onde Você Mora". Depois de ler a história, escolha a letra correspondente à resposta que melhor descreve sua reação espontânea. A não ser que tenha certeza de ainda estar vivendo no porão, por favor, faça um esforço concentrado para dizer a verdade.

Rose e John se conheceram durante o primeiro ano de faculdade. Começaram como colegas de sala. Seu relacionamento cresceu e desabrochou enquanto se empenhavam em estudar o corpo um do outro. Ambos eram bastante maduros, estudantes muito dedicados, antecipando futuros brilhantes e bem-sucedidos – ele como engenheiro mecânico, ela como especialista em comunicação. Quando estavam no último ano, eram mais do que amigos, menos do que noivos. Tinham mais do que um caso, mas não o nível de compromisso necessário para ficarem noivos. Estavam "no meio" de seu relacionamento. Era sério, mas não tão sério. Tinham planos, juntos e individualmente, mas ainda não estavam prontos para colocarem esses planos em prática. Eram monógamos, não por acordo, mas por escolha. As coisas meio que aconteceram dessa maneira e ambos estavam bastante satisfeitos.

Durante a primeira metade do último ano, John disse a Rose que uma estudante do primeiro ano chamara sua atenção. De muitas formas, ela o fazia lembrar de Rose e ele confessou que estava interessado em examinar a possibilidade de um relacionamento com ela. Disse a Rose que queria ser honesto com ela, que a respeitava muito. Se você fosse Rose, sendo a mulher sensata que é, considerando a duração e a profundidade de seu relacionamento com John, que resposta escolheria?

A. Eu quero que você tenha certeza sobre nosso relacionamento. Como estamos juntos há quatro anos, acho que você deve ter experiências com outras pessoas. Mas, se decidir fazer sexo com ela, por favor, use camisinha.
B. Se é isso o que você quer fazer, faça. Tenho certeza de que você fará a coisa certa. Não me sinto minimamente ameaçada. (Ela diz isso a John, mas não é verdade!)
C. Você está maluco? Do que você está falando? Não pode fazer isso! Acha que eu vou ficar sentada aqui enquanto você dá uma voltinha com essa menininha? Eu te odeio! Eu te odeio! Achei que você me amava! Como é que você pode sequer pensar uma coisa dessas?
D. Você permanece em silêncio. Sai do dormitório. Anda pela estrada até o trilho do trem, onde deita de costas e bebe uísque direto da garrafa!

Se você respondeu A, está demonstrando comportamento do terceiro andar. Sabe como fazer o que precisa fazer, o que, no caso, é renunciar e confiar. Percebe que o amor não é possessivo. Sabe que não pode perder o que ele significa para você e que se alguma coisa tiver que acontecer, vai acontecer. Gosta da honestidade de John e se sente confiante de que sua amizade continuará intacta, ainda que o caso de vocês possa acabar. Você se despede dele abençoando-o, sabendo que ele a manterá informada dos progressos do relacionamento. Quando ele a deixar para sair com ela pela primeira vez, você reza pedindo paz de espírito e continua estudando para a prova.

Se respondeu B, está demonstrando comportamento do segundo andar. Sabe o que fazer, mas não como fazê-lo. Suas questões estão no meio do caminho! Você está dizendo uma coisa quando na verdade quer dizer outra. Não está falando a verdade, porque não acredita que John vá honrar e respeitar seus sentimentos. Se disser como realmente se sente, ele pode ficar chateado com você. Assim que ele sai, você começa a chorar e liga para uma amiga contando o que aconteceu. Ela diz o que você deve fazer, como fazer e por que deve fazê-lo. Você escuta. Você chora. Você não faz nada.

Se você respondeu C, está demonstrando comportamento do primeiro andar. Não sabe o que fazer nem como fazê-lo. Sente-se traída, desrespeitada e está com medo. Na verdade, quer bater em John, mas ele é muito maior do que você. Em vez disso, expulsa-o, grita com ele e liga para a mamãe. Ela diz para você não se preocupar, ele vai voltar. Você sabe que sua mãe nunca mente, mas desta vez não acredita nela. Ela diz para você vir para casa no fim-de-semana, para comer a comidinha dela. Você desliga, vai para a cama e chora até dormir.

Se respondeu D, definitivamente está demonstrando o comportamento dramático do porão. Neste caso, você não sabe qual é o problema, mas tem certeza de que ele existe. *"Por que eu? O que foi que eu fiz? Por que isso sempre acontece comigo? O que há de errado comigo?"* Você não confia em John e não tem segurança em você mesma. Deitar-se nos trilhos do trem, ameaçando se matar, é a forma que você encontrou para se vingar de John pelo que ele lhe fez. É claro que você não sabe exatamente o que ele fez. Você espera que a bebida a deixe bêbada o suficiente para não sentir dor quando o trem passar por cima de seu corpo. É claro que nenhum trem passou por esses trilhos nos últimos quarenta anos, mas quem é que sabe disso?

A QUALIDADE DA SUA MENTE!

O amor preparou uma suíte maravilhosa para você no sótão de sua casa. É chamada de suíte *O Amor É Lindo.* Na casa da vida, o sótão é lugar do amor incondicional. É um lugar amplo e bonito, com uma vista maravilhosa para as imagens grandiosas da vida. É um lugar silencioso e sereno, que abriga a expressão perpétua do amor. A viagem para o sótão ajuda a mudar a percepção e com isso estabelecer relacionamentos baseados no amor incondicional.

Nesse momento da vida, só existe o amor. Nada mais. O seu trabalho é colocar o amor em ação em todos os aspectos da sua vida. Você irá mergulhar no amor. Permitirá que outros mergulhem com você. No sótão, você até constatará que ainda existem algumas pontas soltas em sua consciência, mas que pode deixá-las assim, pois o amor irá lidar com elas da forma apropriada, no momento certo. Se, enquanto estiver no sótão, falhar em demonstrar amor por algum motivo, a reação será tão rápida e a dor tão insuportável, que você retomará logo uma postura amorosa. Neste nível da vida, o amor é a sua paz. O amor é a sua força. O amor é a sua plenitude. O amor é a sua saúde. O amor é tudo o que existe para você. Você simplesmente irá mergulhar tudo e todos no amor. É aqui que você vai morar quando entregar todo o seu ser ao amor.

Para mudar sua consciência e atingir a paz do amor incondicional, só existe um meio: criar novas expectativas amorosas baseadas na honra, no respeito e no apoio. Honre o que *você* sente, acreditando que pode ter o que deseja. Respeite o ponto em que *você* está na vida, entendendo que irá progredir quando tiver completado a etapa. Apóie-se, ao se recusar a aceitar menos do que deseja. Esta é a sua base – o que você faz e como se trata. Para estabelecê-la, você deve criar reações novas para os desafios da vida, baseadas no amor. Procure sempre fazer suas escolhas da forma que mais respeite seu amor-próprio.

Morar no sótão não significa que você nunca mais sofrerá as tentações das experiências do porão, do primeiro andar ou do segundo. Significa que você reconhecerá as experiências tais como são e processará uma mudança. Significa que, conforme você muda, vai ajudar outra pessoa a crescer e a curar-se. Essa é a beleza e o propósito definitivo de morar no sótão – agora você pode ensinar os outros. Pode oferecer um modelo de comportamento. Vivendo concretamente o amor, será capaz de ensinar aos outros o seu significado verdadeiro. Jesus morava no sótão, Buda também. Eles ensinavam o amor ao vivê-lo. Era no sótão que Madre Teresa morava. Cada um deles se deu altruisticamente em nome do amor, pelo bem do amor. Todos nós nascemos para morar no sótão. É onde iremos morar enquanto permanecermos no amor, não importa o que aconteça. Vamos lá! É hora de pegarmos nossos esfregões, vassouras e espanadores e começarmos a grande faxina!

O PORÃO

Mais uma vez chegou aquela maravilhosa época do ano quando tudo lá fora começa a se animar e a ficar bonito. Também é a época em que começamos a perceber que todas as coisas que estão do lado de dentro parecem úmidas, escuras e empoeiradas. É pura sujeira! Lutamos para limpar nossa bagunça e, por mais que detestemos admitir, é com isso que nossos relacionamentos freqüentemente se parecem: uma bagunça!

Quando olhamos para fora, parece que tudo é perfeito para as outras pessoas. Então, olhamos para o que temos... há lixo e poeira por todo canto! Ao longo dos anos, acumulamos tantas coisas que fica impossível conservá-las ou saber o que fazer com aquilo tudo. A casa dos nossos relacionamentos precisa de uma grande faxina! É hora de catar, varrer para fora, livrar-se das coisas velhas, inúteis e gastas que estávamos guardando.

Capítulo 3

A GRANDE FAXINA

Haviam-se passado quatorze anos. Quatorze anos longos e passivos. Não foram todos ruins. Na realidade, não foram nem um pouco ruins, apenas longos. Faltavam três dias para completar quinze anos quando ele percebeu que não podia continuar. Jack não podia ficar com ela nem ouvir suas constantes reclamações por mais um ano. Ele tinha que ir embora e sabia disso. Estava na hora de dizer para ela. Mais uma vez, Helen ia pensar que ele estava brincando. Mais uma vez iria acusá-lo de ter outra mulher. Mais uma vez, iria gritar, chorar e xingá-lo. Da mesma maneira que no segundo, terceiro, sétimo e décimo segundo anos em que ele fez declarações parecidas. Ele a amava, mas havia algo que simplesmente não combinava mais entre eles. Talvez ela não fosse o problema, pensou. Talvez ele fosse burro, fraco ou, como ela costumava dizer, *sombriamente problemático.* Ele carregava a culpa e virava o bandido, mas sabia que não podia ficar mais um ano. Sabia que a *amava,* mas não estava apaixonado por ela, e tinha que ir embora. Continuaria a *amá-la* enquanto saía pela porta, pois seu meio-tempo fora muito longo.

Chegou a hora! Você vem adiando isso há muito tempo. As coisas estão se empilhando e você não consegue encontrar o que está procurando. Você não consegue descobrir o que aconteceu, o que está acontecendo ou o que fazer a respeito. Existe um cheiro ruim, cuja origem você desconhece. Você percebeu que existem pequenos furos nas paredes de sua vida. Cupins, talvez, corroendo o interior da sua estrutura. Sua mente está lotada, congestionada e você precisa de espaço para respirar.

Você finalmente percebeu que *tem* que limpar os cantos da sua mente, espanar debaixo dos alicerces do seu coração, reorganizar suas crenças, idéias e percepções, que, como as gavetas da cômoda, guardam tudo o que você acumulou. É hora de arejar todos os quartos para que você possa respirar fundo sem sufocar. É a hora da grande faxina.

Por que Jack não conseguia tomar uma decisão? Só Deus sabe o quanto ela tentou ajudá-lo de todas as maneiras que sabia. Ela lhe disse o que fazer e como fazê-lo. Disse-lhe mais de cem vezes como poderiam se entrosar melhor, com mais alegria e animação em suas vidas. E ele a ouviu? Não! Ele deu uma desculpa depois da outra – não podia sair da cidade, mudar de emprego, comprar uma casa nova, fazer mais amor. Ela estava farta daquilo tudo! Mas ela o amava. Havia alguma coisa nele que ela amava. Talvez o problema fosse com ela. Talvez, pensou, ele estivesse certo e ela fosse egoísta ou, como ele havia dito, *inacreditavelmente insaciável*. Havia tentado ao máximo mudar, mas não funcionou. Ela gostava de viajar, ele gostava de ler. Ela gostava de dinheiro e de coisas bonitas. Ele gostava de investimentos seguros. Ela gostava de sexo. Ele gostava de televisão. Era uma bagunça enorme! Ela teria que fazer uma faxina antes do aniversário de quinze anos de casamento.

É UM TRABALHO SUJO, MAS VOCÊ TEM QUE FAZÊ-LO!

Uma faxina geral é uma tarefa bastante difícil, mas necessária. Nós já sabemos que, quanto mais a evitarmos, mais urgente se torna. Estamos falando das velhas feridas e das dores que acumulamos. Isso se relaciona às pessoas com quem *ainda* estamos zangados ou ressentidos depois de todos esses anos. Não devemos nos esquecer da necessidade de jogarmos fora as coisas velhas que fizemos no passado e as pessoas com quem as fizemos. Sim, estamos nos referindo às coisas que ainda nos atormentam e pelas quais deixamos que outras pessoas nos culpem.

O objetivo dessa faxina é aprender a gostar do que temos e abrir espaço para coisas novas.

O que é que ele estava pensando quando casou com ela? Pensando é uma palavra-chave! Jack admitiu que não estava pensando muito quando conheceu Helen. Naquela época ele estava sozinho, sentindo-se fracassado, como se sua vida não tivesse rumo. Então, Helen apareceu e lhe deu esperanças, vendo nele algo que o próprio Jack não via. Ela o motivou. Quando era mais jovem, ela conseguia realmente excitá-lo! Agora, ela o irritava. Implicava com ele, apontava nele todas as coisas negativas em que ele mesmo acreditava. Ela era igualzinha à mãe dele: uma batalhadora, uma borboleta social, um grande pé no saco! Ele era igualzinho a seu pai: um trabalhador, satisfeito com uma cerveja e um bom programa de televisão, um pão-duro só preocupado com o futuro. Seus pais permaneceram juntos pelo bem das crianças. Graças a Deus, Helen e Jack não tinham filhos. A única vez que tentaram, a criança nasceu morta. Helen nunca mais quis tentar.

Não gostamos de fazer a faxina. Especialmente não queremos fazê-la quando o dia lá fora está bonito e as coisas parecem estar correndo tranqüilamente. Quem quer se preocupar em varrer, espanar, esfregar e mudar os móveis de lugar quando poderia estar lendo um bom livro ou batendo papo com amigos? Talvez seja por isso que adiamos tanto. Sabemos que precisa ser feito, mas não conseguimos arrumar motivação para fazê-lo. É isso o que acontece em nossos relacionamentos. Sabemos que existem coisas que precisam ser ditas, feitas ou desfeitas, mas simplesmente não conseguimos arranjar motivação. Por alguma razão, quando a casa ou o relacionamento ficam muito ruins, achamos que não estamos equipados para fazer o que precisa ser feito. Queremos ajuda. Alguém tem que nos ajudar a fazer esse trabalho. A ajuda normalmente aparece na forma de um problema. Os problemas fornecem grandes motivações para a faxina dos relacionamentos, dos assuntos amorosos e da casa.

O plano de Helen saiu pela culatra. Ela realmente pensou que, se criasse um envolvimento com outro homem, o homem que ela realmente queria viria resgatá-la. Esse foi o único motivo pelo qual começou a sair com Jack. Achou que Bob ficaria suficientemente enciumado para voltar. Estava errada! No meio do processo, as coisas ficaram fora de controle. As pessoas começaram a lhe dizer como Jack era legal e como estavam felizes por ela. Era difícil desapontar as pessoas. Sua mãe lhe ensinara a nunca desapontar as pessoas. Antes que ela percebesse o que estava acontecendo, mamãe havia planejado o casamento. Ela poderia ter fugido, mas não tinha coragem. Além do mais, começara a gostar de Jack, até a amá-lo um pouco, apesar de não ser com quem queria casar. Mas casou com Jack e agora estava tentando descobrir por quê.

VOCÊ NÃO PODE BRINCAR NUM PORÃO SUJO

Quando não fazemos o que nos deixa felizes, acabamos nos sentindo zangados e ressentidos. Muitos moradores do porão são assim. Tomam uma atitude passiva em relação à sua felicidade e depois culpam outras pessoas por sua infelicidade. Na realidade, o que estão fazendo é arrumar desculpas para si mesmos. Habitantes do porão têm muitas desculpas para explicar por que são do jeito que são e por que não podem fazer o que querem. São vítimas – vítimas da vida e, é claro, vítimas do amor. Nunca parecem encontrar ninguém que os ame da maneira como querem ser amados. Estão sempre sendo enganados, maltratados, usados e rejeitados. Não conseguem entender a razão. Por quê? Porque os moradores do porão abandonaram os desejos de seus corações para fazerem o que achavam ser a coisa certa. Tanto Jack quanto Helen eram moradores do porão. Nenhum dos dois estava fazendo o que queria e nenhum dos dois estava falando a verdade.

Havia três anos que agiam como se tudo estivesse bem, quando o desastre aconteceu. Helen descobriu que estava grávida. Foi mais ou menos na época em que ela ouviu rumores de que Bob estava para se casar com uma de suas colegas de colégio. No começo, pulou de raiva: *"Como ele pôde fazer isso"* Então, lembrou-se que fora ela quem casara primeiro. *"Como pude ser tão burra?"* Agora, estava se culpando, sentindo pena de si mesma. A raiva e a autoflagelação se tornaram um estado catatônico de depressão que quase a matou e – ela acreditava – matou o bebê que estava esperando.

De certa forma, construir um relacionamento é como preparar uma refeição. Você tem que ter os ingredientes certos, na combinação certa, para garantir um bom resultado. Como medida de precaução, enquanto está cozinhando, tem que provar a comida para se assegurar de que está tudo correndo bem. Se, em algum momento, a comida não tiver o gosto certo, poderá ter que acrescentar alguma coisa. Entretanto, esse acréscimo não garante que a comida fique boa. Existem momentos em que acrescentar muito ou muito pouco pode arruinar todo o esforço. Também existem momentos em que você acrescenta a coisa errada. Para tentar corrigir o erro, você adiciona outra coisa. Seu bom-senso manda você jogar a comida fora e começar tudo de novo, mas você não quer desperdiçar o que tem. É isso o que você diz para esconder o medo de não conseguir fazer esse prato direito. Às vezes, compensar para mais ou para menos funciona quando você está cozinhando. Raramente funciona nos relacionamentos.

Os ingredientes apropriados devem estar presentes no início de um relacionamento. Caso contrário, acrescentar mais coisas depois pode piorar tudo. Se quer saber o final, olhe para o começo! Raramente funciona acrescentar um bebê a um relacionamento ruim, ou mudar para outro bairro. Ganhar mais dinheiro não reconcilia relacionamentos irreconciliáveis. Comprar uma casa nova melhora muito pouco a comunicação. Quando os problemas se encontram na raiz do relacionamento, acrescentar alguma coisa é como colocar um *band-aid* em um câncer. Pode até dar a impressão de que as coisas estão melhores, mas um *band-aid* não cura um câncer! Disfarces não tratam das questões fundamentais de um mau relacionamento. A única forma de consertar um relacionamento amargo é admitir que está faltando algo essencial e dispor-se a descobrir qual é esse ingrediente. Devemos rever nossos passos lembrando do que fizemos ou deixamos de fazer. Quando descobrirmos o que está faltando, pode ser que tenhamos de raspar o fundo do tacho e começar de novo.

Quando o bebê morreu, Jack ficou arrasado. Tinha esperança de que a criança melhorasse o relacionamento, dando-lhes um interesse em comum. Jack queria saber por que seu bebê tinha que morrer assim. Helen sabia. Ela não queria ter o filho de Jack. Queria ter filhos com Bob. Estava convencida de que o casamento dele havia eliminado essa possibilidade, e tinha certeza de que havia matado a criança em seu útero. Jack e Helen tinham que se apoiar um no outro para sobreviver. Foi aí que confundiram necessidade com amor e, por não se comprometerem com uma relação honesta, ficaram tão confusos que acharam que podiam fazer o casamento funcionar. Tentando isso, Jack tornou-se completamente passivo: *"Deixe ela fazer o que quiser e não cause mais problemas!"* Helen ficou extremamente agressiva: *"Vou fazer o que quiser e é melhor ele não reclamar!"* Jack passou a dormir no sofá, sentindo pena de si mesmo e se perguntando: "Por que eu?" Helen estava preocupada em fazer o que fosse preciso para sobreviver à culpa, à vergonha, ao medo de que Jack descobrisse o que ela provocara. Ambos perceberam que seu casamento era um erro. Ele pensava que o erro era dela – ela não deveria ter casado com ele. Ela achava que o erro era dele – ele não deveria ter casado com ela. As pessoas que moram no porão realmente não sabem o que está acontecendo. Ambos estavam enganados.

NESSE MEIO-TEMPO, CURE-SE!

O amor tem poder de cura. Todos nós nascemos para descobrir e experimentar os efeitos desta cura em todos os aspectos da vida. Às vezes é difícil perceber isso porque, quando estamos no meio-tempo, não recebemos o amor que queremos, da maneira como queremos. Freqüentemente, o meio-tempo é um período de incerteza. Você está sentindo uma certa ansiedade que não consegue exatamente localizar. Pode parecer que, por fora, está tudo bem, mas por dentro está acontecendo alguma coisa.

Às vezes, essa coisa é tristeza. Como se estivéssemos andando na corda bamba. Tentamos nos segurar, manter os pés firmes, porém, lentamente, percebemos que nosso relacionamento está se desintegrando. Ficamos tristes com isso, mas parece que nada pode ser feito. Mas, atenção, é justamente no momento em que as coisas parecem estar se desintegrando que elas estão se encaixando. O meio-tempo é o momento da preparação que irá nos curar. Estamos sendo preparados para a maior de todas as experiências da vida – a do amor incondicional. Então é preciso agüentar o sentimento de confusão e desamparo. Lembre-se sempre de que o meio-tempo não é um estado permanente. É um processo de cura.

O primeiro passo do processo consiste em rezar e fazer perguntas. Não tente descobrir o que está acontecendo! Reze e pergunte! Pare de se mexer, de falar, de pensar e bater o pé. Reze, porque a oração ajuda a dissipar a confusão. Quando a mente estiver clara, é imprescindível fazer três perguntas:

1. O que estou sentido?
2. O que quero?
3. O que estou sentindo a respeito do que quero?

Quando fizer as perguntas, a cura irá começar e as respostas surgirão. *As respostas sempre estão perto das perguntas.* Porém, devemos estar abertos e receptivos para recebê-las.

Os sentimentos e as emoções são a energia que nos motiva a agir e a falar. Quando entramos em contato com nossos sentimentos, conseguimos uma pista importante para saber por que fizemos ou estamos fazendo certas coisas. Os sentimentos são as sementes. As experiências são os frutos. Normalmente, quando a semente frutifica, estamos no meio da confusão. Reagimos à confusão nos ocupando, tentando arrumar tudo, quando deveríamos estar cavando para achar as sementes – explorando nossos sentimentos. Em um relacionamento, é imprescindível ficar em contato com o que estamos sentindo para descobrir o que está motivando nosso comportamento.

O que sentimos normalmente determina o que queremos. Mais importante, o que nós fazemos sempre é determinado pelo que sentimos a respeito do que queremos. Se estamos sentindo que não podemos ter o que queremos, a tendência é tratar os outros com raiva ou ressentimento. Se achamos que o que queremos é errado ou que estamos errados por querê-lo, podemos agir movidos pelo medo – medo de sermos descobertos. Em qualquer relacionamento, o que sentimos a respeito do que queremos irá determinar a qualidade de nossas reações. Em um nível muito íntimo e pessoal, esses sentimentos nos ajudam a definir nossos limites e a determinar a maneira de deixar que os outros nos tratem e de como trataremos os outros. Quando um relacionamento se torna ruim ou se desintegra, devemos nos examinar fazendo perguntas. Essa é a única forma de garantir que não iremos nos perder no meio do processo.

A nossa reação ao que sentimos é chamada de comportamento do meio-tempo. É esse comportamento que causa problemas nos relacionamentos. Pode ser um comportamento passivo, que nos faz sentir mal, fracos, burros ou estúpidos, ou um comportamento agressivo, que nos faz ficar com raiva dos outros e culpados e envergonhados de nós mesmos. As respostas dos outros a esses nossos comportamentos é que nos levam a achar que o amor machuca. O amor não machuca! Ele cura! O que machuca é o que fazemos ou deixamos de fazer em nome do que pensamos ser o amor. Essas ações, ou a falta delas, são a origem dos tipos de comportamento passivo/agressivo que nos enlouquecem! E sabe do que mais? Esses comportamentos não têm nada a ver com o amor!

PARE DE SE CRITICAR!

O processo de cura que nos leva à experiência definitiva do amor incondicional e do amor-próprio funciona mesmo que não estejamos envolvidos em um relacionamento íntimo. Vale a pena parar e fazer uma avaliação. Isso nos ajuda a saber se estamos passando por uma experiência em busca da cura ou simplesmente reagindo à influência de uma emoção tóxica. Precisamos saber a razão do que estamos fazendo para podermos começar a limpar a casa, removendo as bugigangas, destroços e lixo de nosso armário mental e emocional. *"Não posso viver sem você, meu amor!"* é uma bugiganga. *"Deve haver algo errado comigo!"* e *"Deve haver algo errado com você!"* é lixo completo. Noventa e nove por cento do que achamos que está acontecendo só existe em nossa imaginação!

Queremos ficar bem, e achamos que precisamos de alguém para nos ajudar. Por isso, nos atiramos em um relacionamento atrás do outro. Mas o amor tem prioridades diferentes. O amor quer que fiquemos curados! Ele nos força a limpar, varrer e colocar para fora o lixo das dores, vergonhas e confusões passadas. Nossos relacionamentos sucessivos fazem parte do processo de cura e limpeza do amor porque servem como espelhos que refletem nossos problemas e nos ajudam a resolvê-los. É claro que não temos consciência disso. Então, nesse meio-tempo, enquanto o amor está tentando nos curar, tentamos nos esconder debaixo do tapete.

No meio-tempo vivido no porão tentamos sempre esconder o que sentimos e fazemos nos relacionamentos. Esconder é um dos truques que usamos quando estamos em busca do amor. E esconder nos leva a fazer coisas que não são para o nosso bem. Às vezes, o jogo de esconder parece funcionar, porque nos faz sentir melhor, acreditando que as coisas estão correndo como nós queremos. Temporariamente nos sentimos bem, mas raramente isso dura muito tempo. Cedo ou tarde nos tornaremos passivos, incapazes de expressar o que sentimos, ou agressivos, reagindo de forma inadequada.

Ficamos zangados quando os relacionamentos não saem da maneira que planejamos, mas nem sempre sabemos o que fazer a respeito. O amor, o elemento de cura, está sempre repetindo através de nossas experiências: *"Pare! Pergunte! Diga a verdade!"* E nós ouvimos? Claro que não! Arrumamos desculpas. Continuamos a nos esconder, recusando-nos a procurar, identificar ou descobrir a verdade sobre o que sentimos e sobre como estamos reagindo. O coração está sangrando, e o amor, ou o que pensamos ser amor, explodiu na nossa cara – de novo. Nesse meio-tempo, queremos ser corajosos, mas estamos machucados. Queremos seguir em frente, mas estamos zangados. Em algum lugar, no fundo de nossa mente, existe uma voz que nos perturba. É a voz do amor, sussurrando: *"Pegue um esfregão e uma vassoura e vamos limpar essa bagunça. Vamos começar dizendo a verdade para nós mesmos e para todas as pessoas envolvidas."* A cura começa com a verdade.

O QUE HÁ NAQUELA CAIXA ALI EMBAIXO?

No porão da casa do amor encaramos nossas questões de sobrevivência: como sobreviver, o que é preciso para sobreviver, o que os outros irão exigir de nós e o que teremos que dar para que possamos sobreviver. As questões de sobrevivência normalmente estão enraizadas em experiências relacionadas ao bem-estar físico e demonstrações de amor. Quando somos crianças, nossos corpos físicos e os corpos das pessoas que nos cercam são as primeiras coisas das quais tomamos consciência. Aprendemos isso através do que vemos, ouvimos e sentimos e através da forma com que cuidam de nós. Muito cedo, aprendemos como aproximar nossos corpos dos outros para nos mantermos seguros. O porão, ou a primeira experiência de vida, também ensina até que ponto devemos confiar ou abrir mão de partes de nosso bem-estar físico e mental para conseguirmos amor.

Por volta dos cinco anos, temos um sentido da conexão mente-corpo-sobrevivência bem desenvolvido. Conhecemos as ações que resultarão em uma palmada ou em castigo. Provavelmente, já aprendemos a dividir com os outros. Isso quer dizer que temos que dividir o que possuímos para fazer outra pessoa feliz. Se amamos alguém, queremos que essa pessoa seja feliz e para isso temos que aprender a dividir as nossas *coisas*. Dizemos para nós mesmos que estamos felizes porque eles estão felizes. Enquanto estamos aprendendo sobre compartilhar, também estamos aprendendo sobre o que é nosso e o que não é e o que provavelmente aconteceria se confundíssemos as duas coisas. Isso nos dá mais informação sobre como podemos nos machucar.

Agora, temos sete ou oito anos e aprendemos sobre nossos corpinhos. Apesar de já terem sido bonitinhos o suficiente para serem expostos para qualquer pessoa, em qualquer lugar, agora aparentemente se tornaram ofensivos. Como criança, é bastante compreensível que você traduza isso como: *"Tem algo errado comigo!"* Deve manter seu corpo coberto e nunca, nunca se referir a ele em público. É assim que aprendemos a nos esconder. Podemos não ter muita certeza sobre o que "público" quer dizer, mas sabemos que mora do outro lado da porta do banheiro, onde existem estranhos. Os estranhos parecem com as pessoas que nos amam, mas podem nos fazer sofrer sem qualquer motivo compreensível. Para não sermos machucados por um estranho ou mesmo por um adulto conhecido, aprendemos o que dizer, como dizer e quando dizer, porque, quando nos esquecemos disso, a reação foi de indignação, raiva ou dor. Aprendemos assim as formas necessárias para viver com o mínimo de dor possível. As experiências de infância nos ensinam que amar pode ser uma situação de risco, na qual, a maioria das vezes, temos grandes chances de perder e de sairmos machucados. Para evitar a dor, estabelecemos muito claramente o que precisamos fazer para sobreviver.

Nos relacionamentos, os moradores do porão ficam obcecados com questões de sobrevivência. Agarram-se às pessoas para sobreviverem. Também se agarram aos relacionamentos, mesmo que estejam sendo desagradáveis ou problemáticos, para sobreviverem. Uma esposa espancada mora no porão. Alguém que esteja envolvido com um parceiro alcoólatra ou viciado em drogas também é um morador do porão. A infidelidade é uma técnica do porão. Dormimos com outras pessoas para garantir que os sentimentos que temos por nossos companheiros consigam sobreviver. Quando estamos passando por um meio-tempo no porão, justificamos tudo pela necessidade de sobreviver.

"Não tenho escolha! Só posso fazer isso mesmo!" é frase de alguém que está tendo uma experiência de meio-tempo no porão da casa do amor. Essa pessoa não faz idéia da natureza ou da causa dos verdadeiros problemas que está enfrentando. Quando não existe escolha, não existe amor. Quando só estamos preocupados com questões de sobrevivência, é muito difícil fazer escolhas conscientes baseadas no amor. As questões relacionadas à sobrevivência nascem mais do desespero do que do desejo. Quando achamos que nossa sobrevivência está em jogo, não nos importamos com o que temos que fazer ou como fazê-lo. Estouramos os pulmões de tanto gritar e esmurramos o ar porque temos que sobreviver.

Só poderemos ter um relacionamento honesto, honrado ou amoroso com nós mesmos ou com qualquer outra pessoa quando nos livrarmos das nossas questões de sobrevivência. Quando achamos que a outra pessoa é dona de um poder ou de alguma coisa essencial para a nossa sobrevivência, temos medo de dizer a verdade ou de expressar nossas emoções. Nosso amor-próprio e auto-estima ficam diminuídos, e negamos as reações e instintos normais da mente e do corpo. Quando acreditamos que temos que dar pedaços de nós mesmos para que não nos machuquem e possamos sobreviver, estamos tendo uma experiência de meio-tempo no porão da casa da vida. Morar aqui nos transforma em vítimas. As crianças freqüentemente se sentem vítimas de "gente grande". No porão, temos pena de nós mesmos, ou fazemos beicinho e batemos o pé no chão. Queremos resolver o problema, mas a sensação é de termos perdido as rédeas de nossa própria vida. Outra pessoa está no comando.

Quando moramos no porão, choramos, reclamando de tudo. Só conseguimos ver as "coisas ruins" que aconteceriam se tentássemos mudar nossa situação. No que diz respeito aos relacionamentos, desistimos ou nos convencemos de que *um pouco* de relacionamento é melhor do que nada. Temos de pegar o que conseguirmos.

Algum dia você vai descobrir que o que estava pensando *não funciona*, que você estava apenas reagindo, se escondendo, tentando sobreviver. Lentamente, você vai descobrir que é possível viver melhor. Vai querer mudar suas condições de vida. A chave para isso é perceber que o seu objetivo não é mais sobreviver. Que você sobreviveu e que agora quer crescer. Florescer.

QUANDO A VISTA FICA TURVA, É NECESSÁRIO UMA LIMPEZA PROFUNDA!

O meio-tempo no porão é uma experiência capaz de trazer os sentimentos à tona com uma dor quase insuportável. O morador do porão pode tentar compensar a infelicidade com comida ou bebida. Raramente funciona! Quando existe alguma coisa *errada* dentro de nós, ela se manifesta e, quando isso acontece, as pessoas percebem e nos dizem. Mas, quando moramos no porão, não conseguimos suportar críticas. Achamos que as pessoas estão nos atacando. Estamos confusos, de mal com a vida, e fazemos coisas que conseguem piorar tudo. Não prestamos atenção ao que acontece dentro de nós ou à nossa volta. As pessoas que convivem conosco sabem que algo vai muito mal. Elas sabem. Nós, não.

Se você percebe que está no porão ou num relacionamento deste tipo, onde se sente a vítima, onde acha que sua sobrevivência corre perigo, onde só consegue pensar em todas as coisas desagradáveis que aconteceram na sua vida – PARE! Existe um problema que talvez você nem imagine e que está vindo à tona. Uma parte do problema podem ser seus medos e crenças. Outra causa talvez se encontre na sua infância. Você pode muito bem estar repetindo o que ouviu ou fazendo o que viu ser feito quando era criança. Quando o caso é esse, devemos parar um instante para examinar o que estamos sentindo e pensando. Isso nos ajuda a tomar consciência do padrão de comportamento que estamos reproduzindo. Quando reconhecermos o padrão, somos capazes de escolher um novo rumo de ação. A maneira antiga não sobrevive à escolha de um novo caminho, mas temos que praticar repetida e consistentemente antes que a nova maneira se incorpore ao nosso inconsciente. Só a prática consegue isso!

O amor é uma experiência de felicidade, paz, plenitude, harmonia e doação. Em geral, essas são exatamente as mesmas coisas que tentamos encontrar num relacionamento e também as que consideramos impossível encontrar em nossa relação com nós mesmos. Não nos ensinaram que as coisas que procuramos estão dentro de nós. Temos que nos desprogramar das antigas receitas de amor que nos deram. *Se quiser encontrar o amor, faça tal coisa, comporte-se de tal maneira. Seja de tal forma, se quiser mantê-lo.* O amor não é, de jeito nenhum, o que nós fazemos. É a experiência de sermos quem somos. Os relacionamentos amorosos são a forma pela qual procuramos nos descobrir e encontrar a verdade sobre nós mesmos. No meio-tempo, enquanto estamos nos desprogramando, os relacionamentos podem ser penosos. Pode ser um grande desafio perceber onde estamos e onde queremos estar e todo o trabalho necessário para chegar lá.

A DISPOSIÇÃO É UM ÓTIMO DETERGENTE DE PORÃO!

Quando tivermos consciência de que existem rachaduras na nossa base e que são elas que prejudicam nossos atos, precisamos nos dispor a mudar nossa forma de agir. Sobrevivemos às experiências e aos relacionamentos de meio-tempo no porão e, ainda que não tenhamos compreendido inteiramente a natureza do problema, percebemos que temos uma excelente oportunidade pela frente. Podemos mudar de idéia – a nosso respeito, a respeito da vida e do amor. O desejo e a disposição de mudança são a chave para tirarmos vantagem da oportunidade de nos limparmos e sairmos do porão. Como estamos dispostos, agora entendemos que as experiências de meio-tempo no porão foram mecanismos de preparação. Foram os mecanismos usados pela vida para nos preparar para o trabalho sério que vem pela frente. Estamos prestes a embarcar em uma viagem emocionante – a viagem pela casa do amor.

Tenho certeza de que vocês já sabem que esta será uma viagem de trabalho. O que vocês podem não saber é que ela oferece muitas recompensas. Para que possam tirar todo o proveito de tudo que está prestes a ser oferecido, vocês precisam ser desinfetados. A disposição de mudança é como um desinfetante bactericida que irá eliminar os fungos e teias de aranha que se acumularam durante suas experiências e relacionamentos passados. Se vocês passaram muito tempo no porão, descobrirão talvez que estão cobertos por camadas de raiva. A disposição de mudança é um grande detergente e pode ser usada para eliminar a raiva. Quando estivermos dispostos a crescer, iremos descobrir que não estamos nem um pouco zangados com alguém por nos ter feito alguma coisa. Na verdade, estamos zangados com nós mesmos! Estamos zangados porque agora entendemos como ajudamos a criar nossas próprias experiências. Também reconhecemos que o propósito dessas experiências era nos ensinar a verdade a nosso respeito e nos lembrar da verdade a respeito do amor que se encontra adormecido na essência de nossas almas.

A disposição de mudança também é um excelente colírio que nos dá a habilidade de nos vermos nos outros. Quando iniciamos um relacionamento, iremos nos ver nos atos, comportamentos e crenças das pessoas com quem estamos envolvidos. De alguma forma, essas pessoas irão fazer e nos falar exatamente as mesmas coisas que nós vínhamos fazendo e dizendo a nós mesmos. Ficaremos cara a cara com todas as coisas que já conhecemos e com outras das quais nem fazíamos idéia. Iremos encontrar nosso lado bom, nosso lado mau e um lado para o qual provavelmente não teremos nome. Como a disposição de mudança age como um agente bactericida, ela irá remover os germes da culpa, vergonha, raiva, medo e ressentimento, que poderiam nos roubar a chance de ficarmos realmente limpos. Quando estivermos limpos, seremos capazes de ver exatamente o que pensamos que somos ao olhar para o que esperamos e toleramos em outras pessoas.

Se for usada em abundância, a disposição de mudança poderá remover as marcas dos arranhões nas paredes do seu coração. Se, por outro lado, vocês demonstrarem qualquer sinal de resistência, se em qualquer momento da viagem se sentirem presos ou entalados, sentem-se, respirem fundo e repitam: *"Esse não é o meu reflexo verdadeiro! Vou fazer uma escolha diferente! Vou mudar de idéia!"* Esta é uma demonstração admirável de disposição. Entretanto, de vez em quando, vocês poderão descobrir que existem algumas manchas resistentes ou sujeira entranhada nas rachaduras, exigindo uma limpeza pesada. Quando for o caso, chorem! Enquanto estiverem chorando, desfaçam-se da idéia de que algum dia fizeram algo errado. Lembrem-se de que tudo o que fizeram foi para desaprender coisas antigas e aprender coisas novas. Quando tiverem parado de chorar, corram para o espelho mais próximo, olhem bem no fundo de seus olhos e digam: *"Eu te amo muito!"*

VOCÊ RECEBE O QUE DÁ!

Foi assim que Jack iniciou a conversa, dizendo a Helen o quanto a amava. E depois disse que estava indo embora. Antes que ela pudesse abrir a boca, ele continuou, falando do quanto era grato pelo tempo que haviam passado juntos, mas que achava melhor para os dois que se separassem. Agindo como se não a ouvisse rindo ou a visse balançando a cabeça, ele confessou. É isso mesmo! Confessou que o casamento deles fora a sua tentativa para se sentir melhor a respeito de si mesmo. Na época, pareceu uma bênção, mas agora, tantos anos depois, ele havia percebido o quanto era injusto para ambos. Ela então se levantou, ele se sentou e prosseguiu.

Tinha sido a morte do bebê. Depois que o bebê havia morrido, ele não conseguira encontrar forças ou coragem para viver. Continuava a manter as esperanças de que ela mudaria de idéia e teria outro filho. Ela estava sentada de novo, então ele se levantou. Talvez filhos lhes tivessem dado algo em comum, alguma coisa para fazer além de implicarem um com o outro. Por que ela não queria ter filhos com ele? Será que ele era tão ruim assim? Seria por isso que ela agia com tanta indiferença em relação a ele, mesmo quando estavam fazendo amor? Parecia sempre que a mente dela estava em algum outro lugar. Perdida no espaço ou com outra pessoa, qualquer pessoa, menos ele.

Ela estava chorando, então ele sentou bem ao lado dela, abraçou-a e chorou também. O que acontecera com sua amiga? Lembrou-se como haviam sido amigos. Ele podia descrever todas as coisas que ela havia e não havia feito nos últimos quatorze anos para destruir sua amizade, mas nenhuma delas importava agora. Ele sabia que ela estava infeliz, mas ele também estava. Infeliz consigo mesmo e com a vida. Precisava de algum tempo para pensar, para se reagrupar, para se desintoxicar da televisão. Estava disposto a dar tudo o que ela quisesse. Não estava zangado, estava infeliz! Estava infeliz até o fundo da alma e precisava fazer alguma coisa a respeito. Não era possível fazê-lo dentro do casamento, nem ele queria. Queria ir embora. Precisava ir embora. Sentia não ter ido embora antes. Se tivesse ido, talvez agora não fosse tão doloroso. Será que ela, por favor, poderia deixá-lo partir sem fazer escândalo? Mesmo que ela fizesse, ele iria embora. O que ela queria? O que ele podia fazer?

O que está na nossa alma irá determinar as circunstâncias e experiências da nossa vida. Ou essas experiências irão curar-nos ou aleijarão nossa alma. Quando o amor e a disposição de mudança são acrescentadas à equação da vida, iremos, apesar de todas as escolhas e decisões erradas, ficar curados. Pela primeira vez nos quatorze anos em que estavam juntos, Helen disse a Jack exatamente por que havia se casado com ele. Quando ela se ouviu dizendo que estava tentando provocar ciúmes em seu antigo namorado, ficou estarrecida. Quando estamos dispostos a nos curar, diremos e faremos coisas que não iríamos, em circunstâncias normais de medo, dizer ou fazer. Helen continuou e admitiu que não queria ter filhos com ele porque tinha esperanças de que Bob um dia voltasse para ela.

Ela também confessou que casar por um motivo desses era uma coisa horrível, de que ela se arrependeria pelo resto da vida. Vivera todo o tempo de seu casamento com raiva e sofrendo. Helen percebeu que nunca dera uma chance a Jack. Também sentia muito por isso. Ela não queria que Jack fosse embora, mas não queria que ele ficasse. Estava com medo. Estava confusa. Ela também precisava de tempo para pensar, para se reagrupar, para descobrir o que fazer com o resto de sua vida. A única coisa que ela queria era que ele fosse embora discretamente e não contasse nada à mãe dela. Nesse meio-tempo, ele poderia ficar até encontrar um lugar para morar. Jack ficou em casa, com Helen, cerca de dois anos. Ele foi embora mais ou menos na mesma época em que Bob se divorciou.

O PRIMEIRO ANDAR

Que cheiro é esse?! É horrível! Será que você já percebeu que é quando abre a geladeira que sente esse cheiro? Tem alguma coisa podre lá dentro! O problema é que você não faz idéia do que possa ser. Talvez seja aquele negócio verde na tigela ou o negócio marrom no papel alumínio. Ou aquela coisa rosa que está fermentando ao lado do arroz. Você não odeia isso – limpar a geladeira? É uma tarefa nojenta e que leva tempo. Você vem adiando há dias, não, semanas, como todo mundo. Mas agora não tem jeito, pois todos sabem que há um problema com você. Toda vez que você abre aquela porta, todo mundo, inclusive as visitas, sabe que existe alguma coisa muito ruim, muito podre crescendo em sua casa. Bem, você não pode mais adiar. É muito constrangedor. Graças a Deus isso não se aplica à roupa suja! Pelo menos essa você pode esconder...

Mas por quê? Por que deixar a roupa suja se acumular? Seja a roupa suja ou os problemas de relacionamento, seria muito mais fácil se lidássemos com as coisas aos poucos. Prometemos isso a nós mesmos, todas as vezes em que estamos na frente de uma pilha gigantesca, ou temos uma discussão violenta. Mentira! Mentira! Será que você já não sabe que, quanto mais adiar as coisas, piores elas ficam? Algum dia o cheiro ruim vai se entranhar em tudo e o saco vai explodir, espalhando todas as suas roupas íntimas sujas pelo chão, ou a raiva reprimida levará a uma discussão violenta. Seja a geladeira, a roupa suja ou as pequenas coisas que estão se transformando em escândalos em seu relacionamento, *resolva isso! Já!* É a melhor maneira de evitar o constrangimento ou a dor!

Capítulo 4

LAVANDO A ROUPA SUJA

Lynn e Steve eram casados há muito tempo – dezenove anos. Tinham dois filhos maravilhosos, um menino de quinze anos e uma menina de treze. Steve era o único homem com quem Lynn tinha transado. Agora era seu marido e, ela achava, seu melhor amigo. Tinham um casamento bastante razoável. Lynn era uma mulher muito, muito inteligente. Para falar a verdade, brilhante. Steve tinha o segundo grau completo e era um funcionário de escritório em uma agência governamental, um andar acima do porão. Lynn trabalhava o dia inteiro e estudava à noite. As coisas estavam um pouco apertadas financeiramente, mas eles não chegavam a passar dificuldades.

Mais ou menos na metade do décimo nono ano de casamento, Steve começou a agir como um idiota de carteirinha. Ele não voltava para casa durante a semana! E nunca tinha dinheiro. Quantas vezes podem bater sua carteira em um mês, mesmo em Los Angeles?! Lynn não conseguia entender o que estava acontecendo. Após um pequeno *interrogatório conjugal*, ela descobriu que seu melhor amigo, seu marido, tinha um problema com cocaína. Estava gastando todo o dinheiro com isso e freqüentando lugares onde vendiam a droga. Pouco tempo depois dessa confissão estarrecedora, Steve fez tanta besteira no trabalho que foi demitido. Na verdade, foi por causa das drogas – descobriram que ele tinha drogas em uma repartição pública.

A vida pode ser dura, mas Deus é sempre bom! Como Steve estava no emprego há muitos anos, convidaram-no a se demitir, sem registro na sua ficha. Lynn fez poucas perguntas e Steve não deu explicações. Depois de um pouco de *insistência conjugal*, Steve entrou em um programa de tratamento e Lynn o acompanhou. Nove meses depois do programa de quinze meses de tratamento, Steve ainda não havia arrumado um emprego. Lynn estava fazendo de tudo para manter o casamento e a família unidos. Agora, começavam a passar dificuldades! Os amigos emprestavam dinheiro porque Lynn era o tipo de pessoa que você faria qualquer coisa para ajudar. Steve, mais uma vez, não estava voltando para casa à noite.

VOCÊ TEM QUE SABER AS REGRAS, SE QUER JOGAR O JOGO!

Você é o amor que procura. Você é a companhia que deseja. Você é seu próprio complemento, sua própria integridade. Você é seu melhor amigo, seu confidente. "Você é", como a poetisa Audre Lourde escreveu, "a pessoa por quem está procurando." Você é a única pessoa que pode fazer por você o que espera que outra pessoa faça. Se não se sentir bem com quem você é e com o que tem, como pode esperar receber coisa diferente? Se você não conhece a verdade a seu respeito, está com problemas! Vá para casa! Se não fizer isso, provavelmente o mundo lhe dará uma rasteira.

Quando você sabe alguma coisa, você a faz, você a vive. Quando não, você tenta entendê-la. A maioria de nós está tentando descobrir o que fazer para melhorar nossos relacionamentos, para fazê-los funcionar, porque passamos rapidamente do *amar a mim* para o *amar o outro*. Amor-próprio significa gastar um tempo para sorrir, ouvir e abraçar-se carinhosamente. Se não passarmos algum tempo fazendo isso, aquilo que procuramos e esperamos conseguir nos relacionamentos continuará a escapar de nós. Essa experiência – a aceitação total, o reconhecimento honesto, o apoio confiante e o respeito a nós mesmos – é a única coisa de que precisamos para transformar qualquer relacionamento em um bom relacionamento. Quando temos este tipo de amor-próprio, estamos mais do que dispostos a fazer o trabalho, às vezes desagradável, mas indispensável para estabelecer, construir e manter um relacionamento. Sem ele, estamos destinados a nos perder no meio de um monte de confusões.

Se você estivesse procurando uma casa para morar, gastaria algum tempo identificando as especificações – o tamanho da cozinha, o número de quartos e banheiros – e as especificações seriam definidas antes que você começasse. O mesmo se aplica à procura do amor. Você precisa saber o que procurar antes de começar. Alguns de nós correm para o mercado, apertando melões e pãezinhos, aceitando o que nos parece bom, ou cheira bem, sem realmente entender *o que é bom.* O que é bom para você combina com as suas especificações. O que é bom para você faz com que você se conheça melhor. O que é bom para você lhe ajuda a crescer. O que é bom para você também será bom para as pessoas que você convidou para partilhar a sua vida.

Depois de várias semanas convivendo com o comportamento idiota de Steve, Lynn decidiu que era hora de uma pequena *investigação conjugal:* uma noite, seguiu Steve e encontrou o carro deles estacionado em Beacon Street, uma rua cheia de prédios residenciais. Algumas noites depois, Lynn e uma amiga encontraram o carro estacionado na frente de um prédio na mesma rua, às duas horas da manhã. A cada duas noites, nas duas semanas seguintes, Lynn e sua amiga iam procurar o carro em Beacon Street. A cada noite o carro estava estacionado na frente de um edifício diferente, o que tornava um pouco difícil determinar exatamente onde Steve estava indo – mas ele ia direto *para os quintos dos infernos!* Se Lynn pusesse as mãos nele! Como nunca o haviam visto entrar ou sair de nenhum dos prédios, não tinham idéia de quem Steve estava visitando. Lynn disse à sua amiga que a *paciência conjugal* é uma virtude sem igual.

Nesse meio-tempo, Lynn não disse uma palavra a Steve – não o confrontou nem fez perguntas. Enquanto estava se segurando o melhor que podia, a amiga de Lynn ficava repetindo que *"ele cheirou os pagamentos que recebeu nos últimos dois anos"*. E continuava: *"Ele não está trabalhando."* Além disso, observou: "Você o está alimentando e, *enquanto ele come a sua comida*, ele não tem nada melhor para fazer do que procurar outra mulher!" Ela ainda não havia terminado: "Tome jeito, amiga! Se isso é amor, por favor, me odeie!" Como sempre fazia, Lynn ouviu com atenção antes de dar a resposta que lhe parecia adequada: "Nada de divórcio! É pecado! Meus filhos amam o pai e não vou fazer isso com eles! Ele é meu marido e posso resolver isso." Nesse meio-tempo, Lynn continuou rezando. Em determinado momento, ela até pensou em consultar um vidente para descobrir o endereço certo.

Afinal, com a ajuda de sua amiga, é claro, Lynn foi a Beacon Street às oito horas da manhã – havia descoberto o padrão de funcionamento de Steve. Ele saía de casa um pouco antes das cinco da tarde, antes que Lynn chegasse do trabalho. Ficava fora a noite toda e estava em casa às nove da manhã, quando Lynn ligava do trabalho. Isso quer dizer que ele devia sair de seu esconderijo em Beacon Street por volta das oito e meia da manhã. Esconderam-se atrás dos arbustos – literalmente – e esperaram por ele. Bingo! Às oito e vinte, Steve saiu do segundo prédio do lado direito da rua, entrou no carro da família e foi embora. Agora, sabiam qual era o prédio – tudo o que precisavam era do número do apartamento.

FAÇA REGULARMENTE UM EXAME DE VISTA

O que você está olhando? O que está procurando? Com o que você está procurando? Essas três perguntas são essenciais para descobrirmos o amor verdadeiro. Se você tem miopia ou hipermetropia, ou qualquer problema de visão, corre o risco de não enxergar o amor quando ele aparecer. Se não sabe o que procurar ou onde procurar, como irá reconhecer o que deseja, quando aparecer? É por isso que você deve checar constantemente sua visão.

Se não consegue enxergar a fonte de sua confusão, pode ser que esteja *olhando* para a coisa errada, *procurando* a coisa errada ou *procurando com* a intenção errada na cabeça. O amor nunca é vingativo ou violento. Nunca tenta nos rebaixar ou derrubar. O amor é uma energia positiva que nos leva a compartilhar, dar, construir e curar. O amor nos energiza e encoraja a fazer mais, nos estimula a praticar atos mais amorosos, a sermos mais, a nos comportarmos de uma maneira mais amorosa, dando cada vez mais amor a mais pessoas.

Quando você conseguir assumir a responsabilidade por si, perdoando-se pelas situações que criou, será fácil amar as pessoas que tiveram algum papel na sua criação. Tendo feito isso, pode ir para o andar seguinte, recebendo dos outros amor incondicional. Para muitos, é mais fácil dar do que receber. Receber significa reconhecer que tudo o que vem para você é reflexo do que você merece. As pessoas lhe darão coisas, oportunidades, recursos, seu tempo e energia, em resposta à quantidade de amor que você dá aos outros. Isso pode tornar o ato de receber um desafio, pois você tem que acreditar que merece o que recebe.

É muito difícil receber quando você suspeita das intenções dos outros. É por isso que tem que aprender a confiar. Confiar em você e nas outras pessoas. A confiança é o ingrediente principal do amor incondicional. Quando achar que está em dívida com alguém, será difícil, se não impossível, ser honesto com ele. É difícil dizer a verdade para alguém de quem você depende ou tem medo. Pode ser difícil, se não impossível, expressar o que você está sentindo quando você se sentir em débito com o amor que lhe dão. Mas se você se lembrar mais uma vez do amor que recebe, esses pensamentos desaparecerão. Você se lembrará que merece amor da forma como ele se apresentar.

Com este estado de espírito, você poderá aceitar o que lhe é oferecido de coração aberto e sem sentimento de obrigação. Se você achar difícil receber, é porque talvez tenha se perdido momentaneamente. Não se preocupe, você terá a oportunidade de refazer seus passos e recolher as coisas que esqueceu para trás.

Lynn continuou rezando. Também consultou um vidente depois que sua amiga, cansada daquele jogo de espião secreto, abandonou o navio. No relacionamento, a situação estava caótica. O vidente não disse nada que Lynn já não soubesse, mas não tinha importância, porque a amiga voltou. Essa era uma *amiga de verdade*, que achou que Lynn estava prestes a cair no abismo. Além disso, amigos de verdade não abandonam seus amigos. Sem nenhum aviso prévio, a amiga ligou numa sexta-feira à noite para dizer que estava passando para pegar Lynn. Iam à igreja. Era uma velha igreja batista em um loja de esquina. O sermão era sobre não deixar que pessoas perdidas façam com que você se perca. Era um tiro certeiro no que Lynn estava passando. Depois do sermão, a amiga pegou Lynn pela mão e a levou até a frente da igreja, onde as senhoras da congregação estavam reunidas. Aproximando-se da mulher mais séria e com a aparência de líder do grupo, a amiga despejou: "Minha amiga precisa que a senhora reze por ela! Por favor!"

Instantaneamente, a seriedade se transformou em preocupação amorosa. Ela não fez perguntas. Olhou para Lynn, chamou as outras senhoras com um gesto e, depois de cercarem Lynn, elas começaram a rezar. Quando terminaram, Lynn estava ajoelhada, chorando no meio do círculo. A amiga estava chapada contra a parede – fazendo a mesma coisa – chorando. Lynn, mais tarde, contou à amiga que fora uma experiência e tanto. Também prometeu que a caça ao carro havia terminado.

CORAGEM NA BATALHA!

Depois de tudo o que você passou, viveu e cresceu, o trabalho deveria parecer mais fácil. Na casa do amor não é assim. A verdade é que poucos alcançam o topo, porque o trabalho se torna progressivamente mais difícil. Os melhores alunos sempre ganham as provas mais difíceis. Veja bem, o amor não foi feito para brincar. Até agora, é isso que muitos de nós vêm fazendo. Brincamos com o amor e de ser amáveis. Porém, chega um dia em que você tem que pagar para ver! Você diz que quer usufruir dos benefícios da auto-aceitação total. Você acha que quer a bênção de um relacionamento amoroso e comprometido. Você acha que pode viver concretamente o verdadeiro significado do amor incondicional. Bem, prove!

Para chegar ao segundo andar da casa do amor, devemos estar dispostos a dar amor incondicional a todo mundo, em qualquer circunstância. Isso significa dispor-se a ser totalmente responsável pelo que faz e como o faz, em qualquer circunstância.

Quando estamos dispostos a assumir responsabilidades, podemos olhar para a nossa vida e aprender a ouvir nossas experiências! Elas irão nos fornecer uma fórmula viável que se aplica a toda e qualquer situação na qual precisamos de mais informações sobre nós. Quando convidamos a experiência para ser nossa professora, somos capazes de sentar e refletir sobre tudo o que aprendemos, assim como sobre o que perdemos. Isso é chamado de meditação. A reflexão é chamada de disposição para crescer. Usados ao mesmo tempo, esses dois produtos de limpeza espirituais – meditação e reflexão – produzem responsabilidades. Quando estivermos prontos para assumir total responsabilidade por trazer amor para nossa vida ou de volta a um relacionamento, nosso trabalho no primeiro andar estará quase terminado.

Alguns dias depois, Lynn examinava alguns papéis velhos em cima da cômoda quando descobriu um envelope onde estava escrito Beacon Street, um nome, endereço e número de apartamento. Provavelmente tinha estado em cima da cômoda o tempo todo! Antes que ela desligasse o telefone, a amiga estava buzinando na frente de sua casa. Tinha vindo acompanhar Lynn no que ela prometera ser sua última caçada em Beacon Street.

Lynn simplesmente não parecia ser a mesma. Estava misteriosamente quieta, quase serena. Seus olhos estavam fixos e ela não disse uma palavra. Antes que o carro estivesse em ponto morto, Lynn caminhou para o prédio. *"Onde diabos você vai?"* Seus olhos vitrificados deixaram a amiga muito preocupada. *"O que você vai fazer? O que vai dizer a ele?"* Lynn não olhou para trás, nem falou nada.

Era como se ela tivesse um radar. Foi direto no botão certo e apertou várias vezes. "Quem é?" *"Ai, meu Deus!! É o Steve! Ele atendeu à campainha! Que imbecil!"*, pensou a amiga. "É a Lynn", ela respondeu, tão calma quanto se estivesse vendendo produtos da Avon de porta em porta. Para total surpresa de sua amiga, a porta abriu e Lynn entrou no prédio. O queixo da amiga caiu no chão! Lynn havia sumido dentro do maldito apartamento! Era um apartamento de primeiro andar, a nove metros de distância da entrada.

Quarenta e cinco segundos depois – juro, quarenta e cinco segundos! –, Lynn reapareceu, com Steve andando a seu lado. Ele tinha uma camisa branca jogada sobre o ombro esquerdo (não é impressionante a atenção que prestamos aos detalhes quando estamos em estado de choque?). Seguiu Lynn para fora do prédio e, quando estavam saindo, Lynn agarrou a amiga, que continuava no mesmo lugar. Pela primeira vez naquele dia, Lynn falou com a amiga: "Vou para casa lavar roupa suja!"

COMO VOCÊ CONSERTA UM CORAÇÃO PARTIDO?

A verdade é a mãe do amor e todos nós sabemos que não é uma atitude sábia mentir para a mãe de ninguém. De alguma forma, de alguma maneira, mamãe sempre descobre que você está mentindo. Quando ela descobre é um inferno! Um dos desafios mais difíceis da vida é ser capaz de olhar honestamente para si, reconhecendo e aceitando o que você vê. O que torna a tarefa ainda mais difícil é a crença de que o que vemos se traduz em "*O que há de errado comigo?*". Não há nada errado com você! A verdade é que existem alguns aspectos seus e algumas áreas da sua vida que precisam de atenção. Algumas precisam de um pouco de trabalho. Outras podem precisar de tratamento intensivo. Não devemos sentir vergonha ou culpa, pois isso se aplica a todos nós. A verdade é que, até que sejamos capazes de aceitar e reconhecer nossa própria vontade, sem culpa ou vergonha, estaremos em má situação com a "mamãe". Portanto é absolutamente essencial para nossa sobrevivência e evolução que olhemos para nós mesmos, para as coisas que fazemos e para as razões por que as fazemos, todos os dias. Até que sejamos capazes e estejamos dispostos a fazer isso, o completo e verdadeiro significado do amor continuará nos escapando.

Se estamos nos sentindo confusos, pode ser que estejamos precisando de uma injeção de verdade. Fracasso em contar, resistência em escutar e inabilidade para reconhecer a verdade causam grande confusão mental e emocional. Com muita freqüência, omitimos a verdade nos relacionamentos amorosos por medo de magoar outras pessoas ou de revelar demais a nosso respeito. Em alguns casos, acreditamos na *inconveniência* da nossa verdade. *É errado se sentir assim. É errado dizer isso ou aquilo.* Nenhuma verdade está errada. Se é verdade para você, se é a expressão perfeita do que está sentindo, não é errado. Pode ser que a sua verdade, baseada na sua experiência, esteja um pouco fora de foco. Pode ser que você tenha que fazer uma regulagem, mas mesmo assim isso não a torna errada. A verdade sempre é o que é. O amor, filho mais velho da verdade, nos permite reconhecer, aceitar e expressar nossa verdade sem medo. Também nos torna capazes de ouvir a verdade de outra pessoa sem nos sentirmos devastados. Não será sempre fácil expressar sua verdade, e nem sempre iremos gostar da verdade que ouvimos dos outros, mas devemos estar dispostos a escutar. Se quisermos descobrir o verdadeiro significado do amor, devemos estar dispostos a ouvir, reconhecer e aceitar a verdade dos outros. Quando não conseguimos, o amor desaparece e funcionamos na base do medo. É nesse instante, no instante em que ficamos com medo, que devemos rezar pela cura.

Querido Deus:

Guie minhas palavras para que eu possa dizer a verdade a partir de uma consciência de amor. Abra minha mente e a encha de amor. Abra minha boca e a encha de amor. Deixe que as palavras que estou prestes a dizer sejam escutadas por ouvidos cheios de amor. Mantenha-me em um estado constante e consciente de amor para que eu possa abrir meu coração de uma maneira benéfica e amorosa. Sei que as palavras que estão sendo ditas são a verdade da experiência de outra pessoa. Sei que as palavras que digo vêm da minha experiência. Rezo para conseguir dizê-las com amor e para que elas sejam acolhidas com amor. Eu te agradeço, Senhor! Pois sei que ouviu esta prece.

Uma dose diária de soro da verdade nos torna capazes de dizer e ouvir a verdade sem medo. Significa que estamos dispostos a reconhecer e expressar nossas experiências emocionais e permitir que outras pessoas façam o mesmo. Falar a verdade de sua experiência para outra pessoa servirá para você perceber que a forma que os outros *escolhem* para reagir – com amor ou com medo – não é responsabilidade sua. Ao ouvir a verdade da experiência de outra pessoa, perceba que você não pode levar para o lado pessoal. Quando ouvimos de mente aberta e com o coração cheio de amor, a verdade irá abrir a porta para a cura, não para a dor. É somente a partir da disposição para falar a verdade e saber a verdade que podemos construir um relacionamento amoroso firme e duradouro com nós mesmos e com os outros. Qualquer coisa diferente disso não é amor. É medo.

Foram três dias de inferno, de inferno silencioso, antes que ela tivesse coragem de perguntar: "Há quanto tempo? Quando? Por quê? Quem?" Ele respondeu as perguntas de Lynn. Respondeu tudo! – olhando olho no olho e honestamente! Steve assumiu total responsabilidade por seus atos, embora tivesse começado dizendo que Lynn não se preocupara com ele – estava sempre ocupada demais. Quando nosso parceiro comete uma infidelidade, podemos nos sentir traídos, magoados, descartados e nossa auto-estima pode despencar direto até o piso do porão. Apesar disso e de muito mais, não devemos nunca permitir que alguém nos culpe pelos atos inadequados dos outros. Lynn não havia dito nada porque não queria acusá-lo sem ter provas. Na verdade, não queria arriscar que ele mentisse, pois teria perdido todo o respeito por ele e porque sabia que seria muito difícil amar um mentiroso. Porém, ela estava disposta a assumir sua cota de responsabilidade pelas dificuldades do casamento. Quando você assume responsabilidade pelo que fez, ou pelo que não fez, quando assume responsabilidade pelo que deseja, sem julgar se é certo ou errado, quando se dispõe a dizer a verdade, saberá mais claramente se deve ou não ficar.

AUMENTE SUA AUTO-ESTIMA

Quando eu morava no primeiro andar da casa do amor, ainda estava preocupada com o amor físico e com a satisfação. Continuava a me perguntar por que eu não era bonita, por que eu não era desejável e por que não conseguia encontrar alguém que me amasse. Queria que alguém me tratasse de maneira especial e me fizesse sentir especial. Na falta de um relacionamento amoroso significativo, eu tocava a vida, me sentindo incompleta e imprestável. Claro que eu não dizia isso. Não podia dizer nada, porque estava fazendo muito esforço para me convencer de que eu era legal e atraente. Mas havia um pequeno problema: eu não acreditava nisso! De alguma forma, eu me achava uma pessoa estragada. Não vou *culpar* minha infância, apesar de ter certeza de que ela contribuiu um bocado para eu me sentir assim. Meus pais nunca haviam demonstrado afeto verdadeiro um pelo outro e raramente mostravam seu afeto por mim. Mais uma vez, eu tinha que descobrir as coisas sozinha. Devo admitir que não fui muito longe nesse processo.

Já falei que eu era gordinha? Quando eu morava no porão, tentava fugir da infelicidade e da tristeza comendo. Queria parar de comer, mas quem disse que eu conseguia? Comer era a minha desculpa. Era a desculpa que eu dava para mim mesma para as pessoas não me amarem. Já que não podia descobrir o motivo, decidi criar o meu próprio. Decidi que, se fosse gorda, as pessoas teriam um motivo para me tratarem mal. Disse a mim mesma que as pessoas gordas não mereciam ser amadas. Preste atenção, eu não disse nada disso em voz alta, apenas descobri isso na minha própria cabeça e agi inconscientemente. A mente pode ser um terrível desperdício! Ser gorda não ajudava em nada, mas me dava uma desculpa viável. Porém, mesmo com essa explicação, continuei a me fazer perguntas. Continuei fazendo perguntas a Deus. Não achava que estava recebendo alguma resposta, mas desde então aprendi que a resposta está *dentro* da pergunta.

Onze anos depois, Steve e Lynn ainda estão juntos. Levou quase o mesmo tempo para que lavassem toda a roupa suja. No final, seu meio-tempo valeu a pena. Ambos aprenderam bastante e ambos estão dispostos a fazer o trabalho necessário para limpar e curar seu relacionamento. Lynn evitou encarar os problemas durante muito tempo, mas finalmente teve que admitir que estava negando. Não podia admitir para si mesma que não era tudo o que seu marido precisava ou queria. Em vez de encarar isso, ela optou por um estado de incerteza. Não foi intencional. Seu marido, seu melhor amigo, estava com problemas – não apenas problemas com drogas, mas problemas morais, emocionais e espirituais – e ela não sabia o que fazer. Ela carregara o fardo dele, da melhor maneira que podia. Nunca falaram do problema com as drogas e Lynn ainda não sabe por que ele fez o que fez. Steve se recusou a contar detalhes. Pensando na experiência que teve, Lynn admite que simplesmente não sabia o que fazer.

Já vira isso acontecer antes – o problema com bebida de sua mãe e de seu pai. O temperamento violento de sua irmã e de seu cunhado. A esposa de seu irmão e os filhos dele nascidos fora do casamento. Lynn vira essas mulheres atravessarem suas dificuldades sofrendo, chorando, e acabarem perdendo seus casamentos e grandes pedaços da mente. Lynn estava determinada a não seguir o mesmo caminho. Faria o que fosse preciso para salvar a si mesma e a sua família.

O que Lynn acabou entendendo é que nunca ela e o marido haviam se dedicado a explicitar suas responsabilidades ou seus papéis no casamento. Para falar a verdade, nunca haviam realmente discutido nada. Amavam-se, gostavam da companhia um do outro e todo o resto correria de acordo. Quando surgia um problema específico, eles se reuniam para discuti-lo. Porém, nos bons tempos, nenhum dos dois assumiu a responsabilidade pela manutenção do casamento. Steve não assumiu a responsabilidade de cuidar de si mesmo e Lynn não assumiu a responsabilidade de discutir determinadas questões com ele. Foi preciso ele ter um caso, para serem obrigados a vasculhar na roupa suja – os sentimentos hostis, as decepções, os sentimentos de fracasso e inadequação de ambas as partes.

Lynn realmente teve que batalhar para perdoar Steve. Mais importante, teve que perdoar a si mesma por ter sido omissa, por não haver assumido a responsabilidade por sua própria felicidade e por não ter colocado Steve contra a parede. Talvez, se tivesse feito isso no começo, as coisas não tivessem ficado tão fora de controle, mas isso é uma coisa que ela nunca vai saber. A história de Steve e Lynn demonstra que há épocas e momentos, aqueles *meios-tempos* muito especiais em que, se estivermos dispostos a realizar o trabalho pesado e desagradável, poderemos salvar o relacionamento. Foi preciso muita disposição, particularmente para Steve. Ele tinha que estar disposto a encarar a verdade e dizer a verdade, independente do resultado. Lynn era realmente sua melhor amiga. Usaram o detergente espiritual chamado *responsabilidade* e o passaram em todas as manchas, sujeira e mágoas que havia se acumulado em seu casamento. Dessa maneira, foram capazes de usar a verdade para limpar e curar o relacionamento.

O que fez dar certo foi que no centro de tudo eles realmente se amavam – não por necessidade ou fantasia, nem por medo. Simplesmente amavam um ao outro. Como você pode ver, o amor não os impediu de fazerem loucuras, mas certamente foi o amor incondicional que existia no âmago de seu relacionamento que deu uma força extra para o detergente espiritual. Lynn disse que mexer em dezenove anos de confusão era como classificar a roupa suja, separando as brancas das coloridas – isso é seu, isso é meu, o que isso está fazendo aqui? Porém, ambos se dispuseram a enfrentar o trabalho que precisava ser feito. Infelizmente, o mesmo não aconteceu com JoAnn e Paul.

UMA PARTE DO PROBLEMA!

JoAnn e Paul estavam casados há apenas três anos, mas haviam sido três anos intensos. Faziam pós-graduação juntos. Ambos trabalhavam em horário integral. Tinham um apartamentinho simpático, dois carros pequenos e um grande problema. JoAnn não conseguia se livrar do ex-namorado. Toda vez que Paul virava as costas, JoAnn conversava com ele por telefone, ajudando-o em algum projeto, levando a mãe dele para algum lugar e desaparecendo com ele durante horas. Paul tentou ao máximo entender que eles eram apenas amigos e que se conheciam há mais de quinze anos. Porém, nenhum homem em sã consciência pode concordar que sua esposa saia tão freqüentemente com o homem com quem ela costumava dormir. Paul não podia.

"Ele é meu amigo, Paul!", JoAnn dizia todas as vezes em que Paul perdia a paciência com a história. "Eu casei com você! Estou apaixonada por você! Eu também gosto dele, mas ele é meu

amigo. Você é meu marido!" Paul se acalmava, temporariamente, até que o amigo ligasse novamente. Então, a discussão começava a esquentar e JoAnn caía em prantos. "Você não é meu carcereiro! Você é meu marido e não pode me dizer quem vai ser meu amigo." Paul insistia que podia, e iria. Foi aí que ele proibiu, é isso mesmo, proibiu sua esposa de jamais encontrar o cara novamente – para todo o sempre, amém! Veja, estamos começando de uma forma realmente ruim. Ultimatos nunca ajudam quando surgem problemas em um relacionamento.

Em um relacionamento, o que o parceiro faz para nos chatear, irritar ou enfurecer funciona como ter os faróis de um Scania bem na cara – é evidente. O que essa pessoa está fazendo conosco sempre parece muito mais chocante do que qualquer coisa que pudésssemos pensar em fazer com ela. Você pode nem pensar, mas, como as luzes estão na sua cara, você faz. Você arma um teatro, sem ter a mínima consciência do que está fazendo. Esse é um grande obstáculo em nossos relacionamentos – não ter consciência, não querer ouvir, não perceber o que fazemos com nossos parceiros em reação ao que eles nos fizeram. Normalmente, criticamos as pessoas com base no que gostamos e não gostamos em nós mesmos. Estamos tão ocupados olhando para fora, olhando para os outros, que não conseguimos ver o que fazemos e, portanto, não conseguimos assumir a responsabilidade.

Esse era o caso de Paul. Nos três anos em que estivera casado com JoAnn, havia dormido com outras duas mulheres. Uma era uma antiga colega de faculdade, a outra sua ex-namorada. É lógico que ele nunca pensou em contar isso para JoAnn, mas tinha tanto medo que ela fizesse o mesmo, que a empurrou exatamente para isso – mas calma, isso vem depois. JoAnn sentia que era responsável por seu casamento, mas também tinha uma responsabilidade consigo mesma. Esse homem e ela tiveram um longo relacionamento. Eram um sistema mútuo de apoio. Sim, durante algum tempo haviam sido amantes. Agora, por decisão conjunta, eram amigos. Ele era íntimo da família dela, assim como ela era da dele. Ele sabia tudo sobre JoAnn, inclusive o fato de Paul estar bastante inquieto com a amizade deles. Aconselhou JoAnn a ouvir seu marido, aceitar o pedido dele e, se lembrasse, mandar um cartão de Natal.

DESISTA DAS BRIGAS!

Talvez realmente isso tenha alguma coisa a ver com a forma como nascemos. Pode ser que por causa dos puxões, empurrões e dos tapas do processo de nascimento, nós pensemos que temos que lutar. É especialmente interessante o fato de pensarmos que temos que *lutar para conseguir* amor e *lutar para manter* o amor. Lutar é doloroso! Amar não é, ou pelo menos não deveria ser. O amor é gentil, carinhoso, sensível e protetor. São as condições que impomos às formas de amar e de sermos amados que o torna um espetáculo duro e agressivo. É o que nós fazemos, e não o que é o amor, que nos faz acreditar que o amor dói. A crença correspondente é que *quanto mais eu amar, mais doloroso será*. Para evitar a dor, achamos que temos que lutar para não nos machucarmos no amor. Isso não faz nenhum sentido! Se você acrescentar à equação algo ou alguém que esteja ameaçando lhe tomar o amor, então a guerra está declarada! Regressamos ao estado de combate inconscientemente, fazendo o que achamos ser preciso para garantir que o amor sobreviva.

Temos que desistir das brigas nos relacionamentos se quisermos ficar curados em nossa viagem pela casa do amor. Alguns de nós estão tão acostumados a *brigar* para conseguir o que querem, *brigar* para conseguir o que precisam e *brigar* para se manter no topo, que viram soldados no campo de batalha, procurando o inimigo embaixo de cada pedra. A luta freqüentemente se entrelaça com nossas palavras, a forma como as dizemos, assim como a energia que carregam com elas. Às vezes, esperamos por uma briga quando vamos pedir algo de que precisamos ou queremos. Quando a briga não acontece, começamos uma. Encontraremos alguma coisa para falar, de tal forma que a briga será o único resultado possível. Quando a pessoa com a qual estamos tentando brigar não reage, ficamos furiosos – saímos à procura de alguém para brigarmos. Quando encontramos, não queremos assumir a responsabilidade por termos começado tudo.

Da mesma maneira com que brigamos uns com os outros, brigamos com nós mesmos. Admito, eu tinha uma batalha violenta na minha cabeça! Brigava comigo mesma pelo que havia ou não havia feito! Se perdesse, iria brigar comigo mesma pela forma como o havia feito! Quando isso se esgotava, brigava comigo mesma para saber se devia fazer tudo de novo ou não tentar nunca mais. O triste é que não ganhava nunca! Como é que você pode ganhar de você mesma? Normalmente, eu saía da luta mortalmente ferida, até que encontrasse outra coisa para brigar comigo mesma. Brigava do mesmo jeito com minha mente, com meus sentimentos. Tinha certas coisas que eu simplesmente não me permitia sentir. Lutava para reprimi-las. Esforçava-me para impedir que subissem à tona e se derramassem para fora da minha boca. Preferia brigar do que sentir, porque sabia que poderia viver apanhando. Não sabia se iria sobreviver se fosse até o fundo de minhas emoções. Me disseram que isso pode ser muito aterrador.

Cada vez que agimos com base em um impulso que não seja amor, estamos pedindo para entrar numa briga. Brigamos por culpa, vergonha, medo e desonestidade. Brigamos para evitar que nos descubram, que nos chamem, e para evitar que estejamos errados. Quando nós, como Paul, fazemos algo de que não sentimos orgulho, temos que assumir a responsabilidade, como Steve, e dizer a verdade. A verdade é como um guerreiro invisível. Irá salvar-nos do campo de batalha.

Paul não disse a verdade. JoAnn não estava preparada para brigar. Ao invés disso, mentiu. Continuou a se encontrar com seu amigo. Continuou muito zangada com Paul. E, já que ele não parava de insinuar que sabia que ela continuava encontrando seu amigo, JoAnn acabou fazendo exatamente o que Paul a havia acusado de estar fazendo. Dormiu com o ex-namorado. Não estou, de forma alguma, dizendo que ele a forçou a fazer isso. Nem estou dizendo que o que ela fez foi uma expressão do que havia nela de melhor. Estou simplesmente dizendo que, no final, JoAnn revidou. Dois dias antes da formatura, JoAnn disse a Paul o que havia feito. E apesar de JoAnn implorar seu perdão, Paul foi embora – sem jamais dizer uma palavra sobre suas próprias traições. A última vez que ouvi falar deles, estavam brigando na justiça. Parece que Paul quer de volta todos os móveis que comprou para o apartamentinho simpático que tinham.

Capítulo 5

LIMPANDO A GELADEIRA

Bruce e David eram amantes. Eram amantes do vinho, da corrida, da arte e um do outro. Bruce achava que sua união havia sido feita nos céus. Porém, tinham um pequeno problema, um problema mínimo, quase insignificante – David não era *gay* assumido e Bruce era. David ficava em cima do muro, vivendo como bissexual e morando com sua namorada *muito* heterossexual há quatro anos. Bruce sabia que este pequeno obstáculo punha em risco o relacionamento deles, por isso, tentou de todas as formas convencer David da necessidade de admitir para si mesmo e para o mundo que era *gay*. Todas as vezes que tentava, a resposta de David era a mesma: "Vou contar logo para a minha família e terminar com Diana."

As palavras podem acalmar nossa mente por algum tempo, mas, quando existe uma crise, a mente precisa de ação. Temos que fazer alguma coisa para sustentar as palavras – especialmente se estivermos ouvindo as mesmas palavras há dois anos. Esta falta de ação estava criando uma certa insatisfação em um relacionamento, de outra forma, perfeito. Tornou-se uma questão séria no dia em que encontraram a irmã de David em uma loja de departamentos e ele agiu como se não conhecesse Bruce. Quando Bruce perguntou se não iria apresentá-lo, David lançou-lhe um olhar que quebraria uma pedra e perguntou: "Nós nos conhecemos?" A irmã ficou horrorizada, porque um cara *gay* estava tentando cantar seu irmão em plena luz do dia. Era revoltante, pensou, e David concordou com ela. Concordou a tal ponto, que deixou Bruce de queixo caído no balcão da Dior.

Alguns dias depois, quando David teve a decência de telefonar, Bruce realmente soltou os cachorros em cima dele. Não bastava David negar sua própria sexualidade, tinha ainda que negar Bruce! Na idade dele, que, por sinal, era bem mais do que trinta anos, deveria ter sido homem o suficiente para defender o que acreditava. Por que estava se negando? Era para proteger a família? Do que estava defendendo sua família? A homossexualidade não é uma doença, é um estilo de vida. Era a forma que Bruce havia escolhido (ou havia nascido, dependendo de como se quiser encarar), e não sentia vergonha alguma. Já era ruim o suficiente que Bruce houvesse concordado e permitido que o homem que amava morasse e *dormisse* com uma mulher, mas deixar que seu amante há dois anos o negasse publicamente era muita maldade. David continuou pedindo desculpas e implorando perdão, mas Bruce estava profundamente magoado. "Assuma! Assuma! Se quer que a gente construa uma vida juntos, assuma! Não vou, me recuso a passar a vida negando, e te amo muito para permitir que você faça isso." A conversa se transformou em uma guerra de gritos quando Bruce disse a David que, se ele não assumisse para sua família, ele o faria!

Bem, isso conseguiu mobilizar a atenção de David! Não fiquem confusos. David realmente gostava de Bruce. Sentia-se mais confortável, mais à vontade com ele, mas sentia-se responsável por Diana. Bruce sabia a verdade. Sabia que a grande responsabilidade era com a mãe. David era filho único. Para piorar as coisas, era o irmão gêmeo que havia sobrevivido! Seu irmão morrera com quatro anos, atropelado por um carro dirigido por um homem *gay* semibêbado, semilouco, que viera desatinado pela rua depois de brigar com seu amante. Preste atenção: havia muitos aspectos – confusão emocional, álcool, um sinal de trânsito quebrado –, mas o foco da mãe de David era o fato de o homem ser *gay*. A Sra. Josephine ficou fora de si por dois anos. Quando os efeitos dos remédios passaram, ela começou a travar uma luta ferrenha contra a homossexualidade.

Chegou até a dizer que, se algum dia descobrisse que seu filho, seu irmão, seu marido ou qualquer homem que jamais a tivesse tocado era *gay*, ela se mataria. A Sra. Josephine era um pouco dramática. O problema é que David ouvira isso durante toda a sua vida, a partir do segundo ano depois da morte de seu irmão.

FECHE A PORTA PARA NÃO ESTRAGAR AS COISAS!

Alguma vez você já decidiu fazer alguma coisa, para logo em seguida alguém lhe contar uma história que fez você esquecer tudo o que havia decidido? Falando por mim mesma, isso já me aconteceu várias vezes, em várias situações diferentes, quando eu morava no primeiro andar. Deve haver alguma coisa, algum processo de eliminação em meu cérebro que é ativado por determinadas informações. Quando sou confrontada com certos dados, aparecem seres minúsculos carregando borrachas que apagam todo o meu bom-senso. Quem dera fosse isso! A verdade é que quando eu realmente não quero fazer alguma coisa, quando estou com medo de que as coisas não corram da maneira que eu quero, procuro qualquer desculpa disponível ou plausível para que as coisas aconteçam como eu quero. Na hora, eu não faço idéia de que o processo é esse. Só depois de me machucar e ficar com o coração partido é que sou obrigada a fazer uma reflexão intensiva e percebo o que aconteceu. Infelizmente, foi isso o que aconteceu com Bruce.

Ele contou a história do irmão mais uma vez e Bruce se acalmou. Finalmente, David prometeu a Bruce que iria direto para casa, falaria com Diana e traria suas coisas para a casa de Bruce. David treinou seu discurso durante duas horas, antes de ir para casa. Sentia-se equilibrado e pronto, com uma lista mental de todas as coisas que precisaria dizer para então fazer as malas. Abriu a porta do apartamento e ouviu um soluço abafado. Na sala de estar, Diana estava consolando a Sra. Josephine, obviamente arrasada pela dor. "Foi o papai?", perguntou David, sem querer realmente saber. A Sra. Josephine levantou a cabeça apenas o suficiente para despejar: "Davie, eu disse aos médicos que Jimmy não era homossexual! Eu disse que ele não poderia ter pego o vírus do HIV de algum tipo de pervertido homossexual. Ele usava drogas! Eles me disseram para ficar calma. Você acredita? Ficar calma!"

Essas palavras cortaram David por dentro como uma faca quente na manteiga. Não era o fato de seu tio Jimmy, que era reconhecidamente viciado em drogas injetáveis, ter sido diagnosticado com AIDS; era a reação de sua mãe à situação. Para a Sra. Josephine, ser viciado em drogas era bem melhor do que ser *gay*. É claro que seu discurso de despedida se transformou em palavras carinhosas de consolo para sua mãe e agradecimentos silenciosos para Diana. Seus planos de fazer as malas tornaram-se planos de levar sua mãe para casa e assegurar-se de que seu tio receberia tratamento adequado no começo da semana seguinte. A última coisa na qual estava pensando era em Bruce, que esperava por ele com espaço aberto no armário, um belo pato assado e uma garrafa de vinho branco gelado.

QUEM COMEU O BOLO QUE EU DEIXEI NA GELADEIRA?

Sei que vocês sabem disso, mas sinto-me compelida a lembrar-lhes de que, quanto mais adiarem alguma coisa, mais difícil vai ser fazer o que têm que fazer, dizer o que têm que dizer. Sei que vocês sabem disso, mas quantas vezes deixaram a pilha de roupa suja chegar a tal ponto, que foram obrigados a sair para comprar roupa de baixo? Quantas vezes adiaram a limpeza da geladeira até que o cheiro ruim ficasse sufocante? Quantas vezes o "amanhã" levou um mês para chegar? Sabemos, mas não fazemos. Queremos, mas não podemos. Enxergamos, mas viramos a cara. Em nenhum outro lugar esse tipo de adiamento tem um efeito mais devastador do que em nossos relacionamentos. Quando alguma coisa vai mal em um relacionamento, o cheiro ruim sobe bastante rápido. Se não lidarmos com a situação imediatamente, lidar com ela passa a ser uma tarefa difícil, um trabalho infeliz que realmente preferiríamos não ter que fazer. Mas temos que fazê-lo!

David não pôde encarar Bruce durante semanas. Após receber vários telefonemas de um Bruce obviamente choroso, finalmente ligou de volta apenas para dizer que estava bem. Após assegurar a Bruce de que não o havia largado como um monte de lixo no meio da rua, e contra todo o seu bom-senso, David entregou-se e concordou em encontrar Bruce no apartamento dele. Contou-lhe a história, toda a história, que agora já possuía um elenco com muitos personagens e a Sra. Josephine como diretor. Bruce, é claro, foi protetor e tranqüilizador. Declarou seu perdão e sua compreensão. Estava procurando informações sobre AIDS no catálogo de serviços, motivo pelo qual provavelmente não entendeu o que David queria dizer quando deixou escapar que ia casar com Diana e não o veria mais. Mesmo quando David já estava na metade do corredor, Bruce ainda não conseguira entender o que realmente estava acontecendo. Na cabeça de Bruce isso era apenas mais um pequeno desafio que teriam que superar.

O amor conquista tudo, certo? Errado! O amor não pode trabalhar contra a desonestidade, negação, medo ou tentativa de agradar as pessoas. É fisicamente impossível que duas coisas ocupem o mesmo espaço ao mesmo tempo. Quando existe medo, o amor não pode resistir. Quando existe uma desonestidade patente, mentiras o tempo todo, quando nos escondemos e nos negamos, o amor não pode existir. O amor também não discrimina! Existe onde quer que seja bem-vindo, reconhecido e respeitado. Três semanas depois, após vários telefonemas sem resposta, Bruce percebeu que fora deixado no meio da rua, abandonado, amargo, confuso e sem ter muita certeza do que havia dado errado. O que Bruce não entendeu é que havia se transformado em um inquilino do primeiro andar da casa do amor, e que David estava no porão, passando por uma experiência do meio-tempo.

Esse é um caso claro de abrir a geladeira, detectar um mau cheiro e ter que vasculhar todas as coisas metidas em sacos, tigelas e caixas para encontrar o culpado. Como dissemos antes, é um trabalho nojento, mas às vezes temos que fazê-lo. Sabemos que tudo o que colocamos na geladeira estava bom. Porém, agora, como resultado do adiamento da tarefa desagradável, temos um grande problema. Agora, precisaremos identificar o que estragou, tentar descobrir como esquecemos que havíamos comprado aquilo, por que nunca servimos aqueles restos e o que é aquilo verde e lamacento que está escorrendo pela porta. Temos que enfiar as mãos em coisas que não conseguimos mais identificar, temos que limpar os pratos imundos, temos que colocar tudo no lixo e jogar fora. Então nos lembramos de que o caminhão do lixo só vai passar daqui a quatro dias. É isso o que acontece nos relacionamentos. Quando deixamos as coisas estragarem, quando nos recusamos a fazer o trabalho aos poucos, quando deixamos coisas por dizer e por fazer, o mau cheiro irá se entranhar em tudo.

Nesse meio-tempo, provavelmente é mais sábio não acreditar que seu parceiro irá agir da maneira que você espera ou exige. Lembre-se de que o meio-tempo freqüentemente é uma época de medo e confusão, quando é difícil prever ou saber o que esperar. Também devemos ser um pouco céticos em relação a alguém que *promete* fazer qualquer coisa quando está passando pelo meio-tempo. Pessoas que prometem e juram que vão fazer algo normalmente estão tentando convencer a si mesmas de que podem ou querem fazer o que você quer que elas façam. No instante em que ouvir as palavras "Eu prometo..." ou "Juro que vou...", preste atenção! Não se conforme com a sua tendência de ignorar a verdade. Esse tipo de informação nos notifica que não podemos confiar no que está sendo dito. É claro que não queremos admitir isso para nós mesmos, nem podemos confrontar nossos parceiros com suspeitas. Em vez disso, respire fundo e recue!

Quando se está no meio-tempo, promessas e juras são um sinal garantido de que o nível de confiança exigido para manter um relacionamento saudável não existe. Não há nada mais comum no meio-tempo do que esperar ou exigir que alguém faça algo que já sabemos que não irá ou não será capaz de fazer. Pedir para alguém fazer o que sabemos que não é capaz, ou exigir que faça algo que queremos, sabendo que tem medo e/ou está confuso, é uma coisa muito agressiva e cruel para ser feita com nós mesmos e com as outras pessoas.

Você deve escutar o que as pessoas *fazem*, não o que dizem. As pessoas sempre demonstram suas intenções e suas expectativas através de seus atos. Podem jurar pela própria vida que irão fazer isso ou aquilo, mas *fazer* continua sendo o que realmente importa, e não as palavras de juramento. A questão na história de Bruce e David não é serem *dois homens* que não poderiam ter *este tipo* de relacionamento. A questão aqui é que a parte número um esperava que a parte número dois fizesse o que a parte número um queria que ela fizesse. Isso se chama *falsas expectativas.* Outra questão é que a parte número um recusava-se a aceitar o que a parte número dois estava fazendo. Em vez disso, a parte número um estava ouvindo o que a parte número dois estava dizendo. Isso se chama negação – *não reconhecer a verdade.* Existe ainda uma outra questão a ser considerada: a primeira parte não reconhecia que a segunda parte não era capaz, nem estava disposta ou pronta para prejudicar *seu relacionamento familiar* pelo *relacionamento deles.* Isso se chama *ser capaz de saber o que você está vendo* e resume-se a saber o que fazer com o que você está vendo. Agora, vamos analisar as questões uma de cada vez.

SAIBA O QUE VOCÊ ESTÁ VENDO!

Muitas pessoas entram nos relacionamentos com falsas expectativas. Isso acontece quando queremos que as pessoas façam o que queremos que elas façam, apesar de estarem nos indicando claramente que têm outras intenções. Se David, que tinha quase quarenta anos, ainda não havia se assumido, por que Bruce esperava que ele fizesse isso agora? Sua incapacidade ou falta de disposição para fazer isso não significava que David não gostasse de Bruce, mas simplesmente que não estava pronto. Existem momentos em que esperamos que as pessoas sejam capazes de fazer algo que ainda não estão prontas para fazer. É esta a diferença entre as pessoas que moram no primeiro andar e as que vivem no terceiro andar. No terceiro andar, o amor não faz exigências, não cria expectativas. No primeiro andar, sim. Freqüentemente, as coisas não correm bem nos relacionamentos porque as pessoas pelas quais nos sentimos atraídas estão seguindo outro caminho para atingir um outro objetivo. Cada um de nós tenta convencer o outro a trilhar o caminho que escolhemos. Nada é mais difícil do que isso, o que nos leva a precisar de outro detergente espiritual – A VERDADE! Você deve trilhar o caminho que é verdadeiro para você. O caminho que você escolher não é *a verdade* absoluta, mas tem que ser verdadeiro para você. A verdade é que Bruce era assumido, enquanto David não era.

Você pode amar alguém profundamente, mas tem que aceitar que ele pode não trilhar necessariamente o mesmo caminho que você. Escolheu outro caminho, outra lição, que pode não ser complementar à sua. O que nos leva à segunda questão: aprenda a encarar a verdade. Por que Bruce, que era abertamente *gay*, iria querer um relacionamento com alguém que estava morando com uma mulher e que tinha medo de contar a verdade para sua mãe? Isso não seria uma forma disfarçada de autonegação? Será que você não está armando um cenário para se decepcionar? Você realmente não pode se decepcionar quando esta pessoa não trata você da maneira como quer ser tratado. Ao participar da autonegação de David, Bruce deveria ter esperado que ele também o negasse. Na verdade, ele era negado todas as noites, quando David estava roncando ao lado de Diana. Escolheu ser parte do problema, em vez de ser parte da solução.

Existem duas grandes lições para aqueles que vivem no primeiro andar: (1) encontre seu eixo e mantenha-se firme nele e (2) permita que as pessoas trilhem o caminho que escolheram e ame-as assim mesmo. A verdade é que duas espigas de milho não crescem no mesmo ritmo. Dois botões de rosa não desabrocham ao mesmo tempo. Pode ser uma corrida cabeça a cabeça, mas todo mundo e todas as coisas se desenvolvem num ritmo próprio. É muito tentador procurar interromper seu próprio crescimento ou insistir que alguém acompanhe o seu ritmo. A verdade é que o crescimento simultâneo é raro nos relacionamentos. Normalmente, as pessoas começam juntas. Uma passa a frente, a outra fica para trás. Em alguns casos a que está na dianteira pode se esticar para trás e puxar a outra para a frente. Na maioria dos casos, a pessoa que se estica para trás diminui seu ritmo, às vezes até parar. Encontre o seu eixo e mantenha-se firme. Podemos ainda amar a pessoa que está correndo atrás de nós, mas, se ela resolver andar, *é nossa responsabilidade com nós mesmos* continuar correndo.

Como encontramos nosso eixo? Existem vários passos simples que podemos praticar constantemente e que nos ajudarão a encontrar o eixo, nosso ponto de equilíbrio:

1. Lembre-se constantemente da experiência que desejaria ter (como você quer se sentir?). Não se imponha limites. Deixe sua mente criar a melhor situação que puder.

2. Visualize-se vivendo esta experiência até que ela se torne uma sensação familiar para o seu corpo (isso é um excelente exercício de meditação). Com muita freqüência, não fazemos idéia de qual seria a sensação que teríamos se conseguíssemos

exatamente o que desejamos. Conseqüentemente, se ou quando conseguimos ou chegamos perto de conseguir, o corpo se sente desconfortável e achamos que algo está errado.

3. Reconheça, encare e libere seus medos a respeito do que você quer. Faz parte da natureza humana querer alguma coisa e, ao mesmo tempo, ter medo de consegui-la. Essa é uma grande oportunidade para fazer um diário. Escreva seus medos, o que você acha que poderia acontecer, o que você sentiria se isso acontecesse, o que aconteceria com você se isso acontecesse e qualquer outra coisa que você possa pensar que lhe cause medo. Finalize o exercício escrevendo: "Eu escolho não ter essa experiência. Eu escolho __________." Complete a frase escrevendo o que você deseja.

Outro excelente exercício de confrontação e liberação do medo chama-se Exercício da Cadeira. Coloque duas cadeiras de frente uma para a outra. Sente-se em uma delas e visualize a pessoa com quem você quer falar, ou escreva o nome dessa pessoa em um pedaço de papel e coloque-o em cima da outra cadeira. Você também pode imaginar que seu anjo da guarda, seu melhor amigo, um padre, seu mestre, Cristo ou qualquer pessoa/ser espiritual que você conheça, esteja sentado na outra cadeira. Fale sobre seus medos com esta pessoa/entidade. Fale tudo o que vier à cabeça. Quando houver terminado, peça um conselho.

4. Procure descobrir o que você acredita sobre o que é verdadeiro para você. Pergunte-se: Quem sou eu? No que acredito a meu respeito? O que faço para sustentar essas crenças? Quais são as coisas que me fazem feliz? Quais são as coisas ou situações que não me fazem feliz? Escreva o que vier à sua cabeça como resposta a essas perguntas.

A maioria dos desafios em nossos relacionamentos surgem quando nos esquecemos de nossos objetivos, quando esquecemos as lições que aprendemos no passado, quando vivemos com medo – o que, na prática, cria exatamente o acontecimento do qual temos medo – e quando fazemos coisas que sabemos inconscientemente que não funcionam.

Como reação à morte de minha mãe quando eu tinha dois anos de idade, criei uma crença muito sutil e subconsciente de que as pessoas que eu amo irão me abandonar. Eu espero que as pessoas me abandonem. Nos meus relacionamentos, isso se traduz como medo de compromisso. É claro que eu não sabia que isso estava acontecendo. Achava que estava sendo abandonada porque havia alguma coisa errada comigo, ou que as outras pessoas, os homens, eram simplesmente desprezíveis. Havia uma guerra na minha cabeça. Uma parte de mim queria um relacionamento, enquanto a outra tinha medo de tê-lo. A parte de mim que queria o relacionamento estava zangada com a parte de mim que sempre fazia algo para contribuir para a destruição do relacionamento. A parte de mim que esperava que as pessoas partissem, que acreditava que iriam partir, tinha medo de se abrir. A parte de mim que queria se abrir tinha que lutar para chegar à superfície. Na prática, aparecia como mudança de humor – eu era muito calorosa, carinhosa e amorosa, mas podia mudar rapidamente e me transformar em uma verdadeira bruxa! Ficava oscilando entre partir, ficar, vá embora, não me deixe. Conseqüentemente, cada um dos meus parceiros descobria a minha farsa e ia embora. Muitas pessoas que moram no primeiro andar da casa do amor têm que ultrapassar o conflito interno entre querer um relacionamento e acreditar, por qualquer motivo que nossa cabeça invente, que não podemos tê-lo ou que não merecemos ter um relacionamento sólido. Isso é muito parecido com acreditar que não merecemos amor. As pessoas que atraímos podem nos amar tanto, que são capazes de fazer um acordo não verbalizado e inconsciente de passarem parte da vida entrelaçadas em nossas vidas para nos ensinar a respeito dos acordos que fizemos. A verdade é que Bruce e David, como qualquer pessoa que se envolve em um relacionamento íntimo ou sexual, tinham um acordo.

No primeiro andar, você começa a construir sua integridade quanto aos relacionamentos. Começa a desenvolver limites. Tem que começar a esclarecer o que irá ou não irá fazer; como irá chamar as pessoas para que apareçam e participem da sua vida; quanto do seu ser quer de fato entregar; e se vai ou não manter os compromissos que fez consigo. Quando você se torna cúmplice da atitude de outra pessoa que se esconde ou se abstém, não está agindo com integridade. Está agindo dentro de um estado de negação e irresponsabilidade. Se você sabe que alguém está consumindo drogas e não diz nada a essa pessoa nem a mais ninguém, está participando da autodestruição dela. Você pode chamar de ajuda, apoio ou lealdade, mas tem que saber claramente o efeito que as ações dessa pessoa produz em você. Você tem que reconhecer o risco no qual está se colocando. Nos relacionamentos, é muito freqüente não só abrirmos mão de nossa integridade ao fazermos coisas que juramos que não iríamos fazer, mas perdermos nosso respeito próprio ao permitirmos que outra pessoa faça em nossas vidas o que nós mesmos não faríamos. Quando nos encontramos em situações que comprometem nossa integridade, temos que aprender a amar aquela pessoa à distância até que ela consiga mudar. Bruce sabia que David estava tendo um relacionamento com uma mulher heterossexual. Ao insistir em ter um relacionamento com David, Bruce foi cúmplice de algo inescrupuloso.

Existem momentos em que você se envolve em situações das quais não sabe como sair. Em vez de tentar entendê-las, você fica. Quando faz isso, em algum momento as coisas apodrecem! Definitivamente havia algo podre na geladeira de Bruce: as coisas que ele esqueceu a respeito de si mesmo enquanto perseguia David, as coisas que disse a si mesmo para justificar o relacionamento – por exemplo, que se amavam. Se você não se ama o suficiente para manter sua integridade, se não tem uma noção sólida de auto-estima e amor-próprio, vai ser difícil amar outras pessoas. Pode precisar delas ou querê-las, o que significa que na verdade você está sendo co-dependente; provavelmente trata-se mais de uma troca de carências, o que raramente dura ou funciona. Nesse meio-tempo, enquanto as coisas estão tomando forma, apodrecendo e se despedaçando, você provavelmente se enraivece! Se é isso o que acontece, você tem que assumir uma parte da *responsabilidade* – isso ajudará a diminuir a raiva. Acrescente uma pitada de *verdade* e em pouco tempo se sentirá melhor. Apenas para que possa entender muito bem a qualidade da vida no primeiro andar e a eficácia dos detergentes espirituais que deve usar neste estágio de seu desenvolvimento, vamos examinar outra situação.

TOME ALGUMA COISA:
ISSO VAI AJUDAR A SE SENTIR MELHOR

A história clássica do primeiro andar é sobre ajudar uma pessoa a resolver um problema apenas para ser abandonado por ela. Quando isto acontece, é possível que você precise mais do que uma faxina. Precisará de uma revisão completa! Essa é a história de uma mulher que não manteve os acordos que fez consigo mesma, que ignorou os primeiros sinais de que havia problemas, e que não encarou a verdade. Uma mulher atraente, bonita, com nível superior, profissional, que tinha um ótimo emprego e que se apaixonou por um estudante universitário que amava jardinagem. Jardinagem pode ser uma profissão bastante difícil durante os meses de inverno nos países do hemisfério norte. Ainda que não percebesse, a mulher estava procurando aceitação e companheirismo. Os bichinhos de pelúcia empoeirados na sua cabeça estavam fazendo a dança do "*você não é boa o suficiente*", só porque ela ainda não havia arrumado um namorado permanente. Os fungos que surgiram em seu coração por causa dos relacionamentos anteriores a levaram a acreditar que, se ela ajudasse esse cara, ele daria em troca o que ela queria e precisava – complementação. Coitadinha! Ela realmente precisava de uma faxina no ego! Não percebia que era boa o suficiente ou que, mesmo que não fosse, não seria um homem quem poderia ajudá-la. Disse a todos os seus amigos que sabia disso, mas, como a maioria das pessoas que precisam de uma faxina completa, seus atos provaram o contrário.

Ele estava procurando apoio e aceitação, com uma pontada de medo e desonestidade. Em alguns grupos isso é chamado de se dar bem! Para sermos justos, não é que ele fosse má pessoa. Apenas não acreditava em si mesmo nem tinha fé no sonho que acalentava. Precisava que outras pessoas acreditassem em seu sonho, o que o ajudava a se sentir melhor. Na verdade, queria que acreditassem no sonho e o patrocinassem. Assim, se não desse certo, ele não perderia nada. Parece bem sórdido, mas todos nós fazemos isso em algum momento. É o comportamento básico que aplicamos nos relacionamentos e o mesmo comportamento que nos faz ser chutados no final. Não temos fé em nossos sonhos, portanto, não dizemos o que queremos, nem queremos dizer o que dizemos. É o comportamento daqueles que habitam no porão da casa do amor. Ambos eram habitantes do porão! E todos nós sabemos que o porão normalmente é muito poeirento e entulhado de coisas, ninguém quer limpar lá embaixo!

Um aspecto do amor incondicional é ser capaz de se dar sem expectativas de retorno ou recompensa. É isso mesmo, nada! Não devemos esperar nada em troca do amor que damos, nem mesmo amor. Marianne Williamson, autora do livro *A Return to Love,* escreveu: "Amar é dar sem se lembrar. Receber sem esquecer." Isso não quer dizer que você deve permitir que as pessoas façam o que quiserem com você ou com a sua vida. Significa apenas que deve viver cada dia como uma experiência de partilha, sem questões obscuras ou expectativas de retorno do seu investimento. O amor exige uma partilha honesta de tempo, espaço, meios e vida pelo simples prazer de partilhar, enquanto for prazeroso. Esse nível de amor incondicional e consciente trará muitas recompensas, de incontáveis formas. Também irá realçar e expor qualquer coisa que não se pareça com amor. O amor incondicional irá expor a desonestidade e o medo. Quando você perceber então o que está acontecendo, será capaz de expressar o que sente sem culpa. Quando você não tem culpa, é capaz de tomar atitudes para se desfazer da desonestidade e do medo que entraram em sua vida, disfarçados espertamente de ser humano. Abrir mão, que é uma forma de faxina, não significa parar de amar. Significa que você fez uma escolha consciente sobre como amar, o que pode incluir amar alguém à distância. Infelizmente, quando você mora no porão – no lixo de ser uma vítima, na poeira de não acreditar na sua qualidade humana e na bagunça de não acreditar em si –, não é capaz de ver nem de lidar com nenhuma dessas *questões*. Enquanto não vê, você fica achando que outra pessoa pode fazer com que o seu sonho se torne realidade. Essa falta cega de disposição para limpar a casa dos seus relacionamentos é o comportamento clássico das pessoas que moram no porão.

Durante o período de quatro anos em que moraram juntos, ela sustentou a casa enquanto ele fazia faculdade para conseguir um diploma em Botânica e Administração de Empresas. Ela trabalhava de dia. Ele estudava à noite. Confiando no retorno de seu investimento, ela gastou tempo, dinheiro, energia e, é claro, seu amor, tornando a vida dele o mais confortável possível. Ele passava os dias de outra maneira, obtendo prazer com outras pessoas, de formas que não obtinha com ela. Ele poderia ter dito a verdade a ela, mas é difícil dizer a verdade para alguém de quem você tem medo ou da qual depende. Também poderia ter ido morar com quem lhe dava prazer, mas ela não tinha dinheiro necessário para transformar o sonho dele em realidade. O que um cara deve fazer em um caso desses? Ele escolheu amar a desonestidade.

Ela percebeu um pouco de lixo no meio do caminho e alguns cupins. Eram pequenas coisas que a deixavam desconfortável e desconfiada. Coisas como números desconhecidos na conta do telefone celular. Ela concluiu que eram telefonemas de negócios que ele dava. Também havia cobranças misteriosas nas contas do cartão de crédito, que ela presumiu que fossem coisas que ele havia comprado para a firma. Ela queria perguntar sobre essas coisas, mas escolheu não fazê-lo. Lembrou-se do que havia acontecido da última vez, no último relacionamento, quando verbalizara suas suspeitas, e, como ainda não havia arrumado sua própria bagunça, decidiu permanecer em silêncio, curiosa. Também sentiu-se ligeiramente culpada por desconfiar, já que controlava o dinheiro. Concluiu que, como ele trabalhava duro durante o verão para montar uma carteira de clientes, ela deveria ignorar essas pequenas coisas, e aceitou as desculpas esfarrapadas.

Sendo filho de mãe solteira, ele estava acostumado a ter uma mulher no comando de sua vida. Não gostava disso, mas era familiar e muito mais fácil do que fazer tudo sozinho. Também havia descoberto exatamente o que devia dizer e fazer para que ela largasse do seu pé. Ele a faria sentir-se culpada dizendo o quanto era difícil para ele aceitar a ajuda dela. Como desafiava sua masculinidade vê-la trabalhando tão duro para o bem dele. Se você quiser calar a boca de uma mulher, diga-lhe que ela está desafiando sua masculinidade. Todos os músculos do corpo dela, inclusive a língua, vão parar de se mexer. As pessoas que moram no porão também têm problemas relacionados a algum tipo de *dade* – masculini*dade*, honesti*dade*, reali*dade* ou humani*dade*. Quando ela calou a boca, ele soube que podia acabar com a raiva dela incluindo-a na promessa de um futuro glorioso. Sempre funcionara com mamãe e funcionava como um feitiço com a maioria das mulheres. Principalmente com aquelas que possuíam um olho cegado pela bagunça e pela culpa!

Planejaram juntos a firma *dele*. Ela o ensinou como montar a firma e forneceu seus contatos de trabalho para que ele conseguisse empréstimos e outras consultorias. Conversaram sobre como a firma iria crescer e como isso seria maravilhoso para ele. Ela presumiu, depois de tudo o que havia feito por ele, que estava automaticamente incluída nos planos. Ela achava que sabia, mas na verdade não sabia, pois os habitantes do porão não conseguem ver além da bagunça de suas próprias questões. Ele estava ansioso para provar seu valor diante dela. Ela gostava dessa idéia. Ia dar muito trabalho, mas ele era capaz de fazer qualquer coisa se ela estivesse a seu lado. Ela era maravilhosa, ele disse. Ela era o seu anjo, ele disse. Ela concluiu que estava comprando toda a aceitação de que precisava e que finalmente iria valer a pena. Então ele disse a palavra com "A". Disse que a *amava*. Dito isto, após algumas horas fazendo amor loucamente, ela esqueceu de inspecionar os cupins e planejaram se casar assim que ele se formasse. Ele se formou. Eles não se casaram. Ele queria impulsionar a firma para *devolver a ela* tudo o que recebera. Parecia fazer sentido, especialmente com a masculinidade dele sendo posta em dúvida. Ainda que ela pudesse sentir o medo subindo pela espinha, permaneceu quieta, concordando em esperar. Três anos se passaram muito rápido e, como haviam planejado, a firma cresceu.

Por insistência dela, finalmente se casaram. Foi um grande casamento, com todos os detalhes, a maioria dos quais ela pagou. Cerca de um mês após a lua-de-mel, ela percebeu novamente uma conta de telefone celular bastante alta. Ainda que agora ele estivesse trabalhando, continuou deixando que ela cuidasse dos assuntos de dinheiro. É difícil para os moradores do porão mudarem seus hábitos. Um dia, ela resolveu checar um dos números mais discados. O *prazer* do seu marido atendeu o telefone. Era a mãe dos filhos dele. A agora Sra. *Deixe-me Ajudá-lo* ficou arrasada. Havia colocado tanto nesse relacionamento, apenas para ser traída. Deveria ter percebido. E por não ter percebido, estava sentindo vergonha de si. Havia sustentado um homem, e obviamente seus filhos, durante sete anos. Na verdade nunca se sentira bem a respeito do que estava fazendo. Mentira para suas amigas, dizendo-lhes que ele estava trabalhando meio expediente e que era por isso que estudava à noite. Vira sua mãe sustentar seu pai alcoólatra durante tantos anos, que justificava essa atitude de "apóie o seu homem", mesmo que não parecesse certo. Agora, estava prestes a perder tudo – ele, sua própria imagem, seu companheirismo e o controle. Sentia uma raiva bastante grande. Não, ódio. Ela era tão burra! Não. Estava tão confusa! Não. Estava com ódio! Não. Ela estava no meio-tempo, tentando descobrir o que havia acontecido, como havia acontecido e por que havia acontecido com ela de novo. Ela não queria fazer a faxina! Queria matar alguém!

A verdade é que nenhuma dessas pessoas estava consciente de sua própria verdade e portanto não podia contá-la para o outro. Se ela soubesse a verdade por trás de suas intenções, poderia ter sido difícil, mas poderia ter tornado sua vida bem mais fácil simplesmente dizendo: "Olhe, eu tenho um bom emprego e uma vida razoável, mas não tenho um homem. Preciso de um companheiro, um pouco de sexo e alguém para exibir nas festas do escritório. Estou oferecendo o cargo pela metade do aluguel e a conta do supermercado." Ele poderia ter respondido honestamente: "Olhe, eu tenho um sonho e muito pouco dinheiro. Vou pagar a metade do aluguel, oferecer companhia sexual sem compromisso e lavarei minha própria roupa. Posso ficar com você uns três anos?" Pode parecer meio agressivo, talvez profano, mas teria poupado a ambos muito tempo, dinheiro e sofrimento. Agora, ela está fazendo análise, ele está em um processo de divórcio e estão lutando um contra o outro para recuperar as partes de suas vidas das quais abriram mão.

Percebo grandes objeções, tais como: "As pessoas não agem assim!" Ou: "Você não pode dizer essas coisas para as pessoas!" Em resposta a essas objeções, eu pergunto: Por que não? Por que não temos coragem de dizer exatamente o que esperamos, queremos ou precisamos? Será que ainda não aprendemos que, ao omitir essas coisas, criamos o sofrimento traumático que juramos querer evitar? Aqueles de nós que moram no porão podem não ser capazes de dizer a verdade. Aqueles de nós que foram alçados para o primeiro andar têm que aprender como fazê-lo. Deixe-me compartilhar com você o que sei. Sei que quando aprendemos a amar e respeitar a nós mesmos, não existe nada que não possamos fazer, falar ou ter, a não ser que façamos a escolha contrária. Também sei que quando temos este tipo de amor no coração, a verdade, por mais chocante que seja, irá nos poupar muito sofrimento no final. Também sei que, quando aprendemos a viver na consciência da verdade, da responsabilidade, da integridade e do amor incondicional, as coisas e os comportamentos antigos não serão mais satisfatórias. Seremos capazes de abrir a geladeira, detectar o mais leve cheiro de alguma coisa se estragando e nos livrarmos dela!

RESPEITE-SE! RESPEITE AS OUTRAS PESSOAS!

Fazemos isso o tempo inteiro. Encontramos alguém por quem nos sentimos atraídos. Talvez esta pessoa tenha um corpo bonito, um rosto lindo, as partes do corpo no tamanho certo ou qualquer outra coisa que cause alterações em nossas ondas cerebrais. Queremos aquela pessoa! Perseguimos aquela pessoa! Será que você ou alguém que você conheça já disse: "*Vou fazer com que ele ou com que ela me ame*"? É exatamente a esse tipo de situação que estou me referindo. Podemos fazer todo o esforço do mundo para chamar a atenção dessa pessoa e ganhar seu coração. Nesse meio-tempo, enquanto estamos neste tipo de perseguição, esquecemos de quem somos e do que realmente desejamos. Fazemos coisas que sabemos que não deveríamos fazer. Dizemos coisas que sabemos que não devemos dizer. Perdemos o eixo, o topo e o chão. Estamos em uma missão. Neste tipo de missão, vamos fatalmente nos desrespeitar.

Existem grandes possibilidades de que a pessoa atrás de quem estamos correndo esteja sendo exatamente quem é, fazendo exatamente o que costuma fazer. Porém, não prestamos atenção. Colocamos apelidos bonitinhos nos hábitos ruins dela. Arrumamos desculpas para ela e para as coisas que ela faz. Nesse meio-tempo, somos nós que estamos fazendo todo o trabalho, gastando todo o dinheiro, assumindo todos os arranjos. Estamos fazendo um trabalho tão bem feito, que não percebemos que a pessoa só está ali para se dar bem. Além do mais, não fizemos nenhuma investigação. Não possuímos nenhuma informação. Não conhecemos o histórico dos relacionamentos. Não conhecemos a história da família. Seguimos pelo caminho, armando uma bagunça, deixando coisas por fazer e por dizer, que em alguma hora vão começar a estragar, deixando uma desordem daquelas para limparmos. Quando nos recusamos a aceitar que as pessoas podem trilhar um caminho diferente do nosso ou quando tentamos arrastá-las para o nosso, as desrespeitamos e nos desrespeitamos também.

Existem muitos de nós que estão olhando para o que querem e precisam em um relacionamento com olhos que foram cegados pela informação errada. O que pensamos que as pessoas podem fazer por nós ou nos dar e como achamos que podem nos fazer sentir mudará quando aceitarmos nossa verdadeira identidade e começarmos a nos amar pelo que somos – seres inteiros, completos e perfeitos. Quando isso acontecer, quando partirmos de uma consciência da nossa integridade e perfeição, não estaremos procurando *pelas* mesmas coisas nos relacionamentos. Não estaremos olhando *para* as mesmas coisas como padrão de nossos relacionamentos. Nossas necessidades não serão as mesmas quando entrarmos nos relacionamentos. Conseqüentemente, não teremos os mesmos medos penetrantes. Na ausência do medo, o amor, a alegria, a paz e a verdade reinam supremos. É para eliminar o medo que devemos estar dispostos a limpar as marcas de sujeira dentro da banheira!

O SEGUNDO ANDAR

É impressionante como as coisas podem se acumular! Basta virar a cabeça durante um minuto e há coisas por todos os lados, cobertas de poeira. Você não consegue encontrar os sapatos que tirou na noite passada porque estão escondidos debaixo das tralhas. Sabe que acabou de colocar as chaves na mesa, mas agora não consegue encontrá-las por causa dos papéis. Tem que manter a cortina do chuveiro fechada, pois há marcas de sujeira no boxe. Mais uma vez, você esqueceu de comprar sacos de lixo, por isso o lixo está se acumulando. No curso natural da vida é impressionante quantas coisas somos capazes de criar e acumular.

Sim, podemos até conviver com isso no ambiente em que moramos. Mas não podemos conviver com isso por muito tempo em nossos relacionamentos. Lixo, tralhas, confusão e camadas de gordura têm que ser jogadas fora para que possamos usufruir dos frutos do amor. Talvez seja um trabalho sujo e confuso livrar-se de nossas tralhas amorosas, mas todos temos que fazê-lo mais cedo ou mais tarde.

Capítulo 6

VAMOS ESPANAR UM POUCO

Você está a trinta mil pés de altura, voando através do país, contrariando o seu bom-senso. De repente, quando está prestes a rasgar o canto de seu terceiro pacote de amendoim, a turbulência começa! A sua lata de Coca-Cola voa pelo ar. Os amendoins se espalham pela sua camisa – por dentro e por fora. Você bateu com o joelho naquela estúpida mesinha e seu vizinho está gritando assustado. O piloto garante que é apenas uma pequena turbulência e que tudo está bem. Enquanto limpa os amendoins do peito, você tenta se lembrar da oração que sua mãe lhe ensinou quando tinha seis anos. O avião cai de novo no vácuo e a oração aparece na sua cabeça: "*Com Deus me deito...*" Não! Não é essa! Você não ousaria ir dormir agora! Está numa turbulência em pleno ar! Na sua vida! Você está no meio-tempo e não há muito o que possa fazer. Na verdade, não há nada que você possa fazer a não ser sair dela. Você tem que sair dela e pensar – pensar sobre todas as coisas que pretende fazer melhor quando puser os pés no chão.

O segundo andar é o lugar onde vamos para aprender a respeito do mais importante de todos os relacionamentos: o relacionamento com nós mesmos. Este relacionamento, que foi desenvolvido quase que inteiramente a partir das reações às experiências que tivemos na vida, servirá como modelo para todos os outros relacionamentos amorosos que tivermos. Como é que amamos a nós mesmos? Deixe-me contar as maneiras. Eu me amo da maneira como fui amada no dia em que nasci. Eu me amo da maneira como meus pais me amaram. Eu me amo da maneira como meus irmãos e amigos me amaram. Eu me amo da maneira como os personagens de televisão me mostraram que se ama, apesar de eles estarem sempre mudando a forma de amar. Eu me amo através da percepção da mídia. Eu me amo com as expectativas e condições do meu meio ambiente. Eu me amo em resposta à maneira como outras pessoas demonstram seu amor por mim. Eu me amo de muitas maneiras diferentes, dependendo do que está acontecendo à minha volta e do que me lembro a respeito de outras experiências amorosas. Eu me amo de forma confusa! Eu me amo com medo! Eu me amo com tanta raiva que não pareço conseguir que ninguém mais me ame! Entretanto, nesse meio-tempo, enquanto estou procurando, ansiando, esperando pelo amor, culpo-me pela incapacidade de encontrar o amor certo ou de receber amor da maneira certa!

Ela devia ter uns trinta anos quando decidiu que tinha que aprender como amar-se mais. Tinha que se amar o suficiente para parar – parar de se debater, parar de sofrer, parar de se sentir como se não pudesse mais suportar. Tinha que aprender a se amar o suficiente para parar de fazer as coisas que lhe davam tanto trabalho e lhe causavam tanta dor. Em suas preces silenciosas, Rhonda implorava a Deus que a ajudasse a mudar, a ajudasse a se sentir melhor em relação a si mesma e à vida. Seus filhos estavam crescendo e ela queria ser um exemplo melhor para eles. Estava se sentindo mais velha e não queria passar o resto de sua vida assim. Ela percebeu que esses sentimentos ficavam mais intensos no final de um relacionamento, que era exatamente o que estava acontecendo naquele momento. Também percebeu que existem coisas com as quais não mexemos até que sejamos extremamente pressionados a isso. A pressão estava começando!

Como é que ele havia se metido novamente nisso? Tinha prometido a si mesmo que nunca mais cairia numa situação onde tivesse que coordenar duas mulheres ao mesmo tempo, não importa o quanto a mulher fosse legal nem o quanto a situação parecesse boa. "O que eu receber, eu mereço!" James pensou. "Isso é completamente ridículo!" Por que nunca conseguia dizer não? Por que é que quando tentava ser gentil com uma mulher, ela se apaixonava perdidamente, fazendo com que ele se sentisse obrigado a ficar, a ajudá-la a superar a situação? Por que é que quando ele estava com uma mulher em seu apartamento, tentando ajudá-la a superar o que estava passando, a outra tinha que aparecer e fazer um escândalo? Por que é que as mulheres sempre sabem quando você está mentindo? Agora, Jean estava de um lado da cidade chorando até não poder mais e Paula estava do outro lado, ameaçando furar os pneus do carro dele. Lá estava ele novamente, exatamente onde não queria estar, sozinho.

COMO VOCÊ ELIMINA A SUJEIRA E O ENCARDIDO DA SUPERFÍCIE?

Onde é que tudo começa? Os comportamentos que repetimos sem parar. Os sentimentos que tentamos evitar o tempo todo. Será que é alguma coisa que comemos? Ou será que somos tão burros assim? Burros o suficiente para preparar a armadilha para nós mesmos o tempo todo? Tem que haver uma resposta, e tem que haver uma maneira de nos salvar de nós mesmos. Talvez devêssemos ter pequenas lâmpadas na testa, como as luzes do painel de um carro. As luzes iriam nos avisar quando estivéssemos esquentando, andando muito rápido, quando precisássemos passar para ponto morto ou para marcha à ré. Essas luzes seriam ativadas pelos nossos pensamentos e sentimentos. Seu corpo simplesmente geraria calor ou energia suficiente para ligar as lâmpadas, o que, por sua vez, ligaria os alarmes na sua cabeça e no seu coração. Quando isso acontecesse, você levaria seu corpo até um mecânico de vida, que o colocaria sentado e diagnosticaria seus sintomas: você está entrando em desespero novamente! Mais uma vez, você está carente! Você está prestes a explodir! Então, você iria para a oficina, para mudar o seu nível de disposição, regular sua responsabilidade, reajustar a verdade na sua consciência.

Por mais forçado que possa parecer, Rhonda poderia ter usado um mecânico de vida. Ela precisava de ajuda para avaliar a si mesma e à sua vida amorosa. Sempre que achava estar conseguindo botar tudo nos eixos, alguém ou alguma coisa nova aparecia, forçando-a a dar marcha à ré, a voltar para um terreno emocional pelo qual já havia passado. Às vezes, escapava com apenas alguns machucados e arranhões. Como da penúltima vez. O cara era lindo, absolutamente delicioso! Ele a perseguiu e dominou. Passaram ótimos momentos juntos, mas alguma coisa simplesmente não batia. Ele era meio vago nas explicações que dava a respeito de qualquer coisa. Estava sempre muito ocupado fazendo algo que nunca conseguia explicar direito. Levou mais ou menos uns três meses para Rhonda descobrir que ele ainda estava morando com a mãe de sua filha (é assim que eles as chamam hoje em dia), e mais uns seis meses para ela entender que eles tinham um relacionamento do tipo vai e volta. Rhonda descobriu que ele era vago durante as semanas em que estavam juntos. Durante as semanas em que estavam separados, ele se transformava num docinho de coco!

Quando ele finalmente não agüentou mais e contou tudo para ela, Rhonda já estava fisgada e tentando descobrir uma maneira de fazer com que desse certo. Ligava tarde da noite para ver se ele atendia e se falava com ela. Ele sempre falou. Ela começou a pedir que ele a acompanhasse a lugares públicos. Ele nunca se recusou. O que ele não faria nunca, sob nenhuma circunstância, era passar a noite. Não queria que sua filha acordasse e descobrisse que ele não estava em casa. Não queria que a mãe de sua filha ficasse zangada e levasse sua filha embora. Não queria se envolver em um relacionamento sério até que se divorciasse. De quem? Sua esposa morava do outro lado do país.

Existe uma lição que Rhonda aprendeu bem – um homem casado é um homem casado! Ele pode ter se separado em 1902, mas, se a esposa está viva, ele ainda é casado. Ela sabia muito bem que não podia cair nessa. Um homem casado que ainda é casado pode amarrá-la para sempre, ainda que diga o contrário. Rhonda teve que admitir que, mesmo que estivesse com um pé no porão e ambas as mãos no primeiro andar, ela não devia, de modo algum, se envolver com um homem casado – já havia feito isso antes e não chegara a lugar algum. O rompimento foi mútuo. Já que era ela quem telefonava a maior parte do tempo, simplesmente parou. Ele levou duas semanas para perceber. Quando percebeu, ligou. Rhonda não estava em casa. Ficou fora de casa durante um ano. Sentiu-se um pouco melhor por ele ter levado tanto tempo para parar de telefonar. De alguma forma isso ajudou a diminuir a dor.

James também poderia ter usado algumas luzes em seu cérebro e um mecânico de vida. James pensou que, se seu cérebro não estivesse tão perturbado, poderia realmente passar o resto de sua vida com Jean. Ela tinha tudo, aparência, cabeça, um apetite sexual saudável e uma personalidade forte o suficiente para mantê-lo sob controle. Ela nunca pedia dinheiro para ir ao cabeleireiro, para pagar as prestações do carro ou as compras do supermercado, nem insistia que ele visitasse a família dela durante as festas de fim de ano. Ela não estava tentando exibi-lo para as amigas e não circulava em sua companhia como se ele fosse um prêmio. Tinha suas próprias idéias e um efeito calmante sobre James. Talvez fosse isso. Talvez ela fosse equilibrada demais, boa demais. Quantas vezes ele se disse que não merecia Jean? Ela era boa demais para ele. Quantas vezes ele disse a mesma coisa para ela? Por outro lado, Paula era uma história completamente diferente!

Paula era uma garota maluca! Gostava de festas e de se divertir e era óbvio que estava procurando um homem parecido. Paula era uma pedinte – estava sempre pedindo dinheiro, atenção ou tempo. Será que as mulheres não sabem como isso perturba os homens? Será que não sabem que a maioria dos homens mal consegue se sustentar? Além do mais, ele nunca desejou que a coisa ficasse tão séria com Paula. Estava atrás de um casinho, alguém com quem pudesse passar um tempo enquanto Jean estivesse viajando a trabalho. Uma noite de diversão e, quando você percebe, seus pneus estão sendo ameaçados. Como foi que chegou a este ponto?

JÁ ESTÁ NA HORA DA SOPA?

Você pode ter relacionamentos de meio-tempo. Relacionamentos que, no momento, são divertidos ou satisfatórios. Você não entra carente em relacionamentos de meio-tempo. Você entra nesses relacionamentos por escolha. Sabe que este não é o *para sempre*, mas que é o que tem agora. Um relacionamento de meio-tempo não nos deve esgotar. Deve nos dar alguma coisa para fazer, nos manter em alto astral e ajudar a nos preparar para uma experiência maior. Você saberá que está em um relacionamento de meio-tempo se gostar da pessoa, mas não o suficiente para emprestar o seu carro. Se gostar de passar tempo com essa pessoa, mas não conseguir se ver sentado em uma cadeira de balanço dividindo a sobremesa com ela. Em um relacionamento de meio-tempo, sexo em geral é a sua motivação. Se você reconhecer que está em um relacionamento de meio-tempo, relaxe e aproveite. Não invista seu fundo de garantia – quer dizer, não compre as alianças ou mande imprimir os convites. Encare a realidade! Saiba o que você sabe. Aceite o fato de que o relacionamento que você quer está sendo preparado, como o jantar. Nesse meio-tempo, faça um lanchinho!

Infelizmente, temos a tendência a exagerar no lanche e arruinar o jantar. Comemos demais. Investimos demais. Esperamos demais. Ficamos tentando transformar essa pessoa *na pessoa*. A síndrome do "*é esse*" ou "*é essa*" é comportamento do porão.

Nessa época do nosso desenvolvimento queremos tanto nos afastar de nós mesmos que qualquer pessoa é a definitiva. Temos um problema com nós mesmos e não sabemos. Não se esqueça de suas experiências no primeiro andar! Você já limpou a bagunça do porão! Treine-se para ter uma pequena lâmpada no cérebro que pisque – PERIGO! PERIGO! CUIDADO ONDE PISA! VOCÊ ESTÁ INDO LONGE DEMAIS!

Rhonda era uma consultora independente. Tinha uma reputação excelente em seu campo de trabalho. Entretanto, as coisas andavam muito devagar. Ela não trabalhava há meses. Como resultado, havia pressões financeiras. Ela tinha aceitado um grande projeto cujo prazo já esgotara há muito tempo. Se ao menos conseguisse terminá-lo, teria algum dinheiro para pagar as contas e para comprar coisas que as crianças estavam precisando. E talvez sobrasse um pouco para uma pequena viagem, apenas para dar férias para sua cabeça. Impossível! Ela conhecia o padrão – o dinheiro entra e o dinheiro sai antes que você faça o que precisa fazer. Era mais ou menos a mesma coisa com os homens em sua vida. Eles vinham e depois partiam. Rhonda tinha que aprender algumas lições importantes.

E também havia o pequeno problema da casa. Vinha adiando a mudança simplesmente porque não tinha dinheiro. Rhonda havia segurado o proprietário o máximo que podia, mas agora ele estava ameaçando colocar suas coisas no meio da rua e processá-la. Era mais pressão. Se apenas ela conseguisse terminar o trabalho, poderia ter dinheiro para mudar e não haveria mais pressão. Esse era outro padrão.

É difícil planejar, trabalhar, procurar uma casa, quando estamos sendo pressionados pelos cobradores e pelo proprietário da sua casa. Nem preciso dizer que ela estava fazendo tudo sozinha. Seu último relacionamento terminara recentemente, mas, pelo menos, havia sido diferente. Desta vez fora ela quem havia partido. Aos trinta anos de idade, Rhonda pela primeira vez abandonara um homem. Aleluia! Pelo menos alguma coisa estava mudando! Infelizmente, o fato de estar sozinha *de novo* era uma situação muito familiar. Quando estamos sozinhos no meio-tempo e não queremos estar, a maneira como acabamos ficando sozinhos tem pouca ou nenhuma importância. Por algum tempo nos sentimos bem em relação ao fato de o nosso coração não estar dolorido ou despedaçado. Porém, quando percebemos que a pessoa que demorou tanto para vir agora já se foi, a forma *como* ela partiu não parece tão importante quanto o fato de ela ter partido.

Rhonda estava em uma posição tranqüila, fazendo seu trabalho, ganhando um dinheiro bastante razoável, aproveitando a vida. Começara a estudar coisas espirituais há pouco tempo. Estava em uma viagem de trabalho quando o homem chamou sua atenção. Ele puxou conversa, saíram para jantar e passaram momentos maravilhosos. Seguiram caminhos diferentes sem nem mesmo trocarem números de telefone. De volta ao quarto do hotel, Rhonda estava eufórica. É isso! É essa a vida que eu quero! Encontrar um homem que te alimenta sem pedir o número do telefone – morri e fui para o céu!

Ainda que soubesse exatamente como, James refez seus passos, pensando: "*Se não fosse tão patético, seria engraçado.*" Devia ter seguido seu primeiro instinto, que era jamais ter telefonado de novo para Paula. Ele quase conseguiu, mas ela prometeu cozinhar para ele. Ele era doido por comida caseira e tinha que admitir que Paula cozinhava muito bem. Jean, por mais que a amasse – apague isso, gostasse de estar com ela –, não sabia fritar um ovo! Além das noites alucinantes, Paula fazia o melhor café da manhã que um homem podia desejar. Após um desses cafés da manhã, quando ele percebeu, haviam se passado seis meses e Paula estava lhe oferecendo a chave de casa. Quase valia a pena, mas ainda não era o bastante.

Jean voltara mais cedo da viagem, ansiosa para vê-lo. Trouxera presentes e queria levá-los até a casa dele. Logo no começo ele havia percebido que era perigoso levar Paula para casa, por isso ia para a casa dela e pedia a Deus que ela tivesse esquecido seu endereço, já que só havia estado lá uma vez. Ele tinha por princípio que, não importa o quanto pulasse a cerca, sua mulher principal era sua mulher principal! Todas as outras tinham que esperar! Quando a principal liga, largue tudo. Desligou o telefone, ligou para Paula e disse-lhe que teria que cancelar o cinema. Foi quando ela começou a reclamar. Ele lembrou a ela que acabara de sair de sua casa. Disse-lhe que estava tudo bem e que ligaria mais tarde. Ele devia ter seguido seu primeiro instinto! Alguma coisa lhe disse para ligar para Paula no meio do dia, só para checar, para ter certeza de que ela não estava desconfiada, mas ficou muito ocupado no trabalho e esqueceu. Também ficara muito animado com a idéia de encontrar Jean.

Quando chegou em casa, Jean estava esperando. Ele abriu os presentes, eles conversaram, comeram e estavam quase indo para o chuveiro quando a campainha tocou. Era Paula! Estava na portaria! Quando ele ouviu a voz dela pelo interfone, achou que ia ter um ataque cardíaco. "Achei que você estava mentindo, seu f_____ da p____!" Ele soltou o botão. Tarde demais! Jean ouviu o veneno que era vomitado pelo aparelho. "Quem é?" "Não sei!" James respondeu enquanto se dirigia para o banheiro. Atitude errada. Quando você fica na defensiva, as mulheres sabem que tem alguma coisa errada. A campainha estava tocando novamente. Para onde você corre? "Ligue o chuveiro", James disse a Jean, enquanto se dirigia novamente para o interfone. Jean começou a se dirigir para o banheiro. Parou. Foi na direção dele com aquele olhar, o olhar que faz com que você saiba que está numa grande enrascada. "Deixe ela entrar, James. Deixe ela entrar! Eu vou embora!" *Ai, Jesus!*, ele pensou, *isso não vai dar certo!* Não conseguia pensar rápido o suficiente. Sua boca se abriu e as palavras saíram: "Deixar quem entrar?" Que pergunta estúpida!

O TEMPO ESTÁ A SEU FAVOR!

Não existe uma forma fácil de descobrir a verdade a respeito do amor. Existe, porém, o meio-tempo: as experiências que temos enquanto procuramos o amor e que nos ensinam a entender o que fazemos. É através dos relacionamentos que trabalhamos nossas falsas idéias, as percepções deformadas, os medos e críticas sobre o amor. Para alguns de nós, o *meio-tempo* parece durar para sempre. Não conseguimos encontrar a pessoa certa. Não conseguimos ser a pessoa certa. Não conseguimos captar os sentimentos certos. Quando conseguimos, eles não duram o bastante para nos fazerem felizes. O *meio-tempo* é a oportunidade que a vida nos dá para refletir, reavaliar e lembrar da verdade sobre quem somos e sobre o que o amor faz com nossas identidades. O objetivo é nos fornecer novos elementos sobre os quais refletir e algumas ferramentas novas para que possamos avaliar o que se passa conosco.

Durante esse processo, você poderá descobrir que é necessário começar tudo de novo, do início, do fundo da pilha, construindo relacionamentos novos, mais amorosos. É um trabalho pesado! No *meio-tempo* sempre existem relacionamentos que estão acontecendo. O que você irá fazer a respeito deles? O que você vai fazer a respeito dos relacionamentos construídos a partir de mofo, fungos, de coisas fora de moda e da histeria? É claro que há sempre um desejo de amar-se através desses relacionamentos. Alguns irão sobreviver, outros não. Entretanto, existem esperanças de que, uma vez que tenha se lembrado da verdade a respeito do amor, você envolva a si e aos outros de tal forma com ele, que poderá sair e encontrar mais amor, dar mais amor.

O jantar permaneceu como uma lembrança agradável que Rhonda quase havia esquecido um mês depois, quando partiu em outra viagem de trabalho. Instalou-se no quarto, mudou de roupa e estava descendo quando ouviu a voz. Ela se virou e ele estava parado lá, o homem do jantar. Ele falou como se tivessem se encontrado há apenas alguns dias: "E aí, como vai? Tudo bem?" Rhonda ficou agradavelmente surpresa. Será que isso significava outra rodada de bolinhos de siri esta noite? "Ei! Olha só quem está aqui! Você veio para o seminário?" Estava acontecendo novamente. Eles andaram, conversaram e planejaram o fim-de-semana.

Para falar a verdade, passaram o seminário todo andando e conversando. No último dia, saíram para comer comida grega. Já que ambos só iriam embora no dia seguinte, combinaram tomar café da manhã e fazerem um passeio turístico juntos. Ele a levou até a porta do quarto e a beijou no rosto, dando uma ligeira meia-volta quando se dirigia para o elevador. Rhonda estava começando a hesitar. Será que havia alguma coisa errada com ele? Ou alguma coisa errada comigo? Estava começando a ficar tudo muito estranho. Ela sabia que estava fazendo exatamente o que queria estar fazendo, se divertindo, levando as coisas devagar, não se envolvendo demais, mas era tudo novo, novo demais para que se sentisse confortável. Você não acha que, se o cara está interessado, pelo menos se convidaria para entrar ou a beijaria na boca? No instante em que ela pensou nisso, um pequeno sino começou a tocar dentro de sua cabeça. "FAÇA ALGO DIFERENTE! FAÇA ALGO DIFERENTE! Se você deseja outro resultado, faça algo diferente."

Paula colou o dedo na campainha. Jean estava recolhendo suas coisas. "O que você está fazendo? O que você está fazendo?!" Ele não conseguia entender. Será que ela estava zangada? Será que estava magoada? Jean era tão equilibrada, tão calma, que ele simplesmente não conseguia entender o que estava acontecendo com ela. "Olha aqui, não tem problema. Eu dou um jeito. Ligue o chuveiro. Não tem problema! Tudo bem, sem problema!" James podia ouvir-se falando sem parar. Na verdade, estava quase implorando. Jean estava começando a tremer. "*OK, ela está zangada. Não, está magoada!*" Ela estava se dirigindo para a porta. A campainha continuava tocando. "Você é mais irritante do que uma dor de dente!", Jean falou. Era por isso que ele a amava – apague isso, *gostava* tanto de estar com ela. Qualquer outra mulher o teria xingado de todos os nomes e palavrões possíveis. Lá estava Jean, uma mulher sensível e inteligente, falando a respeito de seus dentes. Como ele podia ser tão burro? Ele tentou agarrá-la, abraçá-la, impedi-la. Atitude idiota!

Quando você mora no segundo andar da casa do amor irá chorar muito. Irá chorar porque vai achar que nunca conseguirá o que quer. Irá chorar porque parece que ainda tem muito que fazer. Irá chorar por sentir tanta gratidão ao constatar que se encontra no caminho da cura. Quando você não estiver chorando, estará tentando *consertar-se*. Irá prestar atenção em todas as palavras que disser. Irá se concentrar em todos os pensamentos que tiver. Desejará perder dez quilos e cortar o cabelo numa tentativa de fazer com que achem que você sabe o que está fazendo. Um dia, do alto de sua experiência no segundo andar, irá perceber que na verdade não sabe o que está fazendo e que existem grandes possibilidades de estar fazendo tudo errado. A reação a esta revelação miraculosa será chorar mais um pouco. Irá chorar porque as coisas estarão melhores, ainda que não estejam perfeitas. Irá chorar porque se sentirá melhor, mas a cura não estará completa. Você irá desejar muito que as coisas sejam perfeitas e que a cura esteja completa, mas não saberá o que fazer. Você sentirá uma grande confusão. Em resposta a tudo isso, irá se jogar no chão e fará a oração definitiva: "*Querido Deus, por favor, me ajude!*" Em um período relativamente curto, conseguirá a ajuda e as respostas de que precisa.

Lembro-me do dia em que alguém me disse: "*Deus a ama do jeito que você é.*" Fiquei chocada! Também fiquei aliviada pelo fato de ter feito tudo certo. Mas era assustador pensar que eu não entendia conscientemente o que havia realmente feito. Mais precisamente, eu estava tão grata por ouvir que Deus me amava, que chorei de alívio. Durante uma experiência de meio-tempo no segundo andar, você também irá se lembrar de que você personifica o amor, de que você é a essência do amor. Se não se lembrar, irá ler em um livro ou ouvir em algum *workshop*. Não importa como vai acontecer. A questão é que vai acontecer. É de se esperar que você chore nesse momento. Chorar é uma experiência muito significativa e que ajuda bastante quando você mora nos segundo andar da casa do amor.

Quando esquecemos que Deus nos ama, saímos à procura de um amante humano que preencha nossa necessidade de sermos amados. No segundo andar, somos capazes de renunciar a essa necessidade. Subimos para o segundo andar da casa do amor através do poder do amor que Deus tem por nós. Agora temos que aprender a aplicar ativamente a renúncia e o perdão em tudo o que fazemos. Temos que parar de nos esconder. Como é que se faz isso? Permitindo-se sentir o que sentimos e expressando o que sentimos. Renunciando às próprias críticas a respeito do que sentimos – *eu não devia me sentir desta maneira! Talvez o que eu sinta esteja errado!* Troquem isso por *"Pode ser que a minha percepção não seja exata, mas neste momento é o que estou sentindo"*. Vocês ficarão espantados com sua disposição e capacidade de dizer a verdade, mesmo arriscando-se a parecer fracos ou burros. Bom! Agora vocês mudaram de idéia sobre não dizer a verdade, o que quer dizer que estão dispostos a dizê-la – imediatamente.

NÃO CANTE NENHUMA CANÇÃO DE DERROTA!

Rhonda foi dormir após separar as roupas mais lindas para o encontro do dia seguinte. Foram passear no carro dele. Almoçaram à beira-mar. Riram. Conversaram. Trocaram números de telefone e ele a levou ao aeroporto. No caminho para casa, ela tentou não ficar muito ansiosa. Forçou sua mente a pensar em outras coisas. Tentou ler. Prometeu a si mesma que não seria a primeira a ligar. Um mês depois, ela não havia ligado. Não teve que ligar, porque, em outra cidade, durante outro seminário, quando olhou para o balcão de registro, lá estava ele, registrando-se no mesmo hotel, para o mesmo seminário. Desta vez, ela foi até onde ele estava e bateu em seu ombro. Ele se virou com espanto, surpresa, prazer estampados no rosto. Rhonda sorriu. Ele falou primeiro: "OK, quem é você? Quem é você na minha vida?"

Esta era uma união divina! Era impossível resistir a ficarem juntos depois dessa série de divinos encontros casuais! Usaremos o que pudermos para nos convencermos de que o que estamos fazendo é o certo! Rhonda pensou na velocidade com que as coisas se passaram depois disso. Ligavam um para o outro todos os dias, duas ou três vezes por dia, pois moravam a cinco estados de distância. Viam-se a cada dois ou três meses, o que fez com que três anos e meio passassem muito rápido. Ele era agradável. A situação era agradável. Quando você tem um amante que mora tão longe assim, você acredita quando ele diz que sente saudades de você todos os dias. Faz bem saber que um homem vai te ligar, ou que, se você está tendo um problema, pode pegar o telefone e ligar para um homem. Entretanto, você deve ser clara a respeito do que quer e do que está fazendo. Rhonda percebeu que deixara de ser clara e que começara a jogar o jogo. O jogo de tentar manter um relacionamento que não vai em frente. Um relacionamento que não estava dando o que ela queria.

Agora, ela percebia que, em vez de ser paciente, havia se conformado. Estava terrivelmente consciente do fato de que ele era gentil, mas que ela não conseguia imaginá-los dividindo a sobremesa. Ela havia se convencido de que, já que era esse o homem que havia aparecido, teria que lidar com isso. Ao lidar com isso, havia tentado fazer com que desse certo, tendo certeza de que não daria. Mas, graças a Deus, ele não queria se comprometer. Era bastante claro ao dizer que não estava pronto. Dizia isso sempre. Tinha um milhão de desculpas e, ainda que ela detestasse ter que admitir até para si mesma, tentou convencê-lo de que ele estava pronto. Havia voltado ao comportamento do primeiro andar, atormentando-o, insistindo e fazendo todo tipo de loucuras para que ele alcançasse o ritmo dela. Ela conspirava contra si mesma, mentia novamente para si mesma. No segundo andar da casa do amor, as mentiras que você conta criam braços e garras e arranham o seu cérebro. Irão arranhar até que você se pergunte: "Qual é o meu problema?!" Rhonda agora percebia que, quando ela se fazia esta pergunta, a resposta era que ela não queria admitir para si mesma ou para seus amigos que estava novamente errada. Quando algo está coçando, ou você irá coçar até sair sangue ou encontrará a causa da coceira. Rhonda percebeu que, no seu caso, a causa da coceira que estava arranhando seu cérebro era falta de amor-próprio.

Jean se virou, se contorceu, puxou o corpo para fora do alcance dele. Sem pensar, James ouviu-se dizendo: "Sinto muito! Sinto muito!" Agora, ele tinha certeza de que Jean estava magoada, porque ela estava chorando. Estava chorando, tentando bater nele e empurrando-o, tudo ao mesmo tempo. Não podia ser pior. Não podia ser pior do que ficar parado diante da mulher amada e perceber que você nunca disse para ela que a amava. Não podia ser pior do que, enquanto ela chora e tenta arrancar seus olhos, uma maluca para quem você não dá a mínima está tocando a campainha. Não podia ser pior do que isto! Entretanto, pode ficar melhor! A campainha parou de tocar. Jean caiu de joelhos, colocou as mãos no rosto e começou a soluçar. James ficou ali, parado, olhando para Jean, sentindo-se cada vez mais desamparado, impotente e inadequado cada vez que Jean gritava: "Por quê?" Lentamente, ele se ajoelhou ao lado dela, abraçou-a e sussurrou: "Não sei. Simplesmente não sei! Por favor, me perdoe. Por favor, me ajude! Eu sinto muito!" Pela primeira vez em muito tempo James quis chorar. Quis, mas resistiu.

Você deve aprender a renunciar. Renunciar como? Você aprende a ouvir, aprende a se comunicar. Você pára de se criticar, achando que o que você diz não tem importância, o que você sente não tem importância e de que as pessoas não se importam com o que você diz ou sente. Mude de idéia e renuncie a essa bobagem. Ao fazer isso, você também poderá avaliar sua reação ao que as outras pessoas dizem. Lembre-se, o que é verdade para você pode não ser verdade para os outros. Todas as pessoas têm direito às suas próprias experiências. Essas experiências determinam o que sabemos e como fazemos as coisas, o que dizemos e como dizemos. É o nosso direito e o delas. As pessoas têm direito de expressar o que sentem. Mais importante é perceber que, porque alguém exerce seu direito de expressar sua verdade, isto não quer dizer que você tenha que aceitar. Aprenda a ouvir. Aprenda a perdoar. Aprenda a renunciar. É praticamente tudo o que você pode fazer agora.

TENHA CORAGEM SOB FOGO CERRADO!

Agora, Jean estava soluçando no ombro dele. "Eu sabia! Eu sabia que você estava me traindo, mas achei que você ia passar dessa fase. Achei que você estava apenas se organizando, tentando ter certeza. Eu sabia!" James percebeu que esta seria sua única chance de contar o seu lado da história. "Eu não sei por quê, Jean. Ela não significa nada para mim. É uma boa cozinheira e uma transa rápida. Não tem nada a ver com você. É como se sempre que alguma coisa boa acontecesse na minha vida, eu tivesse que fazer algo para bagunçar tudo." Repassando os fatos, James percebeu a verdade desta declaração. Quando as coisas estavam indo bem no trabalho, ele começava a chegar tarde em casa, a dormir demais e a chegar atrasado no escritório. Quando as coisas estavam indo bem financeiramente, ele comprava alguma coisa cara da qual não precisava e estourava o limite do cartão de crédito. Parecia que só conseguia ficar satisfeito quando estava acontecendo alguma coisa em sua vida que o fazia sentir-se mal. Isso era completamente neurótico! Será que ele se odiava tanto assim? James agora percebia que tinha trabalho a fazer antes de poder voltar e pedir uma segunda chance a Jean. E aí, percebeu também que uma segunda chance com Jean era provavelmente, quase certamente, impossível.

Curar qualquer coisa leva tempo. Se você corta o braço e sangra, você pode tratar dele, cobri-lo, colocar um *band-aid* para evitar infecção, mas sabe que o ferimento precisa de tempo para cicatrizar. Durante os próximos dias, talvez até mesmo semanas, você deverá tratar o braço com muito cuidado, enquanto a ferida está cicatrizando. Você está esperando que uma nova camada de pele cresça. Nossos relacionamentos precisam do mesmo tempo de cicatrização, pois trazemos feridas para o relacionamento. Quando não temos paciência, estamos fadados a enfiar o dedo na ferida ou arrancar o *band-aid* cedo demais, querendo um conserto imediato. Esquecemos de que há um processo envolvido em qualquer cicatrização.

Um dos motivos pelos quais não respeitamos nosso próprio processo de cura é por nos odiarmos. Nós nos criticamos, nos achamos errados, tentamos consertar todas as coisinhas e, afinal, ficamos exaustos. E nos odiamos por nos obrigarmos a fazer um trabalho tão exaustivo. Exaustão e falta de amor-próprio levam a sentimentos de inadequação. Inadequados porque não conseguimos parar de fazer as coisas que nos machucam e não conseguimos descobrir como começamos a fazer essas coisas. Então, a inadequação leva ao medo. Medo de que estejamos ficando sem tempo, medo de nunca conseguirmos dar um jeito na vida, medo de que, se ficarmos muito íntimos de alguém, essa pessoa irá descobrir o quanto realmente somos inadequados. Mas não é nada disso! Não somos nem um pouco inadequados! Estamos machucados. Somos soldados feridos porque transformamos o amor em um campo de batalha. Quando um soldado é ferido, ela/ele deve abandonar o campo de batalha. Ela/ele deve partir para poder se curar.

Qualquer ser humano possui algo que precisa ser curado. Nem sempre é um corte profundo ou um ferimento infeccionado, mas sempre existe algo que precisamos de tempo para tomar consciência. Em todos os relacionamentos, sejam bons ou ruins, chega uma hora em que os parceiros precisam se afastar para poderem se curar. Infelizmente, o medo da perda nos impede de tirar férias por alguns dias ou algumas horas, para começar o processo de cura, cada um para um canto, de tal maneira que possamos voltar e tratar juntos dos ferimentos. Quando os parceiros não se afastam para cicatrizarem sozinhos, aumentam as possibilidades de criarem todo o caos e confusão que procuram tanto evitar. Não é o relacionamento em si, são as feridas que trazemos e nas quais continuamos a mexer porque não tiramos um tempo para dar início à cura. É o amor-próprio que nos tornará capazes de nos darmos um espaço para cicatrizar, sem medo. A compatibilidade sexual não resolve o problema. A necessidade de sentir-se necessário não nos dará forças. O desejo de que cuidem de nós não nos dará coragem. Temos que saber como nos amar, estejamos ou não em um relacionamento. Se não existe amor-próprio, não teremos escolha a não ser fazer as coisas idiotas e infernais que nos enlouquecem nos relacionamentos.

NÃO CORRA ATRÁS DE PROBLEMAS!

Rhonda sabia que estava indo em direção a um muro de tijolos com esse cara. Não era apenas o fato de ela saber que ele não era definitivo. Era a neurose levantando sua cabeça feia novamente! Assim que o sexo passou a fazer parte da situação, ela soube que havia se tornado uma neurótica! Então, começou a fazer exigências. Ficava magoada com qualquer coisinha. Começou a estabelecer condições, a fazer exigências e a criar expectativas. Droga! Ela estava fazendo tudo de novo! Antes de dar outro passo para dentro ou para fora do relacionamento, tinha que resolver algumas coisas. Tudo bem, por que você está esperando que isso aconteça? O que foi que ele disse? O que foi que você fez? O que está acontecendo? Ela percebeu que isso ainda não era algo que precisasse discutir com ele. Precisava trabalhar isso *dentro de si mesma, sozinha.* Sabia que tinha que separar o sexo do relacionamento tempo suficiente para analisar o que estava sentindo e para ver para onde estava se dirigindo. Precisava avaliar e provavelmente redefinir suas prioridades. Ela percebeu que a outra parte de sua neurose consistia em sempre permitir que o cara determinasse as prioridades, e então se zangar porque ele o fazia.

Ele estava prestes a contar tudo para Jean quando a porta começou a desmoronar. Havia madeira voando por todos os cantos! Jean estava gritando. James se arrastava pelo chão tentando afastar Jean do perigo. Paula enfiara a mão pelo buraco na porta e estava tentando abrir o trinco. *Droga, ela tinha boa memória!* Alguns acontecimentos na vida nos forçarão a tomar atitudes que achamos que não estamos dispostos a tomar. Ao fazer isso, eles nos ensinam a ser responsáveis. James correu para a porta, abriu-a e puxou Paula para dentro. Os vizinhos perguntavam se estava tudo bem. *Claro! Está tudo em ordem! Pelo menos uma vez por mês uma maníaca derruba a minha porta!* Paula estava gritando, xingando e se dirigindo para Jean. James segurava Paula pelo braço e não tinha intenção de soltá-la.

Jean não era covarde. Ela não iria deixar Paula intimidá-la, mas, ao mesmo tempo, era óbvio que também não iria rolar na lama com ela. "Você não vai me dizer nada!" Jean falou para Paula, que calou a boca por um instante. "Se ele quisesse que você entrasse, teria deixado você entrar. Já que você entrou à força, divirta-se. Eu vou embora!" Com toda a classe e dignidade que uma mulher em sua posição podia reunir, Jean pegou suas coisas, incluindo os presentes que trouxera consigo, e foi embora. Paula estava sentada no sofá, os braços cruzados, as pernas cruzadas, dizendo coisas inadequadas para James, como: *"Você me usou! Você mentiu para mim! Você está me devendo!"*

Pode ser muito difícil tomar uma decisão que você sabe que

tem que tomar quando você não se ama. Quando existe uma falta de amor-próprio, uma falta de respeito, de autoconfiança, você hesita antes de decidir se irá se submeter a um processo de cura ou se pode viver doente mais um pouco. Se você realmente se odeia, irá mentir, dizendo para si: "Na verdade, não é tão ruim assim!" É aí que a coceira vai começar. Entretanto, se tiver disposição para trabalhar, determinando que finalmente pode encarar a verdade, instantaneamente assumirá a responsabilidade pelas prioridades que estabeleceu e agirá de acordo. Irá respirar fundo, empinará seu peito ferido e usará o único detergente espiritual que pode ajudar a iniciar o processo de cura: a renúncia. No segundo andar, renunciar não é se render: é desistir das coisas que não estão funcionando. Dos maus hábitos, das coisas que não estão ajudando a aprender a se amar. Você não consegue se iludir no segundo andar. Uma das maiores coisas que fazemos para nos iludir é dizer que podemos fazer algo quando sabemos que não podemos. Sabemos que não podemos consertar, mudar, ajudar, curar ou salvar a nós mesmos. Nós queremos, mas não podemos. Foi por isso que Deus criou o amor. O amor é a única coisa que pode curar. Quando realmente queremos ser curados, devemos nos entregar ao amor. Quando não sabemos o que o amor é, Deus nos manda para o meio-tempo para descobrirmos o que precisamos saber.

A MANEIRA COMO VOCÊ FAZ AS COISAS QUE FAZ

O meio-tempo é um tempo de espera. Estamos esperando por instruções adicionais, mais indicações, mais apoio, esclarecimento mental ou emocional. Podemos entrar no meio-tempo dispostos ou não a esperar. Uma experiência de meio-tempo com disposição de mudança é a experiência das pessoas que vivem o meio-tempo querendo realizar o trabalho. O trabalho exigido para estabelecer um relacionamento melhor com elas mesmas. Um meio-tempo com disposição significa reconhecer que não estamos sozinhos, mas que estamos com nós mesmos e que não nos importamos em nos fazer companhia. Encontrar alguém, apaixonar-se, ter um relacionamento – não é isso o que nos motiva nesse momento. Continuamos muito interessados nessas coisas, só que não agora. Agora, queremos dar um jeito em *nós mesmos.* Queremos perder um pouco de peso, peso físico e emocional. Queremos ficar em forma, mental e espiritualmente. Queremos tratar de alguns assuntos inacabados, assuntos de cura, assuntos de crescimento, e reconhecer o meio-tempo como uma excelente oportunidade para tratar desses nossos assuntos.

Ter disposição no meio-tempo nos destina a grandes coisas – grandes descobertas, grande compreensão, grandes projetos de desenvolvimento. A pessoa que percebe que as coisas não estão funcionando fica chateada com isso, porque essa é a história de seus relacionamentos, mas vai em frente. Quer saber o que pode e o que não pode fazer e por que não fez exatamente o que queria tanto fazer para estabelecer um relacionamento amoroso comprometido. Reconhece que todos os relacionamentos anteriores foram experiências de meio-tempo nas quais deixou de perceber alguma coisa. Uma lição, talvez. A repetição de um comportamento. Uma insegurança sendo alimentada. Agora que foi abandonada ou abandonou, foi traída ou traiu, fez o que pôde e ainda assim não foi escolhida, quer saber por quê. O meio-tempo é um momento excelente para se perguntar por quê. Mais importante, é um momento excelente para se preparar para ouvir a resposta.

Por outro lado, temos as pessoas sem disposição para o trabalho. Elas são empurradas ou caem no meio-tempo e ficam bastante zangadas com isso. Culpam os outros por seu infortúnio. "*Ele me deixou!*" "*Ela não conseguia se acertar!*" "*Eles não me faziam feliz!*" Essas pessoas simplesmente não entendem – o meio-tempo é um momento de crescimento e cura. Pessoas sem disposição só querem brigar e reclamar. Continuam a se esticar para trás, tentando se agarrar, ou a olhar para trás, tentando entender e colocando a culpa em cima do ombro alheio. No meio-tempo, devemos estar dispostos a abrir mão e admitir que não sabemos, para que possamos nos lembrar do que sabemos. Você sempre sabe o que fez e o que não fez para criar suas circunstâncias atuais. Admitir o que você sabe é a parte difícil. Se você entra no meio-tempo sem disposição para admitir, agarrando-se, olhando para trás, culpando, reclamando e se sentindo mal, o tempo que irá passar sem um relacionamento deixará de ser um cursinho de aperfeiçoamento. Será uma terapia de choque!

Pode ser muito chocante ver, aprender e lembrar da verdade a respeito de si. Quanto menos disposição tivermos para ver, mais chocantes serão as revelações. No meio-tempo, estamos sozinhos. Não temos para quem olhar, a não ser para nós mesmos. Não temos de quem reclamar, a não ser de nós mesmos. Não temos com quem brigar ou a quem nos agarrarmos, a não ser nós mesmos, e isso é bom. No meio-tempo, a espera parece durar para sempre quando não há disposição. Quanto mais resistimos, maior se torna a espera. Quanto mais olhamos para os outros, mais a espera parece desesperadora. Enquanto não renunciarmos à raiva, ao ressentimento, ao desespero, às inseguranças e ao medo, o meio-tempo não poderá se tornar uma experiência enriquecedora.

Não existe um tempo determinado no meio-tempo. Não é uma questão de "*Se eu fizer isso, sairei mais rápido*", ou *"Se eu fizer assim, nunca mais irei voltar*". O meio-tempo não é assim. Ficaremos no meio-tempo o tempo que for necessário, não apenas para ficarmos prontos, mas para que o outro lado também fique. Em outras palavras, você pode estar pronta, mas seu companheiro divino pode não estar. Você pode estar curada de suas inseguranças, mas seu parceiro perfeito pode ainda não estar totalmente curado. Você pode ter perdoado tudo o que tinha para perdoar, mas a pessoa pela qual está esperando pode nem ter começado a fazer o trabalho de perdoar e renunciar. Conseqüentemente, ficaremos no meio-tempo até que a divina pessoa esteja preparada e pronta para nós. O meio-tempo tanto é protetor quanto preparatório.

Agora, isso não quer dizer que tenhamos que esperar sentados de braços cruzados. Significa que, mesmo enquanto estamos no meio-tempo, esperando pela experiência divina, podemos ter e teremos experiências de meio-tempo, relacionamentos de meio-tempo valiosos e significativos. Não acredite que o que fazemos no meio-tempo é inútil. Tudo o que fazemos, todos os relacionamentos que temos nos preparam e nos aproximam da grande experiência do amor-próprio e do amor total e incondicional pelos outros. Muitas experiências do meio-tempo são projetadas só para isso, para nos aproximarem, não para nos afastarem. Nosso trabalho é evitar a tentação e a armadilha de pensar que *todos* os relacionamentos têm que ser o relacionamento que dura para todo o sempre, amém. Todo relacionamento é o relacionamento que precisamos naquele momento. Quando o motivo da união é alcançado, ou a estação da união termina, um relacionamento irá terminar e iremos entrar no meio-tempo, até a próxima vez.

EU SOU LEGAL! VOCÊ É LEGAL!
AGORA, VAMOS TRABALHAR!

Ele finalmente teve que chamar a polícia para tirar Paula de seu apartamento. Quando chegou na delegacia, decidiu não registrar queixa, mas conseguir um mandato de proteção, apenas por segurança. Isto fora há três dias. Havia falado com Jean apenas uma vez neste período. Quando isso aconteceu, ele contou para ela toda a verdade, incluindo as outras mulheres sobre as quais ela nunca soubera. Também lhe disse que estava pronto para tomar jeito, para se estabelecer e construir uma vida com ela. Também disse que a amava, da melhor maneira que podia, admitindo que tinha muito a aprender. Reconheceu também que primeiro teria que dominar a arte de amar a si mesmo. Jean, com seu jeito calmo e firme, agradeceu a ele por ser honesto e por amá-la, mas disse que precisava de um tempo para se recuperar. Chegou até a expressar sua preocupação com Paula, perguntando como uma mulher podia se permitir chegar a tal ponto. James disse que era fácil, quando você tem um homem que está disposto a ser seu cúmplice. Era tudo em nome da diversão. Diversão doentia, mas diversão mesmo assim. Jean sugeriu terapia. Ele disse que estava disposto. Ele havia ligado para os telefones que Jean lhe dera e estava esperando o retorno. Estava assustado ante a perspectiva de algum analista cutucar a sua mente, mas, no instante em que sentiu a menor resistência à idéia, entregou-se. Jean o havia ensinado como fazer.

Rhonda percebeu que era tudo distração. Os relacionamentos, o aluguel, os desafios que continuavam a se acumular, era tudo uma distração que ela estava criando em sua própria cabeça, através de suas próprias ações, como fuga para não se prender às prioridades que havia estabelecido para si mesma. Aprender a amar mais a si mesma! Aprender a se sentir melhor a respeito de si mesma! Aprender a parar de fazer as coisas que a deixavam infeliz, louca e mais distraída do que já era! Ela estava aprendendo a não transformar a vida em uma proposta de ou/ou. Ou você faz tudo isso ou não faz. Ou você tem tudo isso ou não tem. Que tal conseguir um pouco de cada vez? Que tal fazer um pouco de cada vez? Isso tornaria a vida tão mais fácil!

Ela tinha que aprender como trabalhar em sua vida, trabalhar em si mesma, trabalhar com as crianças, um pouquinho de cada vez. Naquele momento, não podia se mudar, portanto, ia trabalhar. Quando o trabalho estivesse terminado, iria se mudar. Quando tivesse se mudado, faria um curso de espiritualização, através do qual trabalharia em si mesma. Quando se sentisse um pouco mais estável espiritualmente, iria mais uma vez abrir espaço para um relacionamento. Finalmente, ela percebeu que amar a si mesma significa abrir mão da atitude de ou/ou, substituindo-a por escolhas. Percebeu que a coisa mais amorosa que podia fazer para si mesma era tirar uma folga para dar início ao processo de cura, sem se castigar pelas coisas que não podia fazer ou que não havia feito. Não levava a nada ficar remoendo os erros que havia cometido. Ela não iria mais fazer isto. Se percebesse que estava envolvida em alguma atividade auto-abusiva, simplesmente pararia. É disso que trata a renúncia: simplesmente pare de fazer as coisas que nos deixam infelizes, loucos, tristes, com ódio de nós mesmos e neuróticos. Quando pararmos de nos maltratar dessa maneira, o amor entrará em nossas vidas e o processo de cura irá começar.

Capítulo 7

LIMPE A SUJEIRA DA SUA BANHEIRA

A multidão no estacionamento do shopping estava crescendo. Por que é que a desgraça alheia atrai seres humanos como mariposas em volta da lâmpada? Joe estava tentando, da melhor maneira que podia, tranqüilizar a multidão afirmando que estava tudo bem. Marie se acalmava tempo suficiente para que ele fizesse esta afirmação e então recomeçava a berrar. Ele podia ouvir, à distância, a sirene do carro de polícia que se aproximava. Quando os dois policiais, um homem e uma mulher, se aproximaram, Marie estava novamente quieta. Joe chorava. A policial fez a primeira pergunta estúpida: "Está tudo bem aqui?", e Joe pensou no número de vezes e de lugares em que lhe haviam feito esta mesma pergunta. Respondeu, como sempre: "Sim, quero dizer, não, senhora. Minha esposa tem Alzheimer e está tendo um surto de loucura." Meu Deus, como ele odiava essas palavras. A policial ficou olhando para ele. Marie estava gritando de novo, balançando os braços para afastar os atacantes imaginários que ultimamente via cada vez mais.

Era a vez do homem: "Podemos fazer alguma coisa? Quer ir para o hospital?" Joe ouviu sua própria voz gritando: *"NÃO! Nenhum hospital!"* dentro da cabeça, antes de se virar para o policial e dizer: "Vou tentar acalmá-la antes. Ajudaria se o senhor pudesse afastar a multidão." Isso os manteria ocupados tempo o bastante para que pusesse Marie dentro do carro e a levasse para casa. Quando tivesse dado o remédio e a colocado na cama, sabia que teria que considerar a pergunta sobre o hospital novamente. Marie realmente estava piorando muito e ele não sabia por quanto tempo mais poderia cuidar dela. Ficava com os olhos cheios d'água só de pensar nisso. Não sabia como iria viver sem sua Marie.

Joe e Marie eram casados há trinta e sete anos. Sua união produzira cinco crianças. Joe, um funcionário dos correios, e Marie, uma professora, usufruíam de uma vida maravilhosa até seis anos atrás. Então, suas vidas haviam se despedaçado em um período de duas semanas. Sua filha mais velha, June, descobriu que tinha câncer de mama. Seu filho mais velho, Joe Júnior, era totalmente viciado em cocaína. Seu filho mais novo, George, estava se mudando com a esposa e a família para a Itália, onde seria capelão do exército. Marie foi diagnosticada com Alzheimer. Dois anos depois, June morreu. Três anos depois, Joe Júnior estava literalmente morando na rua. Quatro anos depois, a esposa de George se recusou a voltar para ajudar a cuidar da mãe dele. Nicole e Nathalie, as gêmeas, fizeram o melhor que podiam para ajudar, mas ambas tinham seus próprios filhos. Além disso, era muito difícil para elas testemunharem a transformação de sua mãe. Naquela manhã de sábado, de pé no estacionamento do *shopping*, Joe soube que teria que fazer o que não sabia como fazer. Teria que internar Marie novamente.

Ele já fizera isso antes. Quando percebeu que George não iria voltar e que as gêmeas realmente não conseguiam suportar, pusera Marie em um sanatório. Ela tinha apenas cinqüenta e nove anos, mas sucumbira aos efeitos deteriorantes da doença muito rapidamente. Os médicos não conseguiam explicar e ele não conseguia entender. Marie, sua adorável e vibrante esposa, havia perdido a memória e ficara praticamente louca. Joe saía para trabalhar, deixando uma Marie perfeitamente normal em casa, mas voltava para encontrá-la seminua no meio da rua, fazendo uma variedade de coisas. Os vizinhos começaram a reclamar. Não se ofereceram para ajudar, mas reclamaram por ela andar em seus jardins, amedrontando suas crianças, entrando em suas casas. No começo, ele ficou constrangido. Depois, ficou furioso.

Mudou todas as fechaduras e trancou Marie dentro de casa. Funcionou durante algum tempo. Um dia, ele chegou em casa e a encontrou sangrando. Ela havia quebrado as janelas, cortando as mãos de tal forma, que teve que levar vinte e três pontos. Joe mandou construir uma varanda nos fundos da casa. Desta forma, podia deixar a porta dos fundos aberta para que Marie, ao menos, ficasse na varanda durante o dia. Era uma idéia excelente que quase funcionou. Mas não impediu que Marie botasse fogo na casa ao tentar cozinhar.

Joe não sabia o que fazer. Gastara todas as suas economias com acompanhantes e, quando o dinheiro acabou, colocou Marie em uma instituição durante o dia, junto com outros pacientes com Alzheimer. Isso funcionou durante algum tempo, mas então a loucura se tornou tão extrema, que os médicos da instituição recomendaram que a colocasse em um sanatório. Eles também estavam impressionados com a velocidade com que Marie havia se deteriorado. Talvez fosse por ela ser tão doce, tão gentil quando estava consciente de suas atitudes. Talvez fosse por haver casos de doença mental em sua família. Talvez fosse porque os imbecis dos médicos não sabiam o que estavam fazendo.

Joe ouviu os médicos da primeira vez em que disseram que Marie estaria melhor em um sanatório. Faltava um ano e meio para que se aposentasse com rendimentos completos. Joe achou que, se Marie pudesse ficar no sanatório apenas por este período, ele poderia trabalhar em turnos dobrados, poupar um pouco mais de dinheiro e levá-la para casa quando se aposentasse. Parecia uma boa idéia e funcionou bastante bem. O problema é que ele não podia visitar Marie com a freqüência que desejava, e sentia saudades dela. Além de sentir saudades, ele começou a perceber pequenas marcas no corpo, rosto, pernas e costas de sua mulher. Seria possível que alguém estivesse batendo em sua doce Marie? Ou ela estava realmente se desintegrando, como eles diziam? A pressão começou a incomodar Joe – a pressão de sentir saudades de sua esposa; a pressão de trabalhar dezoito, às vezes vinte e quatro horas por dia; a pressão de tentar visitar Marie entre um turno e outro; a pressão de tentar convencer as gêmeas de que precisavam visitar sua mãe com mais freqüência. Três meses antes da data de sua aposentadoria, ele foi ao sanatório e descobriu que Marie tinha um olho roxo que ninguém conseguira explicar. Isto fora há um ano. Desde então, Joe havia tomado conta de Marie da melhor maneira que podia, mas agora parecia que sua melhor maneira não era suficiente.

Joe não podia suportar a idéia de viver sem Marie. O que ele iria fazer? Não podia suportar a idéia de estar com outra mulher. Em trinta e nove anos de casamento, ele nunca estivera com ninguém, nem uma única vez! A doença de Marie desgastara sua relação com os filhos. Ele se sentia abandonado; os filhos achavam que ele estava negando a condição de Marie. *Na saúde e na doença...* Joe repetia para eles. Ele não estava negando, estava honrando seu compromisso, mas de onde viria o dinheiro? Dinheiro para os remédios, para atendimento médico, para o sanatório, se ele realmente tivesse que colocá-la lá novamente. Era muita coisa para ele pensar no estacionamento do *shopping*. Quando a multidão diminuiu, Marie se acalmou. Ele olhou para o céu e silenciosamente sussurrou sua oração favorita: "Ele me leva junto às águas tranqüilas. Ele refresca minha alma." Então olhou para Marie. Ela estava lúcida novamente. Levantou a mão até o rosto de Joe, tocou sua face, olhou dentro de seus olhos e disse: "Sabe, ele é realmente um pastor!"

O OLHAR DO AMOR

O amor é uma experiência interior muito pessoal. Entretanto, não é uma possessão pessoal. O amor não pertence, não pode pertencer a ninguém, porque o amor é um conceito universal, uma experiência para ser partilhada por todos. O conceito de *amor universal* se refere ao amor que Deus tem por todas as criaturas. É o amor que a vida é, a manifestação da energia de Deus. O amor universal, o amor de Deus, é o único amor verdadeiro que existe. É o amor que nossas almas anseiam experimentar e pelo qual se tornam vivas. O amor universal transcende o ser e as necessidades do ser, nos levando à comunhão com as energias do universo e com o amor de todas as coisas vivas. O amor universal não impõe condições, ele nos aceita a todos. A experiência do amor universal não é o que a maioria de nós procura conscientemente em nossos relacionamentos. Entretanto, é o que todos nós viemos para aprender nessa vida através de nossos relacionamentos.

Em um nível mais humano, o que a maioria de nós procura e deseja é a experiência amorosa de partilhar, cuidar e estar em comunhão que os relacionamentos podem oferecer. Não podemos fazer com que as pessoas nos amem do jeito que queremos que nos amem. Nem existe nenhuma forma de garantir que ficarão apaixonadas por nós enquanto estivermos apaixonados por elas. Isto não significa que não exista amor suficiente por aí ou que nunca iremos conseguir ter uma experiência amorosa mais profunda. Quer dizer que podemos não tê-la com uma pessoa em particular, em um determinado momento, ou pelo tempo que quisermos que dure.

Em nosso desenvolvimento como seres humanos, nossas mentes e almas irão evoluir e nossa visão irá se expandir. Essa expansão nos fornecerá uma consciência maior de nós mesmos, do mundo em que vivemos e dos mistérios da vida. Para garantir que a viagem valha a pena, que a jornada seja significativa e que o discernimento que obtemos possa nos levar a um discernimento ainda maior, devemos manter nossos corações abertos às experiências maiores do amor. Devemos estar dispostos a renunciar aos nossos antigos conceitos, incorporar novas informações, mudar a direção em que estamos viajando e, acima de tudo, não impor condições ao amor. Você nunca pode amar alguém com prejuízo para essa pessoa. Isso não é amor, é posse, controle, medo, ou uma combinação de tudo isso. Sim, nós nos comprometemos. Sim, nós temos responsabilidades. Sim, queremos manter as pessoas que amamos junto de nós. Entretanto, quando amar alguém está nos machucando ou colocando nossa própria vida em risco, devemos aprender a renunciar. Se não estivermos dispostos a renunciar, se insistirmos em nos debater em nome do amor, o amor nos deixará debatendo.

Lisa fazia faculdade em tempo integral, trabalhava em tempo integral, tinha dois filhos pequenos que criava sozinha, quando sua avó recusou-se a ser tratada de câncer no estômago. Lisa tentou explicar que, se não se tratasse, ela iria morrer. Vovó não estava interessada em histórias de terror. Vivera sua vida e se era desta maneira que iria morrer, então iria morrer sem ser intubada e cutucada. Porém, quando a dor se tornou muito intensa, vovó foi hospitalizada para que pudesse ser alimentada por via intravenosa. Todos os dias, depois que saía do trabalho em Manhattan e antes que suas aulas no Brooklyn começassem, Lisa ia até o Bronx visitar e tomar conta de vovó. Lisa tinha que se assegurar de que vovó tinha seu jornal e seus caramelos ("Que diferença faz se eu comer doces agora?") e de que seu cabelo estava penteado. Isso continuou durante mais de sete meses antes que vovó fosse mandada para casa para morrer. Lisa estava exausta, mas era a preferida de vovó. Além disso, ninguém suportava vovó. Ela era muito rabugenta.

Lisa achava que vovó estava se agüentando, às vezes apenas para tornar as pessoas infelizes. Então, rapidamente, ela censurava o pensamento, substituindo-o pelas memórias de todos os momentos divertidos que havia passado com vovó. Quando o pai e a mãe de Lisa se divorciaram, foi vovó quem segurou a barra de Lisa. A separação foi feia – mamãe tinha um namorado, o ego do papai estava ferido, havia uma criança no meio do caminho cuja paternidade estava em dúvida. Foi bastante confuso. Lisa sempre fora mais chegada a seu pai e queria ir com ele. Mamãe não queria ouvir falar disso. Lisa, suas duas irmãs e seu irmão acabaram ficando com mamãe e o Sr. Webb, que via todos eles como lembretes de que a mãe de Lisa vivera com outro homem. O Sr. Webb repetia que não era seu pai, mas, enquanto comessem sua comida, iriam fazer o que ele mandasse. Ele não mandava muito porque normalmente estava bêbado. Como filha mais velha, Lisa era a mais rebelde, motivo pelo qual ela e o Sr. Webb brigavam feito cão e gato. É claro que isso significava que Lisa normalmente tinha que sair correndo para escapar da ira dele. Sempre que se tornava necessário correr, vovó, a mãe de seu pai, tinha um bom prato de comida e as palavras certas.

Aos dezessete anos, Lisa saiu de casa para morar com a avó. Era muito bom. Faziam tudo juntas. Faziam compras. Conversavam. Cozinhavam. Vovó era como uma amiga, uma amiga mais velha, que deixava você fazer tudo o que sua mãe não deixava, dentro de um critério razoável. Aos dezenove anos, quando Lisa contou a vovó que estava grávida, tudo mudou – drasticamente. Vovó disse a Lisa que estava velha demais para tomar conta de um bebê e que agora ela ficaria por sua própria conta. Lisa ficou arrasada! Como vovó podia fazer isso com ela? Lisa achava que ficariam juntas para sempre, ou pelo menos até que se casasse. Vovó disse que Lisa precisava aprender a ser responsável. Se não aprendera a lição antes de ter o bebê, teria que aprendê-la agora. Lisa e seu namorado arrumaram um pequeno apartamento e ela se recusou a falar com a avó durante dois anos. Foi apenas depois que teve seu segundo bebê que entendeu o que na realidade vovó estava tentando lhe ensinar. Humildemente procurou a avó. Contou-lhe sobre o novo bebê, seu namorado canalha e sobre seu medo, e pediu perdão. Como se dois anos houvessem passado num piscar de olhos, vovó e ela continuaram como se nada tivesse acontecido, conversando, rindo, criando os dois filhos de Lisa.

Isso fora há menos de dois anos e meio. Neste período, Lisa passou por muita coisa. Entrou e saiu de dois ou três relacionamentos ruins sobre os quais vovó havia avisado. Como é que todo mundo consegue ver o que você não consegue a respeito da pessoa que você acha que ama? Lisa havia conseguido um ótimo emprego, que vovó dissera ter *rezado* para que ela conseguisse. Reconciliou-se com sua mãe, ou pelo menos estavam se falando. Lisa deu um tempo nos relacionamentos, seguindo os conselhos de vovó, até conseguir se organizar um pouco mais. Então, vovó ficou doente. Não de uma vez, mas aos pouquinhos. Não comia. Não tinha energia. Estava cuspindo sangue. Lisa levou quase três meses para convencer vovó a ir ao médico. Então veio o diagnóstico. Foi difícil para Lisa acreditar que vovó iria morrer. Por que ela não queria lutar pela vida? Vovó era uma lutadora em relação a tudo. Brigou com Lisa para que desse um jeito em sua vida. Foi vovó quem encorajou Lisa a voltar para a faculdade. Foi vovó quem usou o cheque da previdência social para comprar pequenas coisas que Lisa não podia comprar para os garotos. Foi vovó quem deu a Lisa todos os conselhos de que precisava a respeito de homens, do amor e daquilo que vovó chamava de “coisas de mulher”. Tudo isso estava prestes a acabar e Lisa estava fora de si.

O pai de Lisa e sua mãe não falavam um com o outro há anos. Eram muito parecidos, obstinados, teimosos e muito dogmáticos. Tentar fazer com que os dois concordassem sobre alguma coisa era como tentar misturar água e óleo. Quando vovó ficou muito doente, Lisa disse a seu pai que, se não pudesse ajudar, não deveria se aproximar. Era o convite de que ele precisava. Ele telefonava para Lisa para saber como a mãe estava passando ou se precisava de alguma coisa. Telefonava para dizer como se sentia a respeito da morte de sua mãe. Durante uma das internações de vovó no hospital, quando parecia que ela realmente ia partir, Lisa ligou para seu pai. Ele veio correndo ao hospital, deu uma única olhada em sua mãe, caiu em prantos e nunca mais voltou. Lisa ficou furiosa! Lembrou a seu pai que ele precisava assumir a responsabilidade. Ele disse que simplesmente não conseguia fazê-lo.

Os irmãos e irmãs de Lisa nunca haviam sido tão próximos de vovó quanto Lisa. Tinham muito medo de fazer algo que deixasse o Sr. Webb zangado. De vez em quando, eles telefonavam, e sempre mandavam cartões de aniversário, Dia das Mães e Natal. Vovó dizia que não prestavam para nada. Não conseguia entender como eles ou seu pai podiam ignorar os laços de sangue. Seus parentes são o tecido que forma a colcha de sua vida, vovó sempre dizia. "Se começar a descosturar os retalhos da colcha, vai morrer de frio!" Vovó era tão sábia. Também estava muito magoada. Não falava sobre o assunto, mas Lisa sentia sua dor nos momentos em que falava sobre seu filho e os filhos dele. Lisa decidiu que esta seria uma batalha que ela não iria enfrentar. Tinha sua vovó, e isso era o bastante para ela.

Era primavera. Vovó havia entrado e saído do hospital seis vezes em três meses. Todas as vezes, eles quase a declaravam morta. Todas as vezes vovó os enganava e se recuperava. Afinal, mandaram vovó para casa, para que passasse seus últimos dias em um ambiente familiar. Ela tinha uma enfermeira em casa, e os vizinhos vieram para tomar conta dela. Isso aliviou um pouco a pressão, mas Lisa ainda se sentia obrigada a ir até lá para visitar vovó. Correu tudo bem, até que as provas semestrais começaram. Lisa tinha provas a semana inteira, portanto, ligou para vovó dizendo que não poderia ir, mas prometeu que arrumaria alguém para levar-lhe o jornal e os doces. Vovó não deixava que ninguém, a não ser Lisa, penteasse seu cabelo. Vovó disse a Lisa para não se preocupar. Ela leria o jornal da véspera, sem problemas. Isso foi na segunda-feira. Lisa estava tão exausta, que dormiu até tarde na terça-feira, e foi para o trabalho e para a faculdade sem telefonar para vovó. Ligou depois da aula na terça, mas ninguém atendeu. Ligou quarta-feira à tarde e ninguém atendeu. Na quinta, foi até a casa de vovó entre o trabalho e a aula. Vovó estava dormindo. Havia sido dopada. Lisa a beijou, prometendo voltar na sexta-feira. Sexta foi um inferno. Ligou para vovó, mas agora sabia por que ninguém atendia. Naquele fim-de-semana, ela estudou, levou os meninos ao cinema e lavou dez sacos de roupa suja sem telefonar para vovó. Vovó morreu segunda de manhã.

Lisa ficou arrasada pela culpa. Estava se sentindo tão culpada que não voltou à faculdade no semestre seguinte. Passou semanas perambulando e castigando a si mesma. *"Eu deveria ter estado lá! Eu deveria ter arrumado o cabelo dela, lido o jornal para ela. Tem tanta coisa que eu deveria ter feito."* Era como uma música na cabeça de Lisa. Ela não conseguia se livrar dos sentimentos de culpa e irresponsabilidade. Finalmente, trocou a música da culpa pela cantiga da raiva: *"Bem, o que é que se espera que uma pessoa faça?! De Nova Jérsei para Manhattan, para o Brooklyn, para o Bronx, todos os dias, durante três meses! É isso que se espera de uma pessoa?!* Quando não estava se sentindo culpada, estava com raiva. Quando não estava com raiva, estava deprimida. Lisa tentava se lembrar dos conselhos que vovó lhe dava, para colocá-los em prática. Ela não estava indo bem. Queria desistir. Precisava desistir, mas não podia fazê-lo até que aprendesse a se desapegar.

VOCÊ TEM QUE SABER QUANDO ABRIR MÃO

Todos os relacionamentos têm os mesmos componentes básicos: pessoas, necessidades e expectativas. Por mais que tentemos manter as questões das necessidades e das expectativas sob controle, normalmente nos envolvemos tanto com elas, que a pura essência do relacionamento se perde entre o que achamos que deveríamos estar fazendo e o que esperamos que seja feito. Às vezes, as necessidades são bastante reais. Outras vezes, não. Às vezes, as expectativas se baseiam na mais pura realidade. Na maior parte dos casos, não. Às vezes, as expectativas de conseguir suprir as necessidades são colocadas em cima de nós. Outras vezes, somos nós que as colocamos em cima de nós mesmos. O que é preciso perceber, antes que seja tarde demais, é que, quando o amor é a base dos relacionamentos, todas as necessidades e expectativas são supridas sem nenhum esforço de nossa parte.

Enquanto agirmos por amor, com amor, recusando-nos a permitir que o nosso "eu" se perca na busca pelo amor, estaremos bem. Não podemos perder no amor. Nada do que façamos pode fazer com que alguém que nos ama, que realmente nos ama, deixe de nos amar. Podem ficar zangados conosco. Podem ficar desapontados conosco. Isso tem a ver com as necessidades e expectativas *deles*. Não com o amor. Quanto mais amor dermos, mais amor iremos receber. Nem sempre parece ser assim, mas é a mais absoluta verdade. Pode ser que você não o receba daqueles para quem você dá – mas saiba, tenha certeza de que você irá receber amor. O amor sempre volta para aqueles que o dão livre e corajosamente, sem condições ou expectativas.

Culpa, vergonha, medo, raiva e ressentimento não são os frutos de um relacionamento amoroso. São resultado das situações em que nos colocamos com nós mesmos e com as pessoas que amamos. Sempre que, numa experiência amorosa, vivermos uma dessas situações, estamos tendo a oportunidade de mudar do amor condicional para o incondicional. A resposta que damos em nossos relacionamentos amorosos pode servir como um trampolim para nosso desenvolvimento mental, emocional e espiritual, com todo um crescimento do nosso ser. Fazer essa mudança nos permite perceber que não temos que sentir culpa ou mágoa, vergonha ou raiva, ressentimento ou solidão. Tudo o que temos que fazer é amar a nós mesmos e a todos os outros da melhor maneira que pudermos. Não temos que provar o nosso amor, nem devemos pedir aos outros que provem o deles. Quando fazemos isso, estamos pedindo para reviver as mesmas experiências, aprender as mesmas lições, andar pelo mesmo terreno que já cruzamos. Até que consigamos absorver o conceito de que o amor não pede nada, iremos continuar repetindo os mesmos comportamentos.

A renúncia e o desapego são dois detergentes espirituais que nos aproximam da experiência do amor. A renúncia, o ato de admitir conscientemente o que podemos e não podemos fazer, nos impede de assumir falsas responsabilidades e de fazer as coisas prejudiciais ao nosso próprio bem-estar. Freqüentemente nos relacionamentos queremos ser tudo, fazer tudo, dar tudo, quando sabemos perfeitamente bem que isso é impossível. Estamos tentando provar nosso amor. Estamos fazendo uma tentativa desesperada para provar que somos dignos de ser amados. O segredo aqui é renunciar a todos os pensamentos, a todas as crenças, a todas as idéias que nos levam a concluir que não podemos ser amados. Se conseguirmos chegar ao ponto de não acreditarmos mais que não podemos ser amados, instantaneamente nos tornaremos capazes de ser amados! Quando somos dignos de ser amados, não é preciso fazer *nada*. Apenas ser. O caminho para esta percepção é o desapego. Desapegue-se de todas as condições que você se impôs. Não há nada que você tenha que fazer. Não há nada que você tenha que ser. Qualquer coisa que você ache que tenha que ser, fazer ou ter para merecer o amor é como um círculo de sujeira na banheira – deve ser removido.

EXPRESSE-SE!

Ela não conseguia descobrir quando ou como havia começado. Apenas acontecera de repente, de um dia para o outro, no curso dos primeiros treze anos de sua vida. Num minuto, papai estava indo para o trabalho, dando aulas na escola dominical, brincando com ela e com suas irmãs, enquanto mamãe tomava conta da casa. No minuto seguinte, papai estava sentado na sala de estar, tendo sido despedido de seu emprego e expulso da igreja porque comparecera bêbado vezes demais. Num minuto, mamãe estava correndo e gritando porque papai estava brigando com ela. No minuto seguinte, mamãe estava chorando porque papai havia caído e ela não conseguia levantá-lo. Num minuto, sua vida de criança vai muito bem. No minuto seguinte, papai está morto e as coisas realmente começam a desmoronar. No decorrer desta saga de treze anos, Íris se sentiu absolutamente desamparada. Ela não podia ajudar papai ou mamãe, e com certeza não podia ajudar a si mesma!

Pessoas inteligentes não bebem até morrer! Portanto, ele tinha que ser um idiota. Ela teve que lidar com isso por algum tempo. Íris havia concluído que seu pai era um idiota! Ela amava seu pai, mas agora estava com raiva dele por ter morrido e a deixado sozinha com sua mãe. Sua mãe, sua asfixiante, preocupada e amedrontada mãe, que não a deixava fazer nada. Sua mãe, por mais doce que fosse, era fraca, vivia reclamando e estava totalmente fora da realidade. Sua mãe, que nunca havia trabalhado e que não conseguia descobrir como iria criar seis crianças sozinha. Sua mãe, a quem ela amava e odiava ao mesmo tempo, porque era tudo o que Íris não queria ser. Como seu pai podia morrer – apague isso, se matar –, deixando-a sozinha com sua mãe?

Quando a vida nos dá limões, devemos fazer limonada. Se somos alérgicos a limões, bebemos água! Água pode ser insossa, pouco excitante e desinteressante, mas nos dá energia! Ela não podia acabar o ginásio rápido o suficiente. Ela não podia ir para a faculdade rápido o suficiente. Não podia conseguir um diploma ou um emprego rápido o suficiente para eliminar os sentimentos conflitantes que havia sentido desde os treze anos. Seu pai a havia ensinado que ela era bonita, inteligente e talentosa. Sua mãe a havia ensinado que ela era frágil, impotente e vulnerável. Ela não acreditava no que papai lhe havia dito. Ela não podia acreditar no que mamãe lhe havia dito. Terminou os estudos, conseguiu um emprego, comprou uma casa, tudo porque estava com raiva. Existem alguns tipos de raiva que são como combustível em uma caldeira! Ainda que estivesse com raiva, ela nunca disse uma palavra. A raiva perturbava mamãe e a fazia chorar. Qualquer coisa perturbava mamãe! Íris aprendeu muito cedo que, não importava como se sentisse, era melhor manter isso dentro de si. Especialmente a morte de seu pai, porque era tão esquisita. Como é que você pode ficar com raiva de alguém que você ama, só por ele ter morrido? Como é que você pode odiar sua mãe? Como é que pode expressar o que sente quando você não entende o que está acontecendo? Durante vinte e sete anos, Íris teve esse desastre de trem acontecendo dentro de sua cabeça e de seu corpo. Quando tudo isso passou a ser demais, ela simplesmente se enclausurou.

Pode ser difícil encontrar um relacionamento decente quando você está enclausurada, mas quem é que quer passar a vida sem nenhum tipo de relacionamento? Íris decidiu que não iria, sob nenhuma circunstância, ter um relacionamento como o que seus pais haviam tido. Não seria dependente de seu companheiro. Não chegaria perto de nenhum homem que bebesse. Não seria reclamante, rabugenta ou chorona. Para dizer a verdade, ela estava zangada demais para falar alguma coisa. Os homens têm um radar, você sabe! Eles podem detectar uma mulher zangada a quinze quilômetros de distância. Em vez de correr o risco de que sua raiva fosse detectada, Íris ficou calada, muito calada. Todo mundo comentava o quanto ela era calada. Sempre se referiam a ela como a doce, quieta Íris. E porque ela era tão calada, as pessoas acreditavam que ela era indefesa. As pessoas sempre estavam tentando fazer coisas para ajudá-la porque concluíam erroneamente que seu silêncio era um disfarce para a fraqueza.

Íris teve três relacionamentos memoráveis. Ela se lembrava deles porque haviam sido absolutamente desastrosos! O primeiro, quando estava na faculdade, foi com um cara que começava e terminava o dia fumando maconha. Íris não sabia que era maconha, porque ele a colocava dentro dos cigarros. Ele estava doidão a maior parte do tempo e, quando ela descobriu o que ele estava fazendo, ele achou que era dono dela. Ele pensava assim porque ela nunca havia dito a ele que isso não era verdade. Levou três meses para se livrar desse idiota. O cara seguinte, ela conheceu em uma festa. Ele parecia ser bem gentil, mas acabou se mostrando um lutador. Tinha o hábito muito desagradável de bater em Íris quando ela não queria fazer o que ele queria que ela fizesse. O erro dela foi ficar mais do que cinco minutos depois do primeiro tapa. Apesar de o segundo tapa não ter acontecido antes de um espaço de seis meses, Íris tinha certeza de que não era isso o que ela desejava.

O terceiro relacionamento foi o mais sério de todos. Sério em termos de duração e de comprometimento emocional. Ela e Buddy foram morar juntos e estavam conversando seriamente a respeito de casamento. Levou dois anos para que os sinais se manifestassem – a possessividade dele, seu ciúme, suas exigências. Parecia que assim que Íris se sentia livre para começar a se soltar, para começar a falar e a se expressar, Buddy perdia a cabeça. Ele lhe dizia como ela era burra e fraca. Ele encontrava maneiras bastante criativas para humilhá-la e, de todas as formas que pudesse, minar sua autoconfiança. Íris não queria acreditar nele, mas o desastre de trem em sua cabeça havia causado tantos estragos quando ela era mais nova, que os destroços ainda permaneciam em seu coração. Talvez mamãe estivesse certa o tempo todo. Talvez ela fosse fraca e vulnerável demais para se manter sozinha. Ou talvez papai estivesse certo. Talvez ela devesse abandonar esse cara, ficar sozinha e fazer o que tivesse que ser feito por si mesma. *"Eu só não quero ficar sozinha!"*, pensava Íris. Ela e Buddy teriam que resolver isso.

Íris tinha tão pouca experiência em relacionamentos e seus modelos eram tão fracos, que estava totalmente confusa. Buddy não era insuportável, mas bastante difícil de se lidar. Ele não respeitava suas opiniões. Não acatava suas críticas. Não dava valor a seus conhecimentos. Íris não falava o suficiente ou para um número suficiente de pessoas e por isso ninguém lhe disse que não devia ser assim. Então ficou, mantendo a boca fechada por cinco longos e passivos anos. Foi só quando as mulheres começaram a ligar para sua casa que ela soube que era hora de ir embora. De sua forma inimitável, sem dizer uma única palavra a Buddy, ela chegou do trabalho um dia, fez as malas, pegou alguns itens de valor sentimental e partiu. Foi direto para a casa da mamãe, que passou os primeiros dias cantando: "Eu avisei!" Ela provavelmente teria continuado a cantar essa música, mas Buddy telefonava com tanta freqüência, que ela mal tinha tempo de falar. Estava ocupada demais atendendo o telefone!

Quando Íris se recusou a falar com ele, Buddy começou a ir até a casa dela. Íris começou a trabalhar em dois, três turnos no hospital. Buddy passou a ir até o hospital e começou a armar um escândalo daqueles. Não apenas ameaçou matá-la, como trouxe a arma. Quando a polícia chegou, ele tinha ido embora. Então, ele decidiu esperar por ela no estacionamento. Buddy ficava sentado em seu carro, esperando que ela desse a partida e a seguia até em casa. Havia dias em que ela ficava com muito medo de sair do carro quando chegava em casa, então os dois dirigiam durante horas, até ele ficar cansado, ou ela ficar cansada demais para se importar com o que ele faria com ela. Após três meses, ele sumiu. A esta altura, o estrago estava feito. Íris sentia tanto medo, estava tão arrasada e confusa, que se enclausurou ainda mais em si mesma. Enclausurou-se tanto, que precisava de uma garrafa de uísque para lhe fazer companhia. Um ano e meio depois, ela foi suspensa de seu trabalho e aconselhada a procurar ajuda.

DIGA COM SENTIMENTO!

Uma das coisas mais importantes que aprendi através dos relacionamentos é o quanto a *desonestidade emocional* pode ser dolorosa. A desonestidade emocional é o estado em que entramos quando deixamos de reconhecer o que sentimos. É a tentativa consciente de negar qualquer emoção. Às vezes, fazemos isso por medo. Medo de estarmos enganados sobre o que sentimos. Muito freqüentemente, fazemos isso quando estamos confusos e inseguros de nós mesmos ou de nossa experiência emocional. Eu acredito que a maior causa da nossa desonestidade emocional é tudo o que nos foi dito sobre o *certo* e o *errado.*

Será que alguém nos ensinou que não há problema em sentir, ou que qualquer coisa que sentimos é normal? Imagino que existam muito poucas famílias que têm discussões francas e abertas sobre o lado emocional da vida. Não estou falando sobre o que acontece na vida, mas sobre o que sentimos em relação ao que acontece. Quando somos crianças, nos ensinam tudo a respeito de quase tudo, exceto sobre nossos sentimentos. Pelo contrário, nos dizem o que não devemos sentir e por que não devemos senti-lo. E quando nos arriscamos e nos permitimos sentir alguma coisa, corremos o risco de expressar o que sentimos. Nove vezes em dez, quando o fazemos, deixamos alguém zangado. É aí que começa a confusão. Poucos de nós são ensinados sobre a diferença entre reconhecer e expressar nossas emoções.

Por algum motivo estranho, apesar de os adultos acreditarem que têm liberdade de sentir e expressar suas emoções, eles acham que as crianças não têm. Logo no começo da vida, elas recebem a seguinte mensagem subliminar: "O que eu sinto deve estar em sintonia com o que os outros acham que eu devo sentir ou querem que eu sinta." Nada pode estar mais longe da verdade e nada nos causa mais problemas nos relacionamentos do que este tipo de censura aos nossos sentimentos. Por causa das mensagens da infância, deixamos de aprender duas lições importantes: (1) como identificar o que estamos sentindo, e (2) como expressar o que sentimos de forma apropriada. A fim de eliminar a avalanche de emoções tóxicas que geralmente transbordam nos relacionamentos, você deve ser capaz de identificar o que está sentindo e permitir-se senti-lo. Isso é chamado de *reconhecimento.* Quando o reconhecimento acontecer, você poderá escolher ou decidir o que – se é que existe alguma coisa –

quer fazer a respeito do sentimento. O que você faz é chamado de *expressão*. O problema para a maioria está na forma apropriada de expressar o que sente. Nossos pais e responsáveis tentaram restringir expressões que consideraram inapropriadas e, ao fazerem isso, involuntariamente nos ensinaram a reprimir o sentimento. Sentimento e expressão podem ser arriscados, mas são a única maneira segura de nos mantermos emocionalmente saudáveis. Também são a base da saúde emocional, essencial para que os relacionamentos sejam duradouros e satisfatórios.

Como resultado de nossas experiências de infância, às vezes negamos o que sentimos. Como expressar a raiva de maneira apropriada? A raiva, que é o outro lado da paixão que não foi expressada, provavelmente é considerada a maior gafe do nosso repertório emocional. Você não deve sentir raiva e, se em reação a alguma fraqueza humana senti-la, é melhor não demonstrar! Isso gera uma tremenda confusão emocional. Quando você sente o que não deve sentir, as pessoas ficam danadas com você e são capazes de falar mal de você ou dizer-lhe coisas desagradáveis. Nesse meio-tempo, a confusão aumenta, sobretudo porque nem você sabe direito o que está sentindo. Como é que você distingue entre o barulho de seu estômago causado por uma indigestão e o que é provocado pelo medo? Tanto o medo quanto a falta de almoço podem fazer você se dobrar de dor. Ambos contribuirão para o seu mau-humor, indecisão e irritação. Um pedaço de *pizza* irá resolver um desses problemas. Como é que você vai saber o que cura o medo, se é que é medo? Uma coisa é ser adulto e fazer essas perguntas. Outra coisa é ser criança e ter medo de fazê-las. E pode ter certeza, a maioria dos adultos carrega as perguntas da infância para a idade adulta.

SINTA O QUE VOCÊ SENTE!

Eu devia ter sete ou oito anos quando minha avó levou meu irmão e a mim para o que hoje em dia se chama uma reunião de família. Na época, eu achei que era um grande piquenique com um monte de estranhos. Ainda que minha avó me repetisse: "Você se lembra de fulano, vá brincar com ele!", eu não fazia idéia de quem eram aquelas pessoas, e havia centenas delas. Elas falavam alto. Algumas estavam bêbadas, e a maioria ficava beliscando minhas bochechas rechonchudas com os dedos gordurosos de churrasco. Numa tentativa de me proteger de insultos e danos físicos, me agarrei à saia da vovó. Ela ficava me empurrando, dizendo para eu ir brincar com as outras crianças. Eu não queria saber disso! Elas estavam brincando com sapos e chafurdando na lama, que chamavam de barro. Era mais do que minha mentalidade de grande dama moradora de apartamento em Nova York podia agüentar.

Vovó ficava me espantando como se eu fosse uma mosca. Ela deve ter se esquecido de que quanto mais você espanta uma mosca, mais persistente ela se torna. Meu irmão, o traidor, havia sido atraído por um grupo de inspetores de sapos. De repente, alguém anunciou que o barco estava pronto para a primeira viagem. Que barco? Que viagem? Outra pessoa sugeriu que as crianças deveriam ir primeiro com o Tio Sicrano. Ir aonde? Com quem? Fomos todos conduzidos lentamente para o píer, como ovelhas para o matadouro. Agora, eu estava pendurada no elástico da calcinha de vovó, tentando descobrir como iria escapar do matadouro. Meu irmão se tornou minha salvação. Ele deu uma única olhada para o barquinho minúsculo dentro de toda aquela água e se apavorou. Gritava: "Não! Não! Eu estou com medo! Não posso ir! Não quero ir!" Quando ele se virou para correr para longe do píer, vovó o agarrou pelo braço, dizendo: *"Cale a boca!" Você não está com medo!"* Algumas das crianças começaram a rir porque ele era um garoto da cidade medroso. Alguns dos adultos bêbados tentaram convencê-lo a entrar no barco. Ele parecia estar tendo algum tipo de convulsão, contorcendo-se, tremendo, gritando e soltando espuma pela boca. Vovó lhe disse que, se não calasse a boca, ela iria arriar suas calças e dar-lhe umas palmadas no traseiro. Ele não calou. Ela deu. Enquanto eu estava agradecendo a fada dos barcos e meu irmão estava apanhando, o barco partiu sem nós.

A honestidade emocional começa quando somos capazes de reconhecer o que sentimos. É a forma pela qual aceitamos que somos seres emocionais e que temos sentimentos. Isso é uma coisa que os adultos freqüentemente não percebem a respeito das crianças: que elas são seres emocionais. E se não reconhecemos nas crianças, deixamos de reconhecer em nós mesmos. Nem sempre é necessário que você diga aos outros como se sente. Porém, deve permitir-se senti-lo. É só através da experiência do que você sente que você é capaz de se manter em contato com o seu eu interior. Quando estiver em contato, perceberá que todos os sentimentos são neutros e que só passam a ter significado a partir da energia que damos a eles. Em resumo, não existem sentimentos bons ou ruins, a não ser que nós digamos que são bons ou ruins. A verdadeira confusão ou conflito está em saber a diferença entre reconhecer o que sentimos e expressar de forma apropriada o nosso sentimento. Ser capaz de identificar e reconhecer o que você sente é sinal de saúde e equilíbrio emocional. Permite que você escolha a reação apropriada. Quando, por outro lado, você fica julgando se os seus sentimentos são certos ou errados, a ponto de precisar negá-los, você corre freqüentemente o risco de expressá-los de forma inadequada.

Quer estejamos ou não envolvidos em um relacionamento amoroso, a repressão emocional não nos respeita, nem respeita as pessoas com as quais interagimos. Se não conseguimos aceitar a verdade, estamos negando. Quando estamos envolvidos em algo tão poderoso como amar a nós mesmos ou aos outros, a tentativa de negar a profundidade dessa experiência cria o que conhecemos como dor. Enquanto não entendemos isto, a tendência é fazer todo o possível para negar o que sentimos, acreditando que a negação do sentimento irá nos impedir de dizer a verdade dolorosa. Uma regra importante do amor: reconhecimento e expressão não são a mesma coisa! Reconhecimento significa ter a coragem de admitir para si o que você está sentindo. Expressão significa ter a presença de espírito e a coragem de deixar outra pessoa saber.

Nenhuma experiência na vida envolve mais sentimentos do que os relacionamentos, mas, ainda assim, muito freqüentemente não nos permitimos sentir nos relacionamentos. Não diga "eu te amo" primeiro. Não faça perguntas demais muito cedo. Nós nos lembramos do que aconteceu todas as vezes em que agimos baseados em um sentimento. Não esqueça nunca da diferença que existe entre o reconhecimento e a expressão das emoções. Reconhecer é ser capaz de experimentar um sentimento qualquer, sem criticá-lo e sem querer antecipar os resultados. Isso é chamado de *desapego.* Se na última vez em que verbalizamos nossas preocupações, suspeitas ou ansiedades, *fomos criticados ou nos disseram que não devíamos nos sentir daquela maneira,* concluímos que o sentimento, e não sua expressão, era inapropriado. O segredo é se desapegar, deixando de criticar o que sentimos.

Todos os sentimentos são apropriados. O que pode causar problemas é a forma como expressamos os sentimentos. Um terapeuta certa vez me disse: "Permita-se sentir o que está sentindo e saiba que não precisa fazer nada a respeito." Foi a coisa mais difícil que já aprendi a fazer! Durante muito tempo parecia que minha língua estava presa ao meu coração. Se eu sentisse alguma coisa muito forte, tinha que dizer algo a respeito, antes mesmo de parar para examiná-la e reconhecê-la. Quando eu era criança, isso me fez ser posta de castigo. Como estudante, me levava para a sala do diretor. Nos relacionamentos, o resultado foi ser abandonada de coração partido! Expressar meus sentimentos tinha um efeito devastador porque eu não era capaz de reconhecer o que estava sentindo. As coisas que eu dizia e que estavam ligadas a emoções que irrompiam sem reconhecimento sempre me causaram muitos problemas.

Existe um outro aspecto do reconhecimento que merece ser mencionado neste ponto. É chamado de *insistência*. Os amigos mais bem intencionados lhe aconselharão: "Não insista nisso", querendo dizer para você não se concentrar nas emoções ou experiências negativas. Como eles nunca dizem para você não insistir nas coisas boas, você entende que, se está insistindo, é bem possível que não seja em algo adequado. Quando ouvimos *não insista*, interpretamos como *não sinta*, não reconheça. Insistir tem mais a ver com a expressão do que com o reconhecimento. Talvez a pessoa que disse "não insista" já tenha ouvido sua história noventa e nove vezes. Em vez de dizer: "Meu bem, pare de repetir essa história!", irá dizer: "Não insista." Quando você insiste, é porque não sabe o que fazer. Está tentando descobrir o que aconteceu, por que aconteceu e o que você pode fazer para melhorar a situação. Você está pensando ou falando sobre os acontecimentos, não sobre os sentimentos. Lembre-se, o reconhecimento do que você sente lhe dá a liberdade de escolher como irá se expressar. Também lhe dá o poder de liberar, curar ou transformar a experiência, com benefícios para você e para os seus amigos.

VOCÊ TEM QUE TOMAR NOTA

Nos relacionamentos, a desonestidade emocional é um mecanismo de autodefesa que adotamos para nos protegermos do sofrimento. Fazemos isso com tanta freqüência, que acaba se tornando uma reação natural. Por outro lado, a vida não quer nem ouvir falar disso! Você não pode se safar com a desonestidade emocional por muito tempo! Deve respeitar seus sentimentos, pois, em algum momento, desejará mostrá-los. Por isso, deve aprender como se expressar para a outra pessoa. Se for a pessoa certa e o seu reconhecimento for sincero, estará tudo bem. Mas se você não conseguir reconhecer o que sente, a situação pode ficar delicada. Você vai se confundir, na tentativa de descobrir o que está sentindo e o que deve dizer. No meio dessa confusão e no processo de tentar se libertar, irá dizer a coisa errada para a pessoa errada. Esta pessoa irá contar o que você disse para a pessoa que você não quer que saiba e ambas deixarão de falar com você. Sua confusão vai aumentar e com ela virá a raiva, a vergonha e a solidão.

Os relacionamentos trazem os sentimentos à tona. Seja no relacionamento com seus pais, com um chefe ou com o ser amado, a interação irá evocar emoções profundas e poderosas. Uma regra muito importante do amor: temos que aprender a ser absolutamente honestos a respeito do que sentimos. Uma simples frase mental deve resolver o problema: "Neste momento, eu estou sentindo..." Quando houver reconhecido o que está sentindo, você terá a opção de expressá-lo ou não. Se escolher expressá-lo, as pessoas podem se aborrecer com você. O aborrecimento dos outros não é uma ameaça de morte! As pessoas têm direito de ficar aborrecidas se escolherem assim. O que se tem que fazer com pessoas aborrecidas é resistir à tentação de se rotular como a causa do aborrecimento. Mantenha-se com o seu sentimento. Preste atenção nas sensações que ele cria em seu corpo. Preste atenção nos pensamentos ou nas lembranças que ele lhe traz. Você tem uma oportunidade excelente para se curar nesse exato momento. Se puder se lembrar de outras circunstâncias e situações que provocaram o mesmo sentimento ou um sentimento parecido, estará no caminho da cura.

Treine bastante para fazer o seguinte: no exato instante de uma reação emocional mais intensa, pare e respire fundo. É assim que você poderá se reconectar com o amor que está dentro de você. Ao mesmo tempo que respiro profundamente, sempre acho de grande ajuda fazer um inventário rápido do meu corpo. Isso significa perguntar-se: "O que estou sentindo? Onde estou sentindo?" Quando houver localizado o sentimento, pergunte: "O que é isso?" Esse processo todo é rápido, normalmente são suficientes de quinze a vinte segundos. Provavelmente o tempo suficiente para interromper você ou outra pessoa no meio da frase, tendo proferido as palavras que irão acionar seus botões emocionais. Quantas vezes você já disse "Não sei por que senti tanta raiva". É bastante provável que você estivesse reagindo a uma memória inconsciente para a qual aprendeu uma reação. A raiva é a reação natural para o sentimento de impotência. O medo é a reação natural quando não se sabe o que fazer com o sentimento de impotência. Todos nós aprendemos, através de experiências pré e pós-natais, a reagir a essas experiências emocionais.

A mente e o corpo cooperam muito conosco, respondendo imediatamente ao nosso mínimo pedido. Se pedirmos a cura, receberemos a cura. Porém, devemos estar dispostos a renunciar ao controle da cura. Também devemos estar dispostos a fazer as seguintes coisas para facilitar a cura: respirar profundamente no início de um aborrecimento; resistir ao impulso de julgar o que estamos sentindo; procurar descobrir a origem de nossas reações emocionais; aprender a desapegar-nos do que achamos que pode acontecer quando nos expressamos; permitir-nos sentir o que estamos sentindo e expressar o que estamos sentindo. Tudo isso são coisas novas que podemos fazer para facilitar a cura emocional e espiritual. Elas ajudam a manter o contato com nosso próprio ser, a reconhecer o que estamos sentindo e a expressar os sentimentos de maneira apropriada. Em qualquer relacionamento, essas soluções irão ajudar-nos a manter a saúde emocional. São atos de bondade e amor-próprio.

NÃO CHORE MAIS

Joe colocou Marie em um sanatório bem perto de sua casa. No começo foi muito difícil. Ele passava a maior parte do dia indo e voltando da casa para o sanatório, levando para Marie as coisas que ele achava que ela precisava para se sentir bem. Sentia muita falta dela e não conseguia suportar a idéia de que ela estivesse infeliz. Também achava que ela estava com raiva dele pelo que havia feito. Joe passou a freqüentar a igreja local, em busca de algum conforto. Encontrou amigos com os quais podia jogar cartas à noite. Livros que podia ler para Marie quando ia visitá-la. E, sim, também encontrou uma amiga que sabia tudo sobre Marie e ficava feliz em acompanhar Joe ao cinema e sair para jantar de vez em quando. Todo mundo sabia que Joe amava Marie e que continuaria a amá-la mesmo depois que ela morresse. O que ele finalmente descobriu era que podia amar Marie e viver sua vida de uma forma que fosse melhor para ambos. Isso é chamado de renúncia.

Lisa nunca voltou para a faculdade, mas finalmente superou a morte da avó. Para ela, o segredo foi o perdão. Começou perdoando seu pai por jogar todas as responsabilidades em cima dela. Perdoou a si mesma por aceitá-las. Perdoou sua mãe por abandoná-la em troca da companhia do Sr. Webb. Perdoou-se por ficar com raiva de sua mãe. Perdoou todos os seus ex-namorados por se aproveitarem de suas fraquezas. Então perdoou-se por não amar-se o suficiente para cuidar de si. Para Lisa, o perdão foi o caminho para a renúncia. A renúncia a ajudou a se desapegar das condições que impusera a si mesma. Recentemente, obteve uma bela promoção em seu emprego e está envolvida em um relacionamento bastante decente.

Íris ainda não está pronta. Ela ainda precisa lidar com muita dor. Saiu do programa de desintoxicação alcoólica, mas ainda não está falando. Existem algumas experiências em nossas vidas que nos causam tanto impacto, que o preço emocional parece inacreditável. Quando isso acontece, a estrada para a recuperação é longa, estreita e muito íngreme. Processar algumas emoções é parecido com morrer. O nosso antigo eu deve morrer para que possamos renascer ou nos iluminar. Íris não está pronta. A dor causada pela morte de seu pai, a ambivalência em relação à sua mãe, o ódio por si mesma ainda são muito grandes. Entretanto, nós sabemos que no momento em que Íris estiver disposta a renunciar, no momento em que ela encontrar coragem para se permitir sentir, no instante em que ela disser "*Me ajude!*", a cura irá começar. O amor nunca deixa de responder a um pedido feito em seu nome.

Capítulo 8

LEVE O LIXO PARA FORA

Robert era casado. Joan sabia disso porque ele lhe havia dito. Joan era atraente, bem-educada, uma advogada promissora, filha de um político proeminente, mas parecia incapaz de atrair o amor de sua vida. Quando encontrou Robert, ela tinha uma necessidade para preencher – simplesmente não queria mais ficar sozinha. Robert, que era nove anos mais velho do que Joan, oferecia uma oportunidade excelente de usufruir de um jantar ocasional, boa companhia e sexo. O fato de ele ser um homem casado não parecia tão repugnante quanto o fato de estar sozinha. Além disso, ela era muito ocupada e um relacionamento casual significava que não teria que se comprometer e que poderia continuar procurando e explorando outras possibilidades de relacionamento. O fato de seu pai sempre falar muito bem de Robert, apesar de não saber do caso dos dois, também a fazia se sentir melhor.

Joan ficava dizendo para si mesma que não estava fazendo nada errado – não era ela que era casada! Isso é chamado de negação, mas Joan não sabia disso. Talvez fosse porque ela já houvesse trilhado o caminho do homem casado com certo sucesso – nunca foi pega, entrou e saiu do relacionamento com pouco ou nenhum drama. Ela estava procurando um homem decente com quem pudesse ocupar seu tempo até que o homem certo aparecesse. Joan ainda tinha que entender que, quando você está se agarrando à coisa errada, a coisa certa não acontece! Então havia o fato de ela estar emocionalmente em baixa e querer alguma coisa para fazer. Algo divertido, algo excitante. Procurar divertimento excitante em um relacionamento vai derrubar você na certa!

Joan não sabia ao certo quando aconteceu, se no segundo ou quarto ano, mas, de repente, ela percebeu que estava pensando em Robert dia e noite. Como eles se ajustavam bem! Ele adorava frutos do mar, ela adorava frutos do mar. Ele adorava ópera, ela adorava ópera. A melhor parte é que ambos eram advogados e podiam compartilhar suas experiências do dia-a-dia. Especialmente porque tinham uma pessoa em comum. O pai de Joan. Robert era conselheiro legal do pai de Joan, seu advogado pessoal. Por mais que lutasse contra, Joan não conseguia parar de pensar o quanto seria maravilhoso passar o resto de sua vida com Robert. Ele era tão generoso! A pulseira de tênis que ele lhe havia dado de aniversário e o pingente de diamante em forma de coração que ela ganhara no dia dos namorados eram o que ele considerava minúsculas provas de seu carinho. Melhor do que tudo, ele era tão discreto. Tinha uma maneira discreta e única de trair sua esposa. Joan admirava isso nele, o fato de ser tão responsável e atencioso.

Robert não era como os outros homens casados com quem Joan estivera envolvida. Depois de alguns jantares em casa e alguns meses de sexo (que eram o motivo dela ficar com eles), apaixonavam-se por ela. Queriam abandonar suas esposas e ficar com Joan. "Sem compromissos, lembre-se", ela lhes dizia enquanto os empurrava gentilmente porta afora. Desta vez era Joan. Ela percebeu que estava totalmente apaixonada por Robert e imaginava se ele estaria apaixonado por ela. Não ousava perguntar e ele nunca tocou no assunto. O que ela sabia era que ele *gostava* e *respeitava* muito sua esposa. Eles eram pilares da comunidade. Todo mundo que conhecia Robert, conhecia sua esposa. Ninguém suspeitava do caso de Joan e Robert, mesmo depois de quatro anos.

Joan sonhava acordada, já que não podia falar com ninguém sobre Robert. Não podia correr o risco de criar problemas para sua família, especialmente para seu pai, que estava prestes a se candidatar ao cargo de ministro. Além disso, Robert deixara perfeitamente claro que não iria, de forma alguma, deixar sua esposa. Ela era sua melhor amiga e a mãe de seus filhos. Joan se sentiu tentada a lhe fazer perguntas, mas decidiu não fazê-lo. Em todos os anos em que haviam estado juntos, nunca brigaram. Nunca pronunciaram uma palavra atravessada um para o outro. Ela não ia começar a arrumar briga agora, não depois de quatro anos. Porém, desejava ter alguém com quem pudesse conversar sobre sua difícil situação. Havia tentado falar com amigas, mas quando dizia que o cara estava "*saindo com outra pessoa*", todo mundo lhe dava o mesmo conselho: largue ele! Especialmente seu pai. Papai disse que ela estava indo em direção à desgraça e ao escândalo e que era melhor olhar por onde andava.

Foi no oitavo mês do oitavo ano do relacionamento que Joan e Robert foram obrigados a enfrentar a realidade de suas vidas. Joan estava grávida. Era a primeira vez que isto acontecia. Joan estava com quase quarenta anos, o que significava muito para seu relógio biológico. A verdade é que ela vinha rezando secretamente por um bebê e talvez tenha deixado de tomar uma ou duas pílulas. Junto com a oração pelo bebê, também rezara por um marido. Joan finalmente confidenciou a uma amiga que estava grávida de quatro meses, que o pai era um homem casado e que ela não sabia o que fazer.

Existem dilemas e existem DILEMAS! Adivinhe qual dos dois Joan estava tendo? Será que uma mulher solteira em uma cidade pequena tem um bebê, desgraça seu pai, arruína sua carreira e se une a um homem casado? Ou será que ela escapa para a cidade grande para fazer um aborto, manchando sua alma mortal e arriscando-se a arder no inferno? Estas eram as perguntas que Joan e sua amiga analisavam. Não é engraçado como nos tornamos religiosos quando estamos com problemas? Joan nunca havia considerado o destino de sua alma nos oito anos em que estava com Robert, mas isso é outro livro. Agora, o lixo estava se acumulando e Joan tinha que tomar uma decisão.

Vamos fazer uma revisão rápida deste dilema muito delicado do segundo andar para termos certeza de que não deixamos passar nada. Uma mulher solteira tem um relacionamento de oito anos com um homem casado que por acaso é o advogado de seu pai. Durante o relacionamento, ainda que a mulher jure que está à espera do príncipe encantado, ela faz sexo sem proteção com o homem casado, o que resulta em gravidez. Quando essa mulher solteira de trinta e muitos anos descobre que está grávida de seu amante casado, ela confidencia à sua amiga que está grávida de quatro meses e meio e que, na verdade, tinha rezado por um marido e um bebê. Entretanto, como o pai do bebê não é o *seu* marido, agora ela tem que decidir se deve ter o bebê – o que pode significar escândalo e desgraça – ou se deve arriscar-se a arder no inferno por cometer o pecado mortal do aborto.

Quando a base de um relacionamento são prioridades secretas, intenções obscuras, fantasias inatingíveis, desonestidade e falsas responsabilidades, é certo e garantido que não existe amor. O que está presente pode parecer amor, pode ser sentido como amor, mas não é, de nenhuma forma, minimamente relacionado com a essência do amor. Quando o amor está presente, todo mundo ganha. Nessa situação, ninguém pode ganhar. Quando você conta uma mentira atrás da outra, quando você dissimula ou esconde, quando faz com a outra pessoa exatamente o que não gostaria que fizessem com você, não está em busca do amor. Está mexendo com seu lixo mental e emocional! O importante a respeito do lixo é que sabemos exatamente o que ele é! Sabemos que o lixo é constituído pelas coisas que não queremos, que não nos servem mais, por tudo o que vem atravancando nosso meio ambiente. Mas existe uma outra coisa a respeito do lixo: às vezes, jogamos nele coisas que não queríamos ter jogado. Quando isso acontece, corremos pela casa em pânico, procurando, até percebermos: "*Devo ter jogado isso no lixo!"* Lentamente, metodicamente, vasculhamos as coisas na lata do lixo para encontrarmos o que estamos procurando. Quando encontramos, está coberto de lixo e agora temos que limpá-lo, esperando que ainda sirva.

Robert estava estarrecido. Ele a apoiou, mas estava horrorizado. Seu primeiro instinto foi sair correndo. Em vez disso, perguntou a Joan o que ela queria fazer. Ela admitiu que não sabia. Queria o bebê, mas não queria desapontar seu pai. Queria especialmente ter o filho de Robert, mas não queria lhe causar nenhum problema. Robert disse que a decisão era dela e que ele aceitaria sua parcela de responsabilidade, independente do que ela decidisse fazer. Três semanas depois, quando Joan ainda hesitava, Robert – por ser uma pessoa honrada – contou ao pai de Joan. Bem, vamos falar sério – na verdade, ele não estava sendo tão honrado! Estava com medo! Contou porque não queria que o poderoso pai de Joan descobrisse por outros meios – literalmente, através de Joan. Robert queria salvar sua pele! O pai de Joan não ficou nem um pouco satisfeito, mas deu seu apoio. Sugeriu a Robert que contasse imediatamente à sua mulher, porque as mulheres têm reações estranhas quando ouvem esse tipo de coisa de outras pessoas. Ele sabia, porque acontecera com ele há muitos anos, antes de Joan nascer. Robert ficou chocado! Com tudo o que conhecia deste homem, e com tudo o que Joan havia lhe contado, ele esperava ser despedido e então morto. Em vez disso, este *cavalheiro* estava conversando como se ele fosse um filho, um amigo, um colega com problemas, precisando de ajuda.

Se você não levar o lixo para fora quando sentir o mau cheiro pela primeira vez, ele irá poluir todo o seu meio ambiente! Se, ou quando isso acontecer, você terá que lidar com o problema – de frente. O pai de Joan foi falar com ela e lhe contou que sabia. Também disse que a apoiaria independente de sua decisão. Lembrou-lhe que queria netos e que sua única preocupação era com a felicidade dela.

Existe uma parte do lixo que é amontoada em cima de nós. É o resultado de como somos criados e das experiências que temos na vida. Podemos chamar isso de *lixo externo*, que vem de fontes externas. Também existe o lixo que acumulamos. Nós o pegamos, trazemos para casa, arrumamos um lugar em nosso meio ambiente para ele e muitas vezes reclamamos de seu cheiro. Chamamos isso de *lixo interno*, que são as conclusões a que chegamos como resposta às experiências que temos na vida. Freqüentemente, nossa reação à combinação do lixo externo e interno é encontrar uma maneira de mudar o lixo de lugar. Ignoramos o cheiro e fazemos os ajustes necessários para convivermos com o lixo. Todas as coisas que Joan temia que seu pai fizesse eram reações ao seu próprio lixo, que ela finalmente teve que vasculhar e enfrentar. Joan projetou seus próprios sentimentos em seu pai e agiu de acordo com eles. Joan decidiu sair de casa e ter o bebê. Não teve a menor importância, porque todo mundo na cidade acabou sabendo. Quando o cheiro do seu lixo é muito forte, as pessoas descobrem.

Quando desejamos ter alguma coisa ou alguma experiência, as primeiras imagens do desejo são puras. Emanam da essência de nosso ser, que é amor. O que fazemos depois é colocar todo nosso lixo em cima do desejo, determinando a aparência que ele vai ter. Por isso, muitas vezes agimos de formas que não têm nada a ver com aquilo que originalmente desejávamos. Quando você quer se casar e só aparecem homens casados na sua vida, tem alguma coisa errada com o projetor (você), não com a imagem (o que aparece). Pode haver algum lixo no meio do caminho que está obscurecendo a intenção ou a expectativa. O que você pode fazer é livrar-se da imagem e concentrar-se na experiência que deseja. Se nos mantivermos concentrados na experiência, a imagem apropriada irá aparecer.

Como é que você quer se sentir? Pelo fato de nosso conhecimento humano ser tão limitado, reagimos ao que vemos, em vez de reagirmos ao que queremos. Acreditamos que temos que aceitar o que aparece e ajustá-lo à imagem que criamos inicialmente. Isso acontece freqüentemente porque achamos que já sabemos o fim da história e todo o roteiro. Quando começamos a adaptar o que temos para que combine com o que queremos, surge um novo personagem, um novo argumento é introduzido e a imagem sai de foco. Normalmente nos apavoramos quando isso acontece. É isso que precisamos fazer no meio-tempo: aprender a ajustar o projetor – nós –, usando o poder do amor. Quando se remove o medo e se adiciona amor ao projetor, a imagem se torna uma representação clara do desejo e a intenção se alinha com as expectativas.

Na vida e nos relacionamentos temos que ser muito claros sobre o que estamos procurando, o que esperamos, o que queremos experimentar e o que estamos dispostos a fazer para consegui-lo. No segundo andar da casa do amor, você irá aprender muito a esse respeito. O aprendizado no segundo andar se concentra na visão (esclarecer as coisas), integridade (o que você se dispõe a fazer para realizar o seu desejo), intenção (o que você está tentando realizar) e expectativas (o que você acredita sobre o que está tentando realizar). Tudo pode ser obscurecido ou poluído pelo lixo que temos em nossas mentes. "*Eu nunca consigo o que quero! Todos os caras legais estão casados! Meu tempo está acabando! É melhor agarrar o primeiro que aparecer!*" Apesar de serem essas coisas que projetamos, ficamos sem saber por que aquilo que acontece não combina com o que desejamos.

Você pode ter muitos problemas no segundo andar, porque é muito fácil e tentador querer uma coisa e não seguir a ação que irá produzir aquilo que você está querendo. É perigoso acreditar que tudo o que aparece em sua vida é o caminho para o que você deseja. Algumas coisas aparecem apenas para clarear nossa visão. Outras, para definir melhor nossa intenção. Quando as expectativas não são claras, corremos o risco de procurar ajustar a imagem para que corresponda ao que queremos.

1. *Que visão eu tenho do amor? O que estou procurando? Para*

o que estou olhando? Com o que estou olhando? Sua visão do amor é a soma total de sua experiência, adicionada às suas expectativas, dividida pelo seu desejo. É muita coisa a ser respondida e pode levar um tempo para examinar tudo minuciosamente. Responder a essas perguntas é o segredo para a grande faxina na casa do amor.

2. *O que eu realmente espero do amor?* Quando você começa a retirar tijolos da fundação, o prédio inteiro irá balançar. Os velhos hábitos, as velhas idéias e as velhas expectativas eram os tijolos da sua fundação. Você começou a retirá-los de sua consciência. Infelizmente, você ainda não os substituiu por novas idéias, novos hábitos ou novas expectativas. Como resultado, você pode querer algo novo, mas vai perceber que não irá conseguir isso usando os mesmos métodos antigos. Pode haver algum lixo aqui do qual você queira se livrar.
3. *Será que eu realmente me acho digna de receber amor?* O que você acredita nos mais profundos recantos do seu ser se manifestará em seus atos. Se você perder alguma dessas coisas pelo caminho, vai acabar pedindo uma coisa e experimentando outra.

Essas todas são perguntas do segundo andar. Enquanto estivermos procurando respostas, elas irão se manifestar como experiências do meio-tempo.

Lembre-se que, quando você está no segundo andar, sabe qual é o problema, mas não sabe o que fazer a respeito. Sabe o que quer, mas não sabe como trazê-lo para sua vida. O primeiro passo é examinar suas expectativas e propósitos. O que você está tentando realizar? Que experiência deseja ter? Quando você está no meio-tempo do segundo andar da casa do amor, deve aprender a confiar. Confiar em você, confiar no processo e, acima de tudo, confiar no amor. O amor sempre lhe trará aquilo que melhor representa seus propósitos e expectativas. O medo fará com que o seu pior pesadelo renasça! A confiança cresce a partir da disposição, a lição que você aprendeu no porão. Para poder sentir confiança, disponha-se a abrir mão de tudo em que você acredita agora e acha que sabe, para poder aprender coisas novas. Este aprendizado ajustará o projetor e ajudará a esclarecer seus propósitos.

Agora, você já deve saber que a voz do seu *eu* mais profundo está falando com você. O seu trabalho, através de todas as experiências de meio-tempo, em todos os andares da casa do amor, tem sido ouvir e confiar no que ouve. É esta autoconfiança que permite que você faça escolhas claras e conscientes a respeito das experiências que está tendo e das que deseja ter. Disseram para alguns de nós que isso é egoísmo – é egoísmo pensar em si e no que se quer –, o que nos leva a acreditar que o importante é nos preocuparmos prioritariamente com o bem-estar daqueles à nossa volta. Confiar em si e respeitar o que sente não é egoísmo. É o maior ato de amor-próprio que você pode realizar. Isso não quer dizer que você deva se tornar insensível aos outros ou que deva usar os outros para conseguir o que você quer e precisa. Confiar em si, respeitar-se e amar-se significa reconhecer que você tem direito de ser feliz. Ao mesmo tempo, respeitar-se permite que você apóie e ajude os outros sem sentir raiva, ressentimento ou obrigação. Você o faz por amor, porque quer. É isso que os relacionamentos devem fazer: nos fornecer uma estrutura na qual nos apoiamos, ajudando uns aos outros a encontrar e compartilhar a felicidade. É um sistema de apoio mútuo, não uma muleta. Você já aprendeu no porão como é perigoso usar os relacionamentos como muletas.

ONDE ESTOU?

É bastante normal que, durante uma experiência de meio-tempo no segundo andar da casa do amor, fiquemos confusos sem saber em que ponto da vida estamos. Talvez nosso passado tenha sido tão repleto de dor e confusão, que acabamos achando que estamos fazendo o melhor que podemos. Se chegamos a essa conclusão, estamos ao mesmo tempo certos e errados. Certos ao pensar que estamos fazendo exatamente o que precisa ser feito. Não porque não possamos fazer melhor do que isso, mas porque ainda temos mais para aprender. Errados porque a situação em que nos encontramos é resultado de nossas escolhas. As coisas que fizemos, as decisões que tomamos, a visão que temos e a forma como a buscamos são todas questões de escolha. Ainda que seja verdade que o cheiro do nosso lixo interno e externo tenha influenciado nossas escolhas, não é verdade que as escolhas que fizemos fossem as únicas disponíveis. Se desejamos ter uma experiência nova, se estamos prontos a levar o lixo para fora e dispostos a confiar no processo, é necessário fazer uma avaliação apurada do ponto exato onde nos encontramos.

Este processo de avaliação exige que façamos determinadas perguntas a nós mesmos e que estejamos prontos para ouvir as respostas. Esse é um detergente espiritual poderoso que coloca os vários ingredientes de todos os outros detergentes em ponto de ebulição. Pergunta número um: Onde estamos? Não geograficamente, mas em que lugar se encontram nosso coração e nossa mente? Estamos nos sentindo bem, sem precisar de nada, mas querendo algo que parecemos incapazes de conseguir? Estamos querendo aprender e tentando crescer? Sentimos cansaço, frustração ou raiva? Ou é confusão, solidão e excitação sexual? Achamos que estamos trabalhando muito sem chegar a lugar nenhum? Ou quase não estamos trabalhando e ficamos esperando um milagre? Você pode pensar em mais algumas perguntas, mas essas lhe fornecerão um bom ponto de partida. Faça as perguntas da seguinte forma:

1. Fique imóvel. Concentre-se em sua respiração. Encontre seu ritmo e sinta sua respiração durante três a cinco minutos.
2. Invoque a presença da luz e do amor, rezando ou repetindo esse pedido.

3. Peça a todas as vozes dentro de sua cabeça que fiquem quietas para que você possa ouvir a voz do seu eu mais profundo.
4. Faça uma pergunta.
5. Ouça a resposta. Se quiser escrever a resposta, escreva o que lhe vier à cabeça. Não censure, escreva. Quando tiver escrito, leia a resposta.
6. Comece o processo novamente e faça outra pergunta.

Se nada vier à sua cabeça, não faça outra pergunta. Toque em frente, mantendo uma postura receptiva, porque a resposta virá. Alguém vai dizer alguma coisa que lhe dará a resposta. Uma música pode estimular certas lembranças ou sentimentos. Pode acontecer de várias maneiras, mas tenha certeza de que a resposta irá aparecer. Quando obtiver a resposta, faça então a próxima pergunta.

COMO CHEGUEI AQUI?

De posse da resposta para a primeira pergunta, você pode conseguir a clareza da qual provavelmente precisa através da segunda pergunta: Como cheguei a essa situação? Siga o mesmo processo que usou na pergunta número um para conseguir essa resposta. Um aviso: você deve evitar a tentação de culpar qualquer outra pessoa por estar na situação em que está. Se a resposta que você receber começar com "Porque ele/ela fez isso ou aquilo", você não respirou fundo o suficiente. Não mandou as vozes se calarem. Você está com medo. Está se escondendo. Ninguém é culpado por nada que nos acontece porque *não existem vítimas*. Existe apenas a escolha, a força motriz da vida. Respire fundo durante mais algum tempo e repita a pergunta, acrescentando: "Quais foram as escolhas que fiz ou que deixei de fazer?" Agora, você pode ouvir a verdade. Quando a ouvir, anote. Estude. Leia e releia. Quando tiver terminado, faça a próxima pergunta.

O QUE EU ESTAVA TENTANDO REALIZAR AO FAZER ESSA ESCOLHA?

Uma vez me perguntaram em um *workshop*: "Se você pudesse ter o que quisesse no mundo, algo que tornasse sua vida tudo o que você queria que ela fosse, o que pediria?" Isso foi muito antes de eu me tornar espiritualmente iluminada, portanto, eu respondi: "Dinheiro." Quando essa afirmação saiu da minha boca, pude sentir a sala inteira se encolher. Sem piscar um olho, o coordenador perguntou: "Você quer dinheiro, ou quer aquilo que você acha que o dinheiro trará?" Morri de vergonha! Comecei a gaguejar. Finalmente, respondi: "Eu quero a liberdade que o dinheiro me daria." Ao que o sábio coordenador respondeu: "Então, por que não pede liberdade e deixa o universo lhe fornecer da maneira correta e divina?" Nunca na minha vida eu tinha pensado numa coisa dessas.

Com muita freqüência em nossas vidas, fazemos coisas ou não fazemos coisas, pedimos coisas ou resistimos a pedir coisas, porque achamos que a ação ou a inércia irão criar o resultado que esperamos. A verdade é que, se nos concentrarmos no que desejamos, a forma apropriada de atingi-lo será providenciada. Nos relacionamentos, mesmo no relacionamento que temos com nós mesmos, queremos uma determinada experiência e planejamos os meios para criá-la. Compramos coisas para obter reconhecimento. Dizemos coisas para nos sentirmos aceitos. Não dizemos certas coisas a fim de evitar a rejeição. Essa segunda pergunta nos ajudará a identificar em que estamos nos concentrando e a experiência que estamos tentando criar. Siga o mesmo processo. Escreva a resposta. Estude-a. Ajudará se fizer esta pergunta várias vezes porque, se você é igual ao resto do mundo, provavelmente está tentando realizar mais de uma coisa de cada vez. Não tenha pressa. Este processo pode durar várias semanas, mas vale a pena para tornar as coisas mais claras.

O QUE EU REALMENTE QUERO?

Esta é uma pergunta fácil, para a qual a pergunta anterior já deu a(s) resposta(s). Faça uma lista. Anote todas as respostas que já recebeu ou que percebeu através da pergunta anterior, transformando cada resposta na declaração: "O que eu realmente quero é...". Limite sua resposta a três ou cinco palavras. Por exemplo: o que eu realmente quero é não ter medo. O que eu realmente quero é ser aceita. O que eu realmente quero é ser reconhecido. Estude cuidadosamente a lista para ter certeza de que não responsabilizou ninguém pelo que quer. Com isso, quero dizer, evite declarações do tipo "O que eu realmente quero é ser reconhecido por meu pai". Ou "O que eu realmente quero é ser amado por...". Você pode evitar fazer essas declarações cortando a palavra "por". O segredo é lembrar-se que ninguém pode nos dar o que não podemos dar a nós mesmos. Quando a lista estiver completa, e você tiver assumido responsabilidade total por criar o que quer, pode ir para a próxima pergunta.

COMO POSSO CRIAR ESTA EXPERIÊNCIA?

Se você usou a quantidade certa desse detergente, está tudo pronto! Você dispôs-se e preparou-se para ir para um novo nível de amor, recebendo dos outros e amando a si e ao resto do mundo. Você tem motivos para comemorar, porque isso não foi uma façanha fácil. Você jogou muito lixo fora! Tendo chegado até aqui, deve ter uma visão bastante clara do que quer e do que está procurando. Você demonstrou sua capacidade em aceitar a verdade e disposição para confiar. Aprendeu bastante sobre si e sobre como interagir com os outros. Você agora pode avaliar suas forças e suas fraquezas, seus medos e seus pontos fracos. Abriu-se para novas experiências e decidiu assumir a responsabilidade de criá-las. É capaz de fazer escolhas melhores com um propósito definido.

Você não pode evoluir com o coração ou a mente cheios de "deveria ser", "poderia ser" ou "teria que ser". A única maneira de diminuir o peso de sua carga para que você possa subir para o terceiro andar é perdoar. Você se examinou e agora tem bastante consciência das coisas que não fez muito bem. Como você é um ser humano, irá se culpar. Pare! Irá se analisar. Lembre-se, você não pode se consertar! Você quer saber por que fez ou não fez o que fez ou não fez. Você não sabia o que fazer, por isso fez o que fez! Você quer saber qual é a coisa *certa* a ser feita em seguida. Você sabe que não é possível acertar quando se está no porão! Você quer saber por que ele ou ela se safaram ilesos (de acordo com o seu ponto de vista) e por que você ficou para sofrer e lutar. Tenha cuidado! Se você está culpando e acusando alguém, pode ter que voltar para o porão!

Eu também sou um ser humano, e essas são as coisas que eu sempre quis saber! Depois de vasculhar meu próprio lixo, descobri que não adianta querer jogar meu lixo em cima de outra pessoa, pois só eu mesma posso lidar com ele. É isso mesmo, eu! Eu fiz a escolha ou deixei de fazer a escolha. Eu não fui clara. Eu não fui honesta ou não estava disposta. Saí por aí com expectativas estranhas, procurando encrenca, e consegui! Quando me encontro nesse tipo de dilema, dilema que faz parte do meio-tempo no segundo andar, o perdão sempre me ajuda. Quando estamos dispostos a admitir que somos seres humanos iguais aos outros, então talvez também possamos perdoar.

Antes de mais nada, perdoe-se, não por ter feito algo errado, mas por ter *pensado* que estava fazendo algo errado. É isso mesmo, seu ser humano! Você provavelmente pensou que havia algo errado com você. Algo que você não queria que ninguém mais soubesse. Por isso, você se escondeu. Cobriu-se com palavras gentis, gestos bonitinhos e desculpas esquisitas, quando lá no fundo provavelmente estava pensando: "Espero que eles não descubram que sou...". Sentir-se desta maneira obscurece nossa vista e guia nossas ações, o que provavelmente nos tira de sintonia com a experiência que estávamos buscando. Perdoe-se, não por causa de todos os sinais que falhou em reconhecer ou por todas as coisas pelas quais não pediu, mas porque não entendeu que a única forma de descobrir o que quer é passar algum tempo com o que não quer.

Este é um exercício muito simples. Todos os dias e todas as noites, durante sete dias consecutivos, escreva a seguinte declaração trinta e cinco vezes:

"*Eu me perdôo por pensar que em algum momento fiz alguma coisa errada.*"

Ao fazer esta declaração, você está assumindo a responsabilidade por si e por sua vida. Não importa o que ou quem apareça na sua cabeça, escreva esta declaração. Se simplesmente não puder se livrar do impulso de achar que outra pessoa contribuiu para o seu erro, use a seguinte declaração:

"Eu me perdôo por pensar que... já fez alguma coisa errada."

É assim que você irá eliminar a tentação de culpar. Quem quer que sejam, eles não fizeram nada errado. Eles, como você, estavam simplesmente descobrindo o que não queriam, a fim de saberem o que queriam.

ANDE!

Esclarecer, examinar propósitos e expectativas, reconhecer honestamente o que quer e perdoar-se por carregar tanto lixo é como tirar o dente do siso – pode levar algum tempo para cicatrizar! A boa notícia é que esse processo de cicatrização funciona independente dos problemas que você está enfrentando no meio-tempo. Pode ser um problema de família, de trabalho ou até mesmo uma questão de relacionamento. Viver o processo lhe trará clareza, independente do problema. Mas se durante o processo você estiver sem um relacionamento, provavelmente o atravessará com bastante facilidade – quando estamos sozinhos, temos muito tempo para trabalhar em nós mesmos.

Para aqueles que estão tendo um relacionamento, existe uma exigência adicional. Terão que arrumar algum tempo para ficarem sozinhos. Terão que criar um espaço para fazer os exercícios de respiração profunda e escrever. Paralelamente ao relacionamento, as questões vão aparecendo, as coisas estão sendo ditas, e você sente necessidade de responder. O seu trabalho é usar o detergente espiritual mais apropriado para a situação que está vivendo. Uma revisão rápida dos andares anteriores ajudará a determinar o que fazer. Lembre-se, comece por dentro! Faça todas as perguntas e todas as declarações olhando para si. Não aponte o dedo para os outros! Não culpe ninguém, nem mesmo a você! Não acuse: em vez disso, assuma a responsabilidade. Peça ao seu parceiro para lhe dar tempo, pois você precisa clarear as idéias. Nesse meio-tempo, não faça beicinho, não bata o pé no chão, não emburre e, acima de tudo, não pare com o processo.

Tudo deve acontecer de forma invisível antes de se tornar visível. O meio-tempo é um período ativo. Mesmo estando magoados e com raiva, vamos acreditar que estamos mudando e crescendo. A cura está acontecendo! Só porque não podemos ainda perceber, não significa que não esteja acontecendo. Usem um pouco de disposição, envolvam-se em confiança, lembrem-se da verdade, façam um pouco de faxina e assumam a responsabilidade. Encontrar a si e encontrar amores exige trabalho – e devemos estar dispostos a trabalhar de maneira paciente e responsável. Se estão magoados, que detergente devem usar? Se estão ficando impacientes, lembrem-se do quanto já caminharam, do quanto já se curaram.

Nesse meio-tempo, lembrem-se sempre de que vocês estão subindo os degraus da casa do amor. Saibam que estão sendo guiados e que as pessoas ou as informações de que precisam estão a apenas uma oração de distância. Às vezes, vocês darão pequenos passos e irão achar que o caminho é muito longo para tentarem atravessar sozinhos. Vocês nunca estão sozinhos! Existem anjos olhando por vocês o tempo todo! Também haverá momentos em que darão grandes passos e ficarão tentados a se congratularem. Não tenham tanta pressa em receber os créditos pelo seu crescimento e evolução. Dêem o crédito a Deus, porque foi Deus que nunca, nem por um segundo, desistiu de vocês. Em algumas situações vocês podem ficar tentados pelo comportamento e as atitudes do porão. Não temam! Tenham em mente quem está andando ao seu lado. Saibam que vocês não têm que se perder ou tropeçar. Não precisam voltar aos comportamentos negativos e relacionamentos problemáticos.

ENTRE O SEGUNDO E O TERCEIRO ANDAR

Você quer ignorar, mas não pode – é uma desgraça! Se sua mãe visse, teria um ataque, e você ficaria de castigo – para sempre. Há pilhas de papel. Alguns podem ser importantes, mas como é que você vai saber? Você não mexe nessa pilha há semanas! Ah! Entendi! Talvez você não pudesse ver os papéis porque estavam escondidos atrás das meias, as meias desencontradas que você resgatou da secadora. É isso mesmo, as meias estão limpas, mas como saber, se estão caídas por cima daquele copo sujo, dentro do prato de bolo? *Tinha* bolo naquele prato, não é? Mas que importância tem isso? O que são algumas meias limpas em uma pilha de camisetas sujas?

Agora, você sabe que, se sua mãe visse a cômoda, iria se deitar nos trilhos do trem e beber uísque direto do gargalo! Você também sabe que não foi assim que ela te educou! Arrume essa cômoda! Arrume esse armário! Dê um jeito na sua vida! Deve haver alguma coisa que você queira, mas é impossível encontrá-la no meio de tanta coisa espalhada!

Capítulo 9

LIMPANDO A CÔMODA

Vocês vão bancar os idiotas, ponto! O que vocês têm que decidir é quantas vezes vão bancar os idiotas. Duas vezes? Seis vezes? Dez vezes? Estabeleçam um limite, mas não digam que não vão bancar os idiotas, porque vão, pelo menos uma vez. As pessoas que evitam os relacionamentos por medo de bancarem as idiotas precisam superar isso. Estabeleçam um número determinado de vezes e joguem-se de cabeça! Não sei com quantas pessoas já falei, para quem o grande problema é: *Não quero me machucar! Não quero bancar a idiota! Não quero parecer fraca! Não quero parecer burra!* Isso vai acontecer independente do que vocês fizerem, portanto, façam algumas escolhas. Quando perceberem que bancaram os idiotas o número de vezes que haviam determinado antes, comecem a dar um jeito nas suas vidas. Quando atingirem o seu limite, uma das duas coisas irá acontecer: ou vocês irão parar de bancar os idiotas, ou se darão mais chances. O limite de Carol era três. Ela iria bancar a idiota três vezes. Aumentou seu limite para seis, mas decidiu parar em cinco. Era doloroso demais! Também era constrangedor. Ela sempre se sentia atraída pelo mesmo tipo de cara, pelo mesmo motivo e sempre acabava da mesma maneira. Não era apenas o dinheiro, era a forma como a faziam se sentir. O problema era que, para que eles a fizessem se sentir dessa maneira, ela não podia ser ela mesma. Tinha que ser outra pessoa. Tinha que ser bonitinha, espirituosa, ardente e submissa. Ela não era assim! Ela achava que devia ser assim para conseguir o tipo de cara que a fazia se sentir bem. Mas sabe de uma coisa? Era cansativo! Era cansativo e ela estava cansada, e decidiu parar antes de arrumar mais problemas – antes que atingisse seu limite e não pudesse parar.

John não tinha limites. Ele havia acabado de se separar. Conheceu-a em um restaurante. Começaram a conversar sobre música e cerveja. Conversaram durante oito horas naquela noite. É difícil encontrar uma mulher que realmente goste de cerveja, e, quando você encontra uma, quer aproveitar ao máximo. Ela era extrovertida, engraçada como o diabo e tinha um corpo *muito* bonito. Ele ficava enlouquecido com corpos bonitos. Ele sabia que estava prestes a bancar o idiota novamente, mas precisava de um relacionamento com alguma energia. Seu casamento, que estava acabando, havia estagnado. Chegar em casa. Como foi o seu dia? Bom. Ver televisão. Ir dormir. Ele estava procurando uma pessoa ambiciosa, ativa e que estivesse fazendo coisas positivas. Ele sabia que sempre se sentira atraído por mulheres assim, ainda que não tivesse casado com uma. Isso fora uma atitude idiota. A chance número um escorreu pelo ralo. Chance número dois à vista.

Faye não era ninfomaníaca, era apenas muito, muito carente. Queria ser a pessoa especial de alguém. Queria ser amada por alguém. Em sua cabeça, sexo era a única coisa que a fazia especial e que poderia conseguir o amor de que ela precisava tão desesperadamente. Mesmo sendo esse o seu método, ela era muito seletiva. Não saía com qualquer um. Tinha um processo de seleção cuidadosamente planejado. Havia coisas muito específicas que um candidato em potencial tinha que fazer para ter uma chance com ela. Essas eram as coisas que a faziam se sentir especial. Coisas que a convenciam de que nenhum homem as faria para uma mulher se não a amasse. É impressionante as coisas que você consegue fazer com que outra pessoa faça quando você usa sexo como minhoca e luxúria como anzol! Para Faye, era como uma ciência, mas mesmo os cientistas falham em algumas experiências. Havia vezes em que ela esquecia o que estava fazendo, ou esquecia-se de seu objetivo e mudava as regras do jogo. Era nessas ocasiões, quando ela se esquecia e se apaixonava perdidamente, que se enrolava toda. Foi nessas sete ou oito ocasiões, durante os últimos doze anos, que ela gastou todas as suas chances de bancar a idiota.

PARA QUE SERVE ISSO TUDO?!

É isso! É isso que todos nós queremos! Queremos ser amados do jeito que somos – total e incondicionalmente. Infelizmente, continuamos tentando tirar nota 10 no curso do amor. Não tem que tirar 10! Tudo o que tem que fazer é passar de ano! Isso, infelizmente, não é suficiente para a maioria de nós. Queremos ficar para sempre com alguém. Na luta para conseguir um 10, para fazer direito, para que dure para sempre, colecionamos várias coisas que acreditamos que irão resolver nosso problema. Entretanto, quando entramos no meio-tempo, ficamos cara a cara com todas as coisas que fazemos e fizemos na busca pelo amor. E você sabe o que mais? Não gostamos disso! Não gostamos do que vemos! Não gostamos do que nos vemos fazer para conseguir amor. Isso nos faz sentir e parecer idiotas.

Mesmo quando reconhecemos que fomos nós que escolhemos dizer ou fazer coisas idiotas, nós culpamos as pessoas que pensávamos amar. Quando isso não funciona, comparamos o que fizemos com o que os outros fizeram, para determinar o que foi pior. Quando você está no meio-tempo, precisa determinar por quê – por que você fez aquilo? Por que permitiu que fosse feito? Por que continua fazendo? Por que não pode parar de fazer? Essas são as *questões*, são as perguntas que você deve responder aqui, na última etapa de sua viagem pela casa do amor. Você já fez muita coisa! Seu progresso foi fenomenal! Você mexeu com muitas coisas, mas ainda tem que fazer mais um pouquinho.

O amor é a maior emoção que um ser vivente pode experimentar, e não se limita às experiências dos seres humanos. Depois de assistir ao Discovery Channel durante centenas de horas, concluí que os animais amam sua prole e uns aos outros. Também testemunhei, no reino animal e no humano, a grande devastação causada pela falta de amor. O amor é a extensão espiritual que conecta cada um de nós com todos os outros. Não estamos sempre conscientes da conexão ou de que toda experiência de vida serve para nos tornar mais conscientes. Enquanto estamos nos reconectando ao amor e através do milagre do amor, passamos muito tempo com medo e com raiva. São essas coisas que levam à devastação que, em nossos relacionamentos, chamamos de corações partidos. É disso que você precisa se livrar antes de encontrar o caminho para o terceiro andar.

FAÇA UMA COISA DE CADA VEZ!

Dominar uma *questão* não significa ter dominado tudo. Nem quer dizer que você não pode continuar progredindo no seu processo de aprendizado e de cura em relação às *questões* que ainda carrega. Posso lhe dizer uma coisa? A não ser que o seu nome seja Jesus, Buda, Gandhi ou Madre Teresa, você vai morrer sem resolver algumas *questões!* Você tem que entender isso. Deve aprender como deixar algumas *questões* em suspenso. Você sabe que está ali, sabe que precisa trabalhar naquilo, mas também precisa saber que não é necessário resolver tudo nesta vida. Faça algumas coisas, deixe outras, cresça um pouco. Faça um pouco mais, cresça um pouco mais. Se fizermos apenas o que somos capazes de fazer, será mais do que o suficiente para sermos impulsionados para a frente. Continuamos a trabalhar insistindo porque acreditamos que temos que fazer tudo de uma vez só! É a mesma coisa que fazemos em nossos relacionamentos. Nos convencemos de que algo está errado e que deve ser consertado imediatamente. Tem que ficar perfeito, já! As coisas entram e saem de sintonia conforme o mundo gira. Relaxe! Aprenda como deixar algumas coisas em suspenso. Elas não mordem. Deixe-as onde estão, sabendo que poderá voltar a elas depois.

Para dizer a verdade, algumas dessas *questões* podem ser bem úteis quando estiver aprendendo a grande lição de como dar amor incondicional. É por isso que você está indo para o terceiro andar. Você quer ser capaz de dar e receber amor incondicional todo o tempo. Quando você olha para trás, para os pedaços de sua vida, rasgados e esfarrapados pelos relacionamentos, o amor incondicional é o detergente espiritual que ajudará a perceber que, na verdade, não foi *tão ruim assim*. Com o amor, você passa a entender que a vida até agora foi um roteiro de sua própria autoria, e que aqueles que participaram da sua trajetória eram, de fato, aqueles que você pediu para participar. As *questões* do amor ficaram confusas e às vezes difíceis de entender porque você estava olhando para as questões dos outros, em vez de ocupar-se das suas! Distinga suas *questões* das *questões* de outras pessoas. Esclareça o que realmente está acontecendo e escolha como vai reagir. Até agora, a maioria das coisas que vêm acontecendo na sua vida têm sido bastante normais. Sua vida mal ou bem vem progredindo e você tem crescido. Em geral, é a sua reação às questões que cria o problema. Precisamos aprender que, apenas porque algo está ou não está acontecendo, não temos que reagir obrigatoriamente.

Existem outras *questões* que vale a pena mencionar aqui, porque corre-se o risco de não perceber essas coisas durante o processo de cura. Se não entender bem essas *questões*, você poderá se perder ou acabar dentro de um armário escuro. É difícil encontrar a saída de um armário quando você tem *questões* mal resolvidas ou não detectadas no meio do caminho. Conforme for subindo os degraus do segundo para o terceiro andar, aproximando-se do amor incondicional, terá que usar alguns detergentes de limpeza pesada para eliminar a pilha de coisas que sobraram de seus casos infelizes de amor: a *escolha* é um dos detergentes, a *clareza* é o outro.

PARE DE SE ATORMENTAR!

Quando você começa a pensar que não está fazendo direito, ou que não está fazendo o suficiente da maneira certa, corre o risco de enlouquecer, achando que tem que fazer tudo, consertar tudo de uma vez. Se se prender nesse nível de autoflagelação, nunca irá esclarecer nada. Invariavelmente, chegará a um ponto onde irá pensar "*Nunca vai funcionar comigo!*", "*Eu trabalhei tanto e ainda não está dando certo*". O que você fez ou está fazendo não é o problema. O problema é que antes você sabia com clareza o que devia ser feito e como devia ser feito. Você reagia às suas experiências, a seus medos e a seus sentimentos de inadequação com todas as formas antigas que usava. Agora, você realmente não sabe o que fazer ou como fazê-lo. Mas existem algumas coisas, algumas de suas questões sobre as quais você tem muita clareza. Então é com essas coisas que você pode trabalhar. Pode aplicar os princípios. Pode adaptar as atitudes. Pode alterar o comportamento. Sabendo que ainda existem outras coisas que não irão funcionar do jeito que você quer. Você deve ter isso em mente.

Também deve manter abertura e disposição para fazer o que for necessário, quando se tornar necessário, uma coisa de cada vez. Quando suas questões aflorarem, coloque tudo o que sabe, tudo que lhe dá apoio para fazer a faxina. Não resista! Não reprima! Deixe que tudo venha à sua mente consciente para que você possa, pelo menos, saber o que está acontecendo. Quando souber, escolha o que vai fazer para lidar com o problema, e lide com ele. Aqui a escolha é importante. Se está trabalhando com base em seus medos, mas sabe que também existe auto-estima, escolha um dos dois – medo ou auto-estima – e trabalhe com isso. Se sabe que quer um relacionamento, mas também sabe que há problemas de inadequação com o parceiro, escolha um dos dois – desejo de relacionamento ou os problemas – e trabalhe com isso. Se escolher trabalhar com uma coisa e aparecer outra coisa em seu caminho, sempre poderá mudar de idéia. Mas se tentar trabalhar com uma coisa enquanto está arrumando outra, irá cansar-se! Cansar-se de si! Cansar-se de trabalhar! Cansar-se de arrumar as coisas! Concentre-se na experiência que quer ter. Deixe o sentimento que vem dessa experiência tomar conta de seu corpo sem julgar se é certo ou errado. Resista à tentação de definir dizendo *tem que ser* assim ou assado. Aprenda como expressar o sentimento que está buscando para que o universo possa lhe responder. Tenha em mente que o que quer que você possa querer é apenas uma fração do que Deus quer lhe dar.

O amor não pede que você negue ou abuse de seu "eu" para aceitá-lo. Muito pelo contrário: o amor quer que você traga todas as suas partes – aquelas partes quebradas e estraçalhadas, as partes polidas e brilhantes, as que você adquiriu e as que ganhou – para o terceiro andar de sua casa. O amor dá as boas-vindas a você e a tudo o que você trouxer para que ele possa curar tudo o que for preciso. O amor quer que você seja um ser inteiro novamente. O amor não nos pede mais do que temos para dar. Se pudermos apenas amar a nós mesmos, isso será o suficiente. Quando podemos dar amor a nós mesmos, isso abre o nosso coração para receber o amor que estava sendo guardado por outras pessoas para nós.

QUALQUER ERRO PODE SER CORRIGIDO!

Conheci uma moça que estava tão convencida de que havia tanta coisa errada com ela, que estava resignada a viver sozinha pelo resto da vida. Havia perdido o único homem que pensou que amaria para sempre. Havia perdido o emprego que realmente adorava. Estava prestes a perder o carro porque não tinha mais o emprego. Ela estava mal! Milagrosamente, no meio disto tudo, decidiu que iria trabalhar em si mesma. É isso o que acontece quando você domina as lições do primeiro e segundo andares. Pode perder o equilíbrio, mas não se perde! Tendo trabalhado na área de *marketing*, ela decidiu aplicar o que havia aprendido em sua carreira na vida pessoal e amorosa. Chamava-os de Quatro Ps: produto, preço, pacote e promoção. Após determinar que ela era o produto, reconheceu a necessidade de desenvolvimento. Tinha que saber muito claramente quem ela realmente era e o que queria. Entendeu que era um ser humano multifacetado. Como uma cebola, estava se revelando camada por camada, pedaço por pedaço. Havia trabalhado muito, mas percebeu que, cada vez que retirava uma nova camada, tinha que realizar um pouco mais do mesmo trabalho, em um nível mais profundo.

Se você quer que o seu produto seja bem recebido no mercado, ela pensou, você deve ser capaz de descrevê-lo, defini-lo e enunciar para os que irão comprá-lo exatamente o que é e o que pode fazer. Este é um elemento vital de auto-estima e autoconfiança. Saber quem você é – o aspecto bom, o médio e o deficiente – é o primeiro passo. Aprender a reconhecer o seu padrão de comportamento viciado e destrutivo, a fim de desmantelá-lo, é o segundo grande passo. Todos nós temos comportamentos que se repetem. Entretanto, quando temos a coragem de admitir que tal comportamento é um vício ou é destrutivo, isso é um tremendo passo de desenvolvimento! Para fazer isso, você não deve se julgar nem criticar. Em vez disso, deve se conscientizar das escolhas que está fazendo, a cada momento. Você faz isso ouvindo-se falar e interrompendo as mensagens negativas. Você faz isso substituindo necessidade por desejo, desespero por receptividade, obsessões por determinação. A determinação não pode traduzir-se em: "Quero encontrar alguém", mas deve ser: "Quero amar-me". Investir nesse processo ajudará a esclarecer quem você é e quais os padrões de comportamento que conflitam com sua identidade.

Compartilhe a informação do seu produto aberta e honestamente, primeiro com você e depois com os outros. Cuidado com a propaganda enganosa! Às vezes, simplesmente não sabemos a verdade. Em outras situações, sabemos a verdade, mas escolhemos não revelá-la. No final, quando o comprador descobre a verdade, somos imediatamente devolvidos à prateleira. O desenvolvimento do produto é fundamental se quisermos evitar isso. Seu crescimento interno, emocional e espiritual, a capacidade de reconhecer, aceitar e amar-se são essenciais para encontrar o amor que você quer. É imprescindível amar-se para aprender, mesmo que nunca surja o parceiro ideal.

Foi através de suas experiências de relacionamentos no porão e no primeiro e segundo andares que você teve a primeira percepção de que o amor pode ser uma situação em que só se ganha. Ao dirigir-se para o terceiro andar, é este o seu objetivo. Agora, você deve trabalhar para entender que você pode dar amor, ou qualquer outra coisa, sem perder nada. Pode escolher conscientemente partilhar seu tempo, recursos ou sua vida com alguém, porque a sobrevivência não é mais um problema. Quando você faz essa escolha consciente, não pode perder. Você cresce. Um relacionamento pode chegar ao fim sem causar destruição. Aprendeu o que funciona e o que não funciona para você. Agora, você percebe que o benefício de cada uma de suas experiências passadas é a auto-aceitação total. Agora, pode aceitar-se como é e aceitar as escolhas que faz porque sabe que pode escolher muitas vezes até obter satisfação. Isso é uma grande descoberta! A bússola agora está funcionando bem. Sua viagem exploratória pela casa do amor, que trouxe você até aqui, pode não ter sido fácil, mas você conseguiu!

VOCÊ LEVA PELO QUE PAGOU!

Preço. Quanto vale o seu produto? O quanto o mercado agüenta? Quando tiver uma idéia bem definida sobre o que ou quem o seu produto é, deve decidir o preço. No universo do autodesenvolvimento, os preços correspondem à capacidade de enunciar claramente o que você quer. É um exercício de auto-estima. É saber que você não tem que se contentar com o que vier por causa de sua idade, da sua origem ou por causa do tamanho do seu nariz. Você estabeleceu critérios para definir o tratamento que quer receber e o que espera de si e para si. É claro que alguns desses critérios são negociáveis, outros não.

Agora que você conhece seu produto, suas forças e fraquezas, e não tem medo de assumi-los, seu valor aumentou tremendamente. As coisas que você fez não são mais um segredo que você tem que lutar para manter. Suas escorregadelas, quedas ou deslizes não podem ser uma muleta, uma coisa na qual você se apóia quando as coisas não saem do jeito que planejou. Chega de sentir pena de si! Você é um produto valioso e digno, cheio de amor, fazendo escolhas conscientemente. Você tem total confiança em seu produto. Então, vai fixar o preço lá embaixo? Ou vai colocar o preço de um objeto de grife? O valor e o mérito que você se dá irão determinar as pessoas que irá atrair. As pessoas que fazem compras em lojas caras sabem exatamente o objeto que querem e como irão tratá-lo quando o obtiverem. Reconhecem uma obra-prima quando vêem uma e não têm medo de fazer o máximo de esforço para adquiri-la. Os caçadores de pechinchas do porão não são tão claros e escrupulosos. Um caçador de pechinchas pode possuir uma obra de arte rara e nem mesmo reconhecê-la. Conforme você espana de sua consciência os últimos fragmentos de dúvida a seu respeito, será capaz de colocar o preço de seu produto de acordo com seu verdadeiro mérito e valor.

Você está indo do segundo para o terceiro andar da casa do amor. Este é o melhor momento do processo! Você aprendeu a ouvir-se e a confiar no que ouve. Agora, percebe que os problemas vêm e passam, não ficam! Entende que um atraso não é um fracasso! Está totalmente consciente de que todas as experiências da vida são temporárias. Também entende que, ainda que uma experiência de meio-tempo possa durar um, dez, vinte anos, você quer continuar andando, continuar fazendo, continuar crescendo da melhor maneira que puder. Você tem um monte de princípios – disposição, confiança, verdade, responsabilidade, escolha, renúncia e desapego – que pode usar para resolver qualquer uma das situações temporárias da vida, ainda que sejam desafiadoras. Agora, você também precisa perceber que, mesmo quando sabe que há algo que exige um pouco de trabalho acontecendo, você tem energia suficiente para esperar um tempo e esclarecer do que se trata antes de agir e fazer uma tolice.

Como irá distribuir o seu produto? Em que mercados o colocará? Esta pode ser uma decisão difícil. Acredito firmemente que, quando estamos prontos, o amor nos encontrará. O amor-próprio, a auto-estima e a autoconfiança que você desenvolveu irão magnetizar a sua alma e atrair pessoas semelhantes. Por outro lado, percebo que é muito fácil para um ímã atrair pedaços de metal ou coisas muito bem disfarçadas de prata e ouro. Não se preocupe! Você possui critérios. Você está com as idéias claras. Irá reconhecer facilmente as coisas que não são puras ou sólidas. Esta é sua recompensa por tudo o que passou durante essa viagem. Adquiriu habilidades e perícia que irão se manifestar quando você precisar. O segredo aqui é não se convencer de que você pode transformar pedaços de zinco em platina! Dizer que uma coisa é outra é um comportamento antigo. Você se curou dessa doença.

Procure um ambiente amoroso, acalentador, mesmo que não seja muito animado. Um aviso: não vá a esses lugares procurando por amor – vá para se divertir. Vá aos lugares e faça as coisas pelo simples prazer de fazê-las. Divertir-se é uma forma excelente de distribuir o seu produto. Quando você está em busca de diversão, a alegria vem ao seu encontro. Quando não está procurando apenas maneiras de afastar a solidão, as experiências prazerosas ocupam sua mente. Quando você elimina a essência do desespero que vem ofuscando sua aura, irá encontrar várias atividades agradáveis e alegres com as quais ocupar seu tempo. Nesse meio-tempo, enquanto o crescimento, o aprendizado e a cura estão acontecendo, assegure-se de colocar o seu produto em um mercado amoroso, cheio de alegria, diversão e apoio.

A promoção do produto inclui a embalagem e a propaganda. A embalagem é essencial no meio-tempo. Sempre existe a tentação, na ausência de um relacionamento ou quando existem problemas no relacionamento, de exceder-se em outras coisas: comida, doces, álcool e uma variedade de atividades sedentárias. Tenha cuidado! Você pode arruinar a sua embalagem nesse meio-tempo! A promoção eficaz do produto exige mantê-lo em boa forma. Medite. Faça exercícios. Reze. Mantenha um diário com os seus pensamentos. Cada uma dessas atividades, feitas isoladamente ou em uma combinação harmoniosa, ajuda a criar e manter mente e corpo harmoniosos. Faça um curso, junte-se a uma organização de serviços comunitários, envolva-se em trabalhos voluntários. Estes são grandes métodos de anunciar o produto e promover sua disponibilidade nos mercados apropriados. Também são uma ótima maneira de evitar comer e outras formas de autocomiseração que podem ser um risco no meio-tempo.

Outro aspecto fundamental da promoção é saber como você irá alcançar aqueles que deseja atrair para o seu produto. Não estou falando dos lugares que você freqüenta, mas de quem você é, como se sente e o que está pensando. Exercícios de esclarecimento, liberação e fortalecimento não só previnem a destruição da embalagem como melhoram sua apresentação. As pessoas sabem quando você está mal, sentem sua raiva ou frustração. As pessoas têm uma percepção sensorial que capta as vibrações de sua angústia emocional. Além disso, as pessoas estão fadadas a perceber os quilos se acumulando, o emaranhado do seu cabelo e os círculos escuros debaixo de seus olhos. Quando lhe falam isso, você se chateia. Entretanto, estão avisando que você não está tendo sucesso na promoção da embalagem e na propaganda.

Sarah, a moça que me contou a respeito dos Quatro Ps, fez tudo isso. Parou de procurar e de se desesperar por não ter um relacionamento e resolveu trabalhar um pouco em si mesma. Mudou de cidade. Trocou de emprego. Comprou uma casa. Passou a freqüentar uma igreja e tinha apenas um objetivo em mente – encontrar-se e dar um jeito em si mesma. É claro que queria ter um relacionamento. É claro que teve alguns namoros no meio-tempo. E é claro também que passou alguns dias e algumas noites sentindo-se sozinha, deprimida e questionando se havia ou não feito a coisa certa. Imaginando se algum dia acertaria. O que ela não fez foi parar de trabalhar em si mesma, uma coisa de cada vez, um dia de cada vez. Ela não usou biscoito de chocolate como substituto para sexo. Não telefonou para seu ex tentando fazer com que ela ou ele ou os dois acreditassem que poderia dar certo. Um dia, todo o trabalho, todas as lágrimas finalmente deram resultado. Um cavalheiro pretendente mandou-lhe um bilhete do outro lado dos bancos da igreja. É isso mesmo! Ele passou o bilhete por uma fileira de mais de vinte pessoas. Deu seu nome e número de telefone, pedindo-lhe para ligar se quisesse sair para jantar. Ela levou duas semanas para responder. Ainda não se decepcionou.

Os Quatro Ps são uma maneira excelente de subir do primeiro andar, onde você não sabe o que está errado, para o segundo andar, onde você não sabe o que fazer sobre o que está errado. São uma ferramenta valiosa que nos ajudará a vasculhar todas as coisas que nos impedem de passar do segundo para o terceiro andar. Se você aplicar seriamente os Quatro Ps em si e em sua vida, todos os detergentes espirituais que você adquiriu pelo caminho irão ter sua potência aumentada. Você irá aprender a assumir ainda mais responsabilidade por você e pelas experiências que deseja ter na vida. Irá aprender a renunciar a uma parte ainda maior do passado para poder viver plenamente o presente. Esses quatro princípios são como um detergente bactericida que ajuda a remexer e classificar suas questões e garantir sua ascensão para o terceiro andar. Usar essas ferramentas em uma experiência de meio-tempo é como contratar uma governanta, uma pessoa que sabe o que fazer e o faz com resultados impressionantemente satisfatórios.

Posso te contar um segredo? Todos nós temos o mesmo problema. Todos achamos que estamos separados uns dos outros. Também achamos que estamos separados de Deus. Enquanto estivermos dentro de corpos, acreditaremos que você está aí e eu estou aqui. Você tem suas questões aí e eu tenho as minhas aqui. Por causa de nossos corpos, não podemos ver a interação das almas. Nossas experiências foram variadas e diferentes, mas todos ouvimos as mesmas coisas, ditas por pessoas diferentes, de maneiras diferentes. Todos ouvimos: "*Sou eu e você contra o mundo*", "*Somos nós ou eles*" ou "*Isso não tem nada a ver comigo!*". Essas afirmações são alguns dos detalhes ínfimos que reforçam a crença na separação.

Entretanto, nossas almas sabem a verdade. As almas anseiam pela união, e é por isso que tentamos acertar as questões de relacionamento. Nos relacionamentos somos chamados pelas forças mais poderosas para nos unirmos, para aprendermos como nos tornar um. Quando chegarmos ao terceiro andar da casa do amor, estaremos prontos para preenchermos o anseio de nossas almas, o anseio de unidade no amor. Neste instante, estamos tão perto da certeza do que fazer e do que não fazer que quase não temos mais que pensar a respeito.

No terceiro andar seremos capazes de reconhecer o amor quando ele vier. E ele chegará repetindo o refrão: "Encontrarei uma forma de respeitar a nós dois. Encontrarei uma forma de respeitar nossa igualdade e nossas diferenças." Aprenda a ouvir e a confiar em sua voz. E, nesse meio-tempo, enquanto estiver aprendendo, vá eliminando a dúvida, o medo e o sentimento de solidão.

Capítulo 10

LIMPANDO O ARMÁRIO

O relacionamento havia durado muito tempo, trinta e dois anos para ser exato. Esses anos, embora às vezes desafiadores e difíceis, haviam sido bastante bons. Tinham realizado muita coisa e possuíam um negócio promissor onde dividiam a sociedade. Jeri tinha feito dois mestrados. Willie ameaçava sempre voltar para a faculdade, mas nunca chegou a fazê-lo. Eram como excursionistas, viajando pela vida, fazendo o que podiam, da forma como podiam, passando pelas épocas altas, baixas e médias, pelos meios-tempos, a passos largos. Como quaisquer duas pessoas que tenham vivido juntas tanto tempo, conheciam uma à outra bastante bem, irritavam uma à outra de vez em quando e uma estava sempre disponível em caso de necessidade. Porém, algo aconteceu. Em algum momento, no final do trigésimo segundo ano, Jeri começou a mudar.

As pessoas desenvolvem hábitos. Fazem determinadas coisas, de determinadas maneiras, não por ser a única forma de fazê-lo. Agem de certas formas porque os humanos são seres que criam hábitos. Vamos encarar a realidade, somos criaturas facilmente treináveis que se sentem confortáveis fazendo certas coisas de uma determinada maneira. Se quisermos ser honestos, teremos que admitir que a forma como fazemos as coisas é, com muita freqüência, uma tentativa de evitar a dor, o desconforto e a falta de familiaridade, não necessariamente porque estamos procurando fazer as coisas da melhor maneira ou da forma correta – se é que isso existe. Se levarmos isso em consideração, poderemos dizer honestamente que, como seres humanos, nem sempre fazemos a coisa certa. Economizamos. Contamos pequenas mentiras. Fazemos o que achamos que temos que fazer para nos salvar. Reagimos a várias situações por medo. Isto é normal e verdadeiro para a maioria dos seres humanos. Era normal e verdadeiro para Jeri e Willie.

Jeri vinha brincando com espiritualidade e questões espirituais há muito tempo. Willie observava de longe. Sempre que Jeri aparecia com uma informação ou exercício que parecia útil, Willie concordava em participar. Quando o resultado era favorável, Willie não chegava a se convencer, mas sofria um abalo em suas crenças. Por outro lado, Jeri estava se tornando cada vez mais inclinada a uma forma espiritual de vida. Não estou falando aqui apenas sobre meditação ou oração, mas sobre usar os princípios e conceitos da lei espiritual que de fato transformam a maneira como você encara a si e a vida. Jeri começou a questionar a vida, seu significado e seu papel dentro dela. Jeri começou a procurar um objetivo e a querer descobrir como este objetivo podia ser aplicado a todas as fases da vida. Willie, ainda observando da linha lateral do campo, a apoiava com bastante ceticismo. Porém, quando as mudanças se tornaram tão profundas que começaram a afetar a forma como Jeri fazia as coisas, Willie se preocupou. Mais do que se preocupou – Willie ficou com medo.

Jeri, que amava Willie profundamente, falava abertamente sobre uma nova abordagem de vida, observando que haviam passado por uma grande quantidade de caos, crises e dramas, como resultado de suas decisões e escolhas. Ainda que admitisse que tinham "se dado bem", Jeri estava convencida de que não precisava ter sido daquela maneira. A vida é um exercício de nossos desejos, multiplicado pelas nossas expectativas, dividido pelas nossas escolhas. Obviamente alguma coisa que Jeri lera em um livro sobre espiritualidade, pensou Willie. Jeri repetia que era a voz de seu guia interno insistindo para que explorassem um novo caminho. Jeri queria apoiar Willie para que superasse o medo de, como Jeri dizia, "um nível mais alto de existência e de consciência". Willie, que gostava do jeito antigo de viver e de fazer as coisas, não via necessidade de mudança. Tinham chegado até ali, argumentava Willie, sem cometer nenhum crime, nunca haviam machucado ninguém, então por que as coisas tinham que mudar? Jeri não conseguia explicar por quê. "Apenas têm" tornou-se sua resposta usual, e, à medida que Jeri foi usando essa resposta cada vez mais, o verdadeiro problema começou.

Jeri começou a fazer tudo de uma nova maneira, uma maneira que não era nem um pouco familiar. Na verdade, a nova maneira era tão nova, que Jeri repetia: "Isso tem que vir de dentro de mim." Jeri começou a passar mais tempo lendo livros sobre assuntos espirituais, indo a aulas, *workshops*, seminários, ouvindo seu lado interior e seguindo seu guia *interno*. Era sempre bom quando Willie participava, mas Jeri ia sozinha quando Willie se recusava. Após cerca de um ano, Willie começou a protestar com veemência, brigando com Jeri por qualquer motivo. Jeri desacelerou, querendo prestar mais atenção a todas as decisões, examinando todas as opções, recusando-se a se entregar ao medo por olhar para uma nova forma de fazer as mesmas coisas que sempre haviam feito. Willie enlouqueceu! Isso era uma ameaça de morte! Quando a vida que você construiu é confrontada com a possibilidade de mudança, na verdade isso quer dizer que a antiga vida, as antigas atitudes têm que morrer. Willie entrou em uma luta desesperada pela vida!

DOMINANDO MAIS ALGUMAS COISAS

Isso não tinha nada a ver com amor. Não havia dúvida, dúvida nenhuma, de que essas pessoas se amavam. Isso não tinha nada a ver com infidelidade, intromissão de estranhos ou mesmo apenas uma diferença de opinião. Essas são coisas normais que as pessoas enfrentam nos relacionamentos. Isso tinha a ver com uma poderosa mudança de consciência: como fazê-la acontecer, o que deve ser feito em resposta a essa mudança e como as pessoas à sua volta irão reagir à sua mudança. Tem a ver com a sua identidade: quem você é e como se comporta em relação a essa nova consciência. Tem a ver com amor-próprio, auto-realização e auto-atualização. Isso tem a ver com tentar descobrir quem você é quando existe outra pessoa dizendo quem você deve ser.

Jeri e Willie estavam enfrentando algumas questões bastante delicadas a respeito de seu relacionamento. Essas são as mesmas questões que todos devemos encarar quando subimos do segundo para o terceiro andar da casa do amor. Esteja ou não em um relacionamento, se você leva a sério seu crescimento espiritual, deve trabalhar essas questões – questões ligadas ao seu nascimento, questões adquiridas, questões que reprimem e causam atraso. É obrigatório examinar as limitações que existem no seu pensamento e na sua vida, para poder determinar se essas limitações são reais ou fictícias, e se você deve escolher mantê-las. À medida que trabalhamos nossas questões, tomando decisões e fazendo escolhas, vamos aprendendo como manter nossa própria posição, com nossos próprios pés. Isso significa que temos que acreditar em nós mesmos e no que estamos fazendo. Existe apenas um pequeno desafio para o qual devemos estar preparados. Não existem garantias de que o que estamos fazendo irá funcionar para o relacionamento. Devemos encarar o fato de que, conforme avançamos, crescendo espiritualmente, mudando nossa consciência, não existem garantias de que o nosso parceiro nos acompanhe e permaneça ao nosso lado, como sempre esteve. Jeri entendia isso, assim como Willie.

Se algum dia você quiser testar a força de um relacionamento, jogue uma questão séria sobre dinheiro no meio! O dinheiro revela o que há de pior nas pessoas. Ativa as questões pessoais a tal ponto, que a pessoa com a qual você passou a maior parte da vida pode se tornar irreconhecível! O que as pessoas fazem com dinheiro, como reagem às questões relacionadas a dinheiro é sempre em função de seus problemas, mais do que qualquer outra coisa na vida. Nossas noções a respeito de dinheiro se relacionam diretamente a nossas noções sobre auto-estima. A vida estava pronta a testar Jeri e Willie e o fez através de um problema de dinheiro. Sob circunstâncias normais, no jeito antigo de fazer as coisas, Jeri e Willie teriam se sentado e planejado o meio mais eficaz de atravessar a situação com o mínimo de danos possíveis. Se isso significasse pedir o dinheiro emprestado, o teriam feito. Se significasse contar uma mentirinha para ganharem um pouco mais de tempo, teriam concordado sobre que mentirinha contar e a teriam contado. Se livrar-se da situação significasse se esconder, não atender ao telefone, pedir para outras pessoas contarem pequenas mentiras, teriam feito isso e mesmo mais, para se salvarem da crise.

No meio disso tudo, o procedimento normal teria sido correr em círculos como duas galinhas sem cabeça, cada uma culpando a outra e se sentindo mal por isso. Teriam feito promessas de mudança, planos de mudança, que teriam durado o mesmo tempo que a crise. Teriam ligado para os amigos, contando uma história longa e triste, inventando desculpas e aceitando qualquer ajuda que fosse oferecida. Isso também significa que teriam sentido raiva se ninguém oferecesse ajuda. No final, pediriam desculpas e continuariam levando a vida, tendo feito apenas algumas mudanças. Nos trinta e dois anos de vida em comum, haviam desenvolvido uma lista inconsciente de roupa suja do que teriam feito sob circunstâncias normais para aliviar a dor de uma crise financeira. Porém, essas não eram circunstâncias normais.

Jeri havia quase parado, querendo investigar a situação de todos os ângulos. Willie queria ir em frente, atacando o problema de qualquer forma. Jeri começou a rezar – antes de dar um telefonema, Jeri rezava; antes de responder uma pergunta, Jeri rezava. Nesse meio-tempo, Willie entrou em histeria! “Não faz sentido algum parar de pensar para rezar!", disse Willie. Nenhuma oração pode impedir que seu mundo venha abaixo, ou que o cobrador telefone ou que a corretora leve suas coisas embora! Jeri tinha uma boa resposta para as objeções de Willie: "As coisas estão apenas um pouco fora de sincronia. Isso não quer dizer que você precisa perder o controle." Willie achou que isso era a coisa mais ridícula que alguém podia dizer e o transmitiu a Jeri em poucas palavras. Em resposta, Jeri rezou.

Quanto mais Jeri rezava, pior as coisas pareciam ficar. As pessoas iam até o escritório com documentos legais exigindo isso, aquilo ou aquilo outro. Willie se recolhera ao seu escritório, recusando-se a sair e falar com quem quer que fosse. Jeri disse a mesma coisa para todo mundo: "Não existe nada que possamos fazer neste momento. Será que você poderia ligar dentro de alguns dias?" Willie estava em pânico e nem conseguia perceber que todos estavam fazendo exatamente o que Jeri havia pedido – iam embora sem brigar. "O que você vai fazer daqui a alguns dias?! O que vai dizer quando eles voltarem?!" Jeri admitiu que não possuía uma resposta no momento, mas sentia-se muito confiante de que, quando precisasse de uma, ela lhe seria fornecida. "Por quem?", Willie perguntou. "Pelo Espírito", Jeri respondeu. "Eu entreguei a minha vida e esta situação ao *Espírito*."

SAIBA QUE VOCÊ SABE!

Vamos fazer uma revisão rápida. No porão, você não sabia que tinha um problema. No primeiro andar, você sabia que tinha um problema e descobriu a natureza do problema. No segundo andar, você conhecia a natureza do problema, mas não sabia o que fazer a respeito. Agora, para que possa ser elevado ao terceiro andar, você deve aprender como fazer o que você sabe. Como você aprende a ser responsável? Essa era a lição do primeiro andar. Você se torna responsável ao falar a verdade absoluta. Quando diz a verdade, o que você faz? Você renuncia.

Pára de brigar, pára de agir como se não sentisse o que sente. Isso é chamado de desapego. Você se desapega do resultado, permite-se sentir o que sente e descobre uma maneira apropriada de expressar o que sente. Para que possa expressar seus sentimentos, deve procurar clarear as idéias e colocá-las em ordem. Também deve possuir expectativas, não a respeito dos outros, mas de si. Você deve sempre esperar sobreviver. Você deve acreditar que irá superar qualquer situação, por mais difícil que pareça. Jeri havia aprendido essas coisas em sua viagem pela casa do amor. Quando se adquire esse aprendizado, a vida irá apresentar situações e experiências nas quais você poderá praticar o que aprendeu.

Pratique o que você sabe! Este é o desafio maior, o desafio que nos autoriza a mudar do segundo para o terceiro andar da casa do amor. Quando você *sabe* uma coisa, você a faz. Quando você *sabe de* alguma coisa, você tenta entendê-la. Saber alguma coisa significa ter conhecimento para colocar o que sabe em prática e conseguir os resultados desejados. Quando você sabe de alguma coisa ou a respeito de alguma coisa, isso significa que você possui o conhecimento intelectual. Você tem lido a respeito, ouvido coisas a respeito e o que você sabe está em um determinado lugar de sua mente. Porém, você não experimentou colocar o que sabe em prática. Você é, com perdão da palavra, espiritualista de mentirinha! Pode fazer o discurso, mas nunca vivenciou nada disso! Nos nossos relacionamentos, assim como em todos os outros aspectos da vida, é isso que nos deixa malucos! Sabemos o que devemos fazer, mas, quando chega o momento, não parecemos praticar o que sabemos. Sabemos que deveríamos sempre apoiar e amar nossos parceiros em um relacionamento. Entretanto, quando estamos com medo, quando parece que as coisas ou as pessoas estão fora de controle, fazendo coisas que nós não entendemos, é difícil dar apoio. É difícil praticar toda a teoria que estudamos.

Jeri estava colocando a teoria em prática no meio de uma

crise financeira. Ela estava praticando como ser verdadeira consigo mesma. Estava respeitando o que sentia e o que sabia. Não estava sendo insensível com Willie, simplesmente não estava permitindo que Willie a desviasse de sua própria verdade. Ela não estava forçando Willie a ver as coisas da maneira que ela via. O que quer que Willie decidisse fazer estava bem. Jeri apenas continuava a avançar pela trilha que havia escolhido para si mesma. Isso é muito difícil de se fazer – principalmente depois de trinta e dois anos fazendo as coisas de uma mesma maneira. Jeri estava tão assustada, tão insegura quanto Willie. A diferença é que Jeri havia se comprometido a mudar interna e externamente. Também estava disposta a desistir do relacionamento para que pudesse fazer a mudança. Por outro lado, Willie agarrava-se com unhas e dentes ao que já conhecia – o que era familiar, confortável e eficaz, mesmo que não fosse a coisa mais certa ou melhor a fazer.

Willie começou a sabotar as ações de Jeri. Quero dizer, sabotar conscientemente, estabelecendo compromissos que Jeri teria que manter. Falando coisas para as pessoas que Jeri teria que esclarecer depois. É claro que isso colocou um peso enorme em seu relacionamento. Era uma batalha de poder, um cabo-de-guerra. Willie não queria mudar. Era assustador demais, novo demais, desconhecido demais. Talvez as coisas não tivessem sempre corrido bem, mas sempre haviam conseguido superar os problemas e continuar levando a vida. Até mesmo, Willie tinha que admitir, talvez houvesse uma forma melhor, uma forma mais fácil de viverem, mas isso significava trabalho – um trabalho duro e assustador. Além disso, quem poderia dizer que as coisas iriam melhorar? Não tinham nenhuma prova, apenas teoria, teoria espiritual. Willie sabia muito bem que esta teoria estava fazendo com que partes e pedaços de Jeri desaparecessem. Jeri estava se tornando distante, menos disposta a dar ouvidos aos argumentos que Willie usava para manterem as coisas como estavam. Jeri não estava nem disposta a brigar e, independente do que Willie dissesse, Jeri sorria, rezava e continuava avançando. Era um pouco demais. Tinha que haver uma declaração clara de intenções. Uma declaração final de intenções. Se Jeri não conseguisse levar o ponto de vista de Willie em consideração, o fim seria inevitável.

PENSE A RESPEITO, POIS ACABOU!

Tenha cuidado com o que pede! Mais importante, tenha cuidado com o que pensa! Basta pensar que precisa mudar, para que as forças do universo ouçam seu pedido e coloquem a mudança em ação. Antes que Willie pudesse dizer uma palavra, Jeri lhe entregou uma carta. Pensando que tinha alguma coisa a ver com o problema financeiro, Willie abriu a carta e leu. Dizia:

Willie,

Escrevo esta carta para agradecer tudo o que você tem sido para mim. Agradeço-lhe pelas muitas formas em que você me serviu e apoiou. Tivemos muitos momentos excelentes e, ainda que nosso relacionamento tenha sido saudável e amoroso, acho que não serve mais para mim, para o que eu desejo ou para o propósito que acredito que Deus tenha para a minha vida. Portanto, daqui por diante, eu te libero de quaisquer acordos conscientes ou inconscientes que tenhamos feito no passado para continuar com nosso relacionamento. Agora, eu te perdôo total e incondicionalmente por quaisquer atos que você tenha cometido e que tenham tido um impacto não amoroso, de pouco apoio ou doentio em minha vida. Agora, eu peço e reivindico o seu perdão por qualquer desses papéis que eu tenha desempenhado em sua vida. Você agora está livre para procurar seu maior e melhor bem. Eu agora estou livre para procurar meu maior e melhor bem. Desejo a você amor, luz, paz e uma abundância de todas as coisas boas que existem no reino de Deus. Eu te libero. Eu te amo, Jeri.

Quando Willie terminou de ler a carta, Jeri pegou uma velha fotografia sua, colocou-a em uma caixa de sapatos e levou-a para o quintal de sua casa, onde fez uma pequena oração antes de enterrá-la. Vocês descobriram? Willie e Jeri eram a mesma pessoa. Wilhelmina Jermaine Johnson, conhecida como Willie, quase trinta e três anos de idade, estava no caminho do autodescobrimento. Estava em um caminho de amor-próprio. Percebia que o seu antigo eu e seu novo eu, a pessoa que ela fora um dia e a pessoa que queria ser, existiam no mesmo corpo. Seu antigo eu, seu eu assustado, havia sido programado para fazer as coisas de uma maneira determinada. Mesmo que fossem absurdas ou improdutivas, Willie continuava a fazer sempre as mesmas coisas. Continuava atraindo os mesmos tipos de relacionamentos insatisfatórios. Continuava atraindo os mesmos tipos de crises e caos para sua vida. Enquanto seu novo eu, seu eu consciente, tentava mudar, seu antigo eu sabotava seus esforços ao voltar a fazer as coisas da maneira antiga, a pensar da antiga maneira sobre as coisas.

Willie era Wilhelmina, a garotinha assustada que cresceu em uma casa problemática onde o amor parecia confuso e muito doloroso. Jeri era Jermaine, a moça brilhante que estava disposta a destruir os antigos padrões familiares para poder amar e respeitar a si mesma. Como a maioria de nós, estava travando uma violenta batalha consigo mesma, com seu lado Willie, querendo mudar, sem saber como. Precisando fazer as coisas de outra forma, com medo de que não funcionassem. Esperando mais de si mesma, querendo mais para si, percebendo que a maneira antiga não lhe proporcionava o que queria, e todo o tempo com medo de não conseguir lidar com a forma nova. Precisando da aprovação e do apoio das pessoas que amava, embora percebesse que elas se sentiam confortáveis com o seu velho eu e com medo de seu novo eu. Então houve um momento na vida de Jeri, como existem momentos para todos nós, em que ela teve que decidir entre ficar ou partir, continuar a mesma ou arriscar-se a se tornar uma nova pessoa. É uma experiência que altera a alma, na qual a única coisa em que podemos confiar é no amor. O amor de Deus.

Jeri decidiu mudar. Mudou de nome, indicando que ocorrera uma mudança em sua consciência. Estava se dirigindo para o amor, percebendo que isso significava renunciar a seus padrões antigos, até mesmo a seu nome. Jeri reconheceu seus padrões nos relacionamentos e percebeu que o que vinha fazendo não a deixava feliz. Tornou-se consciente de seus padrões de comportamento com dinheiro: como usava o dinheiro, o que pensava sobre dinheiro, como se sentia quando tinha dinheiro e como o fato de não possuir disponibilidade imediata de dinheiro influenciava sua auto-estima. Por que amor e dinheiro? Porque tanto o amor quanto o dinheiro são influenciados pela mesma lei universal, a lei de causa e efeito, que diz que o que você faz é a causa e o que você consegue é o efeito. Quando você dá amor, você recebe amor e o que você pensa a respeito de si – a causa – se manifesta como seu saldo bancário – o efeito!

Jeri queria um casamento amoroso, comprometido, no qual ela pudesse ter e criar filhos. Queria um parceiro amoroso que estivesse disposto a crescer. Também percebeu que enquanto não pudesse *se amar* como queria ser amada, nunca iria recebê-lo. Um dia, no meio de um coração muito partido, ela descobriu que havia um mesmo elemento-chave em todos os seus relacionamentos. Surgia independente do que estivesse fazendo ou de com quem estivesse fazendo. Era ela mesma.

O elemento é você. Você é o ingrediente-chave de todos os relacionamentos de sua vida. Agora, aqui vem a parte difícil, a parte que sempre temos dificuldade em aceitar. A coisa com a qual lutamos em nossos relacionamentos, especialmente em nossos relacionamentos amorosos, reflete – com muita clareza, devo acrescentar – nosso próprio conflito interno. Infelizmente, não percebemos com muita freqüência que os problemas que enfrentamos na vida são decorrentes de nós mesmos. Não percebemos porque estamos olhando para fora, em vez de olhar para dentro.

COMEÇANDO TUDO DE NOVO!

Os assuntos e desafios que enfrentamos na vida, especialmente em nossos relacionamentos, são criados a partir de nossa má compreensão do propósito do amor, a partir de uma falta de amor por nós mesmos. Por isso reprimimos com tanta intensidade uma parte nossa. A parte assustada. A parte que acreditamos não ser digna. A parte que foi rejeitada, abandonada e maltratada no passado. A energia que reprimimos volta para nós com uma força enorme através das pessoas e das experiências. Podemos mascarar e disfarçar nossos problemas como quisermos, mas eles continuarão batendo na porta e perguntando: "O que é que vai ter que acontecer para que você me encare e lide comigo, se quiser se curar?"

Eu já estive pessoalmente envolvida em relacionamentos com pessoas que nunca haviam machucado uma mosca e ainda assim suas vidas eram um estado constante de dilaceração e caos. Para falar a verdade, eu fui uma dessas pessoas! Eu era uma dessas pessoas que sempre dizem: "Nunca tenho sorte nos relacionamentos." Eu achava que todas as pessoas boas estavam casadas ou mortas! Fui criticada, evitada, desrespeitada e maltratada, sem entender o motivo. A culpa era dos outros. Eles eram maus. Eles eram malucos. Eles tinham um problema comigo por alguma razão desconhecida. Eu me contentava em apenas ir avançando, desviando dos golpes, tentando sorrir a despeito de tudo. Até que um dia um amigo me disse: "Não existe nada no seu mundo, na sua experiência, além de você e de Deus. Se não é trabalho de Deus, é seu!"

Jeri percebeu que andava extrapolando novamente. Sendo neurótica novamente. Percebeu que não se sentia bem consigo mesma ou com sua vida. Percebeu que não se sentia bem a respeito da maneira como agia em seus relacionamentos. Ela fazia com que seus parceiros amorosos fossem responsáveis por fornecer a ela todas as coisas que ela não havia feito ou dado a si mesma. Jeri não fazia idéia de como era o amor puro, divino e incondicional, porque não o havia dado a si mesma. Agora, estava pronta. Estava pronta para ver as coisas de um jeito diferente e receber as coisas de outra maneira. Aprendera com suas experiências e agora estava pronta para aplicar o que havia aprendido. Para que pudesse fazer isso, tinha que enterrar Willie. Quando enterrou, Jeri entrou no meio-tempo. Foi um meio-tempo que durou três anos e meio.

Quando você começa a falar sobre destruir pedaços e partes de sua consciência, está considerando uma mudança radical. Exige comprometimento, dedicação e muita autoconfiança. Você não terá um mapa para seguir. Pode haver ajuda e apoio por parte daqueles que trilharam o mesmo caminho antes de você, mas eles não estavam na mesma situação que você. Podem não conhecer os pequenos e intrincados detalhes dos seus métodos e comportamentos. Não conhecem a profundidade de sua dor, confusão ou desejo. Só você conhece, o que torna imprescindível que você permaneça a seu lado durante todo o processo. O seu antigo eu vai aparecer no seu cérebro e dizer: "Ah, não! De novo não! Para que se preocupar? Não vai levar a nada!" Você sentirá uma enorme tentação de voltar para seu modo antigo de pensar e sentir. Mas confie em si o suficiente para se dar a mão durante todo o processo, independente do que aconteça.

Jeri saiu com toda a energia para encontrar a si mesma, amar a si mesma e atrair seu parceiro divino. Estava indo muito, muito bem. Destruindo padrões antigos. Tentando coisas novas. Reagindo à vida de um jeito muito diferente. Então veio o teste. Seu teste tinha duas pernas. Ela o conheceu num dia quente em Washington, D.C. Estava andando pela rua, sem incomodar ninguém, a cabeça povoada de pensamentos amorosos e tudo o mais. Passou pelo teste e admirou seu rosto maravilhoso e a composição física. Havia andado cerca de três metros, quando ele a chamou: "Oi! Qual é o seu nome?" Jeri respondeu, sem se chamar de Wilhelmina. Ele sorriu e balançou a cabeça, dizendo: "Estou muito feliz de tê-la encontrado, porque vou me casar com você." Jeri ficou chocada! Ficou entusiasmada! Foi uma abordagem muito direta. Interessante, para dizer o mínimo. Jeri ficou muito curiosa.

Ele tinha tudo! Beleza, personalidade, filosofia, traços, o corpo lindo de morrer – apague isso, lindo de viver. Ele tinha tudo! Começaram a conversar, a sair para passear, para comer fora; estavam fazendo tudo – menos sexo. Jeri estava realmente tentada, e ele estava muito ansioso, mas Jeri foi clara a respeito do que queria. Sem sexo! Nada! Zero! Agora, o que você acha que esse homem pediu pelo menos 53 milhões de vezes nos três primeiros meses? Acertou! Sexo. Ele não forçava, mas era muito persistente. "Venha passar a noite comigo. Deixe-me levá-la para viajar no fim-de-semana. Posso passar a noite com você? Tem alguma coisa errada comigo? Tem alguma coisa errada com você? Como pode esperar que eu me case com você se não a conheço assim, intimamente?" As coisas ficaram muito quentes, muito pesadas, mas Jeri, graças a Deus, não estava gastando nada além de tempo!

Quando começamos a trabalhar em nós mesmos, em nosso ser espiritual, atraímos uma energia correspondente. Não a mesma energia, mas uma energia correspondente. A pessoa espiritualizada irá atrair uma pessoa que acha que a espiritualidade é um monte de besteiras. A pessoa que está de dieta irá atrair o parceiro que gosta de gente gorda. Você está numa cruzada para criar seus músculos espirituais, e o que constrói músculos é a resistência. Não se envolva na programação da outra pessoa. Fique firme! Mantenha-se no seu curso! Aceite e acolha a outra pessoa, mas lembre-se do que está fazendo. Reze enquanto a outra está vendo televisão. Vá jantar com ela, mas peça uma salada. O fato de essa pessoa não estar trilhando o mesmo caminho que você não significa que não possam ficar juntas. É aprendendo a trabalhar através da resistência que irá criar os seus músculos.

O INIMIGO ESTÁ EM MIM!

Ao mesmo tempo que construía sua resistência física, ela lutava contra uma tentação mental. Willie estava gritando dentro de sua cabeça: "Vá com ele! Vá com ele! Mostre o quanto você gosta dele!" Jeri vergou, mas não quebrou. Willie mudou de tática: "*Esse é o primeiro cara legal que você conhece em muito tempo. Está vendo, ele está disposto a esperar. Ele quer levar você para viajar. Está pagando toda a comida. Você não quer experimentar?*" NÃO! Jeri pensou. "Cale a boca e pare com isso agora mesmo!" Às vezes, temos que falar com nós mesmos! Temos que nos convencer a superar o medo e a fraqueza. Temos que nos lembrar de nossas expectativas e do nosso objetivo. Temos que trabalhar para superar a resistência do nosso antigo eu e evitar o ressurgimento dos padrões do passado que falharam em produzir os resultados que desejávamos.

Sejamos muito claros: não estamos falando a respeito de nos punir ou de punir a outra pessoa. Estamos falando sobre não ter pressa, manter-nos em contato com nosso corpo, sentir o que estivermos sentindo e expressar de forma apropriada o que sentimos. Não podemos fazer isso se andarmos rápido demais. Passo a passo é a melhor forma de avançar em qualquer processo. Existe uma coisa que você sempre pode fazer e que lhe dará a oportunidade de esclarecer o que está acontecendo com você e com a outra pessoa: é diminuir o ritmo. O tempo revela todas as coisas, por isso use o tempo de que precisa para ter certeza. Não *achar* que tem certeza, mas *sentir* que tem certeza. Seu corpo nunca irá mentir para você, a não ser que esteja indo rápido demais. Quando você diminui a marcha e percebe o que está sentindo, tem uma chance maior de não cair na armadilha de seus padrões viciados.

Não gostamos de andar devagar. Vivemos em um mundo de tudo instantâneo, e queremos amor instantâneo. Ficamos machucados e esfolados nos relacionamentos porque andamos rápido demais. Você conhece alguém e dentro de duas semanas está fazendo sexo, dá a chave da sua casa, empresta o carro, fornece a senha de seu cartão automático e, antes que você possa saber o sobrenome completo dessa pessoa, seu coração está partido. Mesmo quando existem sinos e apitos tocando dentro de nossas cabeças, continuamos avançando. Ouça sempre os sinos e os apitos, pois são seus aparelhos internos de proteção! Isso se chama intuição. Para que possa ouvi-los, deve passar algum tempo identificando o que está sentindo. Se identificar que os sinos são antigas suspeitas que estão ressurgindo, então precisa superá-las. Deve trabalhar a confiança. Tem que dar um passinho, depois outro passinho, até que se sinta novamente em paz. Se identificar que faz parte de sua neurose, pode trabalhar a neurose.

O que é que eu estou pensando? O que estou fazendo? O que é que eu quero? Não se apresse para encontrar algumas respostas, antes de ir em frente. Tenha certeza de que o que está fazendo vai lhe dar o que você quer. A pior coisa que pode acontecer quando você não se apressa em obter as respostas é descobrir que grande canalha é essa pessoa. Porém, o tempo lhe deu a oportunidade de se afastar antes de se machucar ou se esfolar emocionalmente.

Note bem, nunca estaremos sozinhos nesse tipo de situação. Os relacionamentos são entre duas pessoas, portanto, existem grandes possibilidades de que o seu teste, ou o seu verdadeiro amor, apareça com duas pernas, dois pés e um nome. Se você achar que a outra pessoa está indo rápido demais, diga simplesmente: "*Tem alguns sinos e apitos disparando na minha cabeça. Preciso ir devagar. Tenho que respeitar o que estou sentindo para poder ter certeza de que estou fazendo o que é melhor para mim.*" Não jogue seus problemas em cima da outra pessoa.

Estabeleça suas próprias prioridades e responsabilize-se por si. Se essa pessoa não for realmente o ser amoroso que entrou na sua vida para contribuir para sua cura, dizer a verdade dessa maneira fará com que ela desapareça. Irá embora tão rápido que você pensará ter sido um sonho. Se isto acontecer, você pode dizer: "Ah, tudo bem, lá vai mais um que não deu certo." Você também pode dizer: "Eu te agradeço, Senhor! Sei que me enviará a pessoa certa e um relacionamento que me ajudará a trabalhar com meus problemas e crescer." Para poder realizar este trabalho, devemos estar dispostos a ir devagar e a devolver para o mar alguns desses tubarões que ficaram presos no nosso anzol. Jeri estava disposta. Contou-lhe sobre os sinos e os apitos. Ele riu.

PRESTE ATENÇÃO NOS SINAIS!

Rir não é exatamente a mesma coisa que desaparecer, mas alguns testes podem nos deixar confusos. Jeri continuou indo em frente – devagar. Continuaram se vendo e um dia ela foi um pouco longe demais e deixou que ele a beijasse. É isso mesmo, quatro meses e meio sem um único beijo! A garota estava fazendo um trabalho sério de cura e ele parecia ser um médico cooperativo. Estavam sentados dentro do carro quando, de repente, mas gentilmente, ele se aproximou, pegou-a nos braços e aplicou um grande, longo e quente beijo em sua boca. No instante em que seus lábios se encontraram, o cérebro dela apagou! Seu fôlego sumiu. Seu nome sumiu. Preste atenção, isso foi depois de trinta e nove meses sem ser beijada! No meio do beijo, sinos e apitos dispararam em sua cabeça. Aviso! Perigo! Dê marcha à ré e saia daí agora! Eram estes os sinos e apitos disparando em seu cérebro. Foi apenas pela graça de Deus que ela não deslizou para fora pela janela, porque abrir a porta levaria muito tempo. Ela sabia, no fundo de sua alma, que estava indo em direção a um grande problema.

Tão rápido quanto ele a havia beijado, Jeri disse: "Não! Eu ainda não cheguei a este ponto." Ele riu dela novamente, mas ligou o carro. No instante em que ela disse isso, percebeu que mantivera o pacto que tinha consigo mesma. Não *sentia* que ele era a pessoa certa e estava acreditando em sua intuição. Era um risco, um grande risco, mas Jeri estava disposta. Sabe o que aconteceu? Todas as coisas feias que podem existir em um ser humano começaram a se manifestar neste homem. Ele tinha todas as atitudes e hábitos desagradáveis que um ser humano poderia possuir! O resto do relacionamento durou três semanas. Ele era simplesmente horrível. E sabe o que mais? Quando Jeri disse para si mesma, não para ele, mas para si mesma: "Eu vou embora daqui!", ele desapareceu. Parou de telefonar e ela nunca mais ouviu falar nele.

Quando tudo terminou, Jeri havia destruído mais um padrão. Havia parado de permitir que o medo de ficar sozinha comandasse sua vida. Não conversou com suas amigas, não chorou à noite, não saiu e comprou o maior e mais delicioso bolo de chocolate que pudesse encontrar. Em vez disso, trabalhou em si mesma. Deixou-se sentir toda a tristeza, mas sentia-se bem com o que havia feito. Não o culpava. Nem mesmo falava sobre ele. Refletiu, refez seus passos e ficou muito, muito grata. Percebeu que, se não houvesse se entregado ao beijo, poderia levar mais tempo para que a feiúra se manifestasse. Também percebeu que, se fosse além daquele beijo, poderia ter se envolvido demais para conseguir sair. Jeri continuou trabalhando em suas neuroses – os sentimentos de inadequação, a carência, a autocrítica. Investiu em sua carreira. Finalmente chegou à conclusão de que, ao não se apressar, ao se manter em seu corpo e ao respeitar seus sentimentos, não podia perder! E se sentiu bem melhor.

Em algum ponto entre o segundo e o terceiro andar da casa do amor, você terá que aprender a amar as pessoas independente do que elas façam. Pare de espernear, gritando que não pode fazer isso. Você pode! Você tem que fazer! Tem que aprender a amar e perdoar as pessoas para que possa se curar. Este é um passo muito, muito, muito grande. Significa que você tem que olhar para o que faz, não para o que fazem com você. Significa examinar o que provoca o tipo de reação que você tem às pessoas e às situações – quer dizer, o que sente e por que sente. Com essa informação, você percebe que cada experiência, e o resultado de cada experiência, é simplesmente uma oportunidade para recriar a sua forma de reagir. Essa revelação é a sua cura. Esta revelação irá dar início à cerimônia fúnebre do seu antigo eu.

Com o seu antigo eu indo embora e o seu novo eu surgindo, quando você se encontrar em uma situação parecida com alguma outra que enfrentou no passado, poderá criar uma nova reação. Foi o que Jeri fez. Ela criou uma reação de amor-próprio porque percebeu que, independente do que as pessoas façam, estão apenas exteriorizando seus problemas. As pessoas farão o mesmo por nós, tentando ajudar-nos a limpar o armário e jogar coisas fora. Devemos amá-las por isso. Amem as pessoas que vêm participar de seus problemas com vocês. Conforme as ama poderão perdoar-se. Perdoar-se por se sentirem tão mal em relação às pessoas que vêm tentando ajudá-las, mesmo que das formas aparentemente mais negativas. Perdoar-se por pedir e permitir que outras pessoas as tenham ajudado a machucar-se. Esta é a demonstração definitiva de responsabilidade e é quase tudo de que vamos precisar para nos impulsionar para o terceiro andar.

P.S.: Jeri casou-se com um pastor. Eles agora têm dois filhos e moram no terceiro andar.

O TERCEIRO ANDAR

Você sabe muito bem que não tinha que fazer tudo ao mesmo tempo! Não tinha que esvaziar todas as gavetas e armários; colocar todas as cortinas na banheira; descongelar a geladeira, deixando poças d'água por todos os cantos; jogar todas as roupas sujas no chão; detonar uma bomba para matar baratas! Não tinha que se tratar com tanto rigor, mas se tratou. E conseguiu! Limpou a casa inteira. Lavou a roupa suja. Jogou fora todos os coelhinhos de pelúcia empoeirados. Pendurou as cortinas limpinhas. Separou todas as roupas e jogou fora uns vinte sacos de lixo. Parabéns! Você deve estar sentindo muito orgulho! Mas antes que se sente para descansar, vamos dar uma última volta pela casa, para ter certeza de que está tudo no lugar.

Capítulo 11

ABRA AS CORTINAS E DEIXE O SOL ENTRAR

Eles eram namorados desde a adolescência. Cresceram juntos. Karen e Stan provavelmente deveriam ter continuado apenas como amigos, mas quando você coloca sexo em um relacionamento as coisas correm em outra direção. Karen era como uma filha para a família dele e Stan era como um filho para a família dela. Ainda que as duas famílias nunca tenham se conhecido, sabiam tudo uma da outra. Estavam completamente envolvidas uma com a outra. Após o segundo grau, Karen foi para a faculdade. Stan foi trabalhar. Quando a família de Karen se mudou para o outro lado do país, Stan foi com eles. Quando Karen voltou da faculdade, Stan estava lá, esperando por ela – morando na casa da mãe dela. Não parecia estranho estarem vivendo juntos na casa da mãe dela porque todo mundo achava que eles iriam se casar em breve.

Pouco tempo depois de voltar da faculdade, Karen ficou grávida de seu primeiro filho. Foi aí que Karen contou à sua mãe: "Eu nunca vou me casar com Stan porque não estou apaixonada por ele. Eu o amo, mas não estou *apaixonada* por ele. Sei que ele é uma boa pessoa, mas simplesmente não tem motivação. Ele faz promessas que não cumpre. Acha que todo mundo tem problemas, menos ele. Ele tem tantos talentos e habilidades, mas recusa-se a fazer qualquer esforço. Achei que seria diferente quando eu voltasse da faculdade, mas não é." Mamãe ficou histérica! Morar com um homem com o qual não é casada, ter um filho com um homem por quem não está apaixonada é mais do que uma mãe à moda antiga pode agüentar. Ela tentou lidar com a situação, perguntando: "*Se ele não é bom o bastante para casar, como pode ser bom o bastante para ser o pai de seus filhos?!*" Karen nunca respondeu a esta pergunta. Não podia responder. Fazia sentido demais.

A criança nasceu, uma linda garotinha por quem Karen fazia tudo. Tomava conta do bebê, pagava as contas. Nunca pediu ajuda a Stan, e ele nunca ofereceu. Agora, não me entenda mal: ele adorava a filha. Faria qualquer coisa no mundo por ela. O problema é que se você quisesse que Stan fizesse alguma coisa, tinha que pedir. Quando pedia, ele normalmente fazia. Se não pedisse, ele não se mexia. O homem não tinha garra. Perto do aniversário de dois anos de sua filha, Karen decidiu que não queria mais aquele relacionamento. Não estava exatamente cansada de Stan, estava apenas cansada! Além disso, ela sentia que, de qualquer maneira, estava no relacionamento sozinha. Stan sempre prometia que iria arrumar um emprego melhor, mas não arrumava. Falava sempre das coisas que queria fazer para melhorar sua vida. Nunca fez nenhuma delas.

O que ele fazia era reclamar das pessoas e de como nunca conseguia uma chance justa. Falava sobre querer ser um pai melhor, mas raramente se oferecia para fazer o que era necessário. Karen e Stan moravam juntos mais como irmãos criando a irmã mais nova do que como marido e mulher criando sua filha. Talvez fosse por isso que não estivessem casados. Talvez fosse porque, apesar de ambos estarem presentes, ambos estavam ausentes do relacionamento.

DIGA O QUE QUER DIZER!

Karen achava que havia deixado bem claro para Stan que o relacionamento havia terminado para ela e que estava pronta para ir em frente. Stan estava certo de que queria o relacionamento e de que queria fazer tudo o que estivesse em seu poder para mantê-lo. Karen só conseguia pensar: "Tá certo!" De repente, houve uma explosão de luz! Para grande surpresa e prazer de Karen, Stan começou a ajudar um pouco mais em casa e com o bebê. Estava fazendo todas as coisas que achava que iriam agradá-la. Em um momento de fraqueza – sim, você ainda fraqueja no terceiro andar –, Karen se entregou, dizendo que tentaria mais uma vez. Durou três semanas, culminando com a declaração de Karen de que ela e o bebê estavam se mudando para a casa da mãe dela. "E eu?", perguntou Stan. "E você?", Karen retrucou. Da maneira mais delicada e amorosa possível, Karen explicou a Stan que o que ele fizesse a partir daquele ponto não era problema nem preocupação dela. Nem é preciso dizer que Stan não ficou feliz com a declaração nem com a situação. Será que ele disse a Karen como estava se sentindo? Não. Será que ele perguntou como eles iriam lidar com os cuidados com o bebê, com as visitas e assim por diante? Não. O que Stan fez foi perder o emprego. Foi demitido por responder atravessado a um supervisor.

Agora o problema deles havia se tornado mais um problema de família – ele não tinha dinheiro, nem para onde ir. Estavam morando na casa da mãe dela. Karen estava prestes a ir morar sozinha, mas como poderia deixar Stan para trás na casa de sua mãe? No mínimo, Stan era seu amigo e os amigos sempre se ajudam. Karen disse a Stan que ele poderia vir morar com ela até que desse um jeito na vida, arrumasse um emprego e pudesse caminhar sozinho. Stan disse a ela que não queria ser um fardo. Karen sentia-se arrasada por ser responsável por Stan. Karen queria se mudar e começar uma vida nova. Stan não parecia muito interessado em ir nessa direção. Como resultado, Karen tentou desviar-se dele. Começou a juntar dinheiro e a procurar uma casa. Enquanto isso, Stan continuava sentado, o que a fazia sentir-se culpada. Na verdade, isso fazia Karen se sentir tão culpada, que ela levou Stan junto com ela sem antes discutir qualquer coisa a respeito de seus planos ou de seu relacionamento.

Quando não permitimos que as pessoas sejam responsáveis

por si mesmas, elas não irão assumir a responsabilidade. Se fizermos por elas o que elas deveriam fazer por si próprias, acreditem, elas deixarão que façamos. Se tomarmos uma decisão e não seguirmos adiante, o que decidimos fazer não será feito. Se não nos respeitarmos, os outros também não irão respeitar-nos. Se não respeitarmos os outros, suas escolhas e decisões, teremos dificuldades em nos respeitar. Assumir responsabilidades pelos outros, não dar seguimento às decisões, não se respeitar, não agir de forma que os outros nos respeitem, leva à paralisia emocional – sabemos o que fazer, mas não sabemos como fazê-lo. Foi isso que viemos aprender e praticar no terceiro andar.

Você deu muito duro para chegar onde chegou e fez um excelente trabalho. Provavelmente, sente cansaço, muito cansaço. Era de se esperar. Entretanto, se lembrar das lições do segundo andar, saberá que, para ter chegado até este ponto, teve que aprender bem as lições. Sabe que os bons alunos sempre recebem os testes mais difíceis. Neste andar da casa do amor, sua tarefa é praticar o que sabe, fazer o que sabe fazer, o tempo todo, em todas as situações, sob todas as circunstâncias. Você está trabalhando para conseguir o domínio. Você já domina o conhecimento, agora tem que dominar a prática do conhecimento. Deve colocar todos os detergentes no balde – a sua mente – e permitir que eles sejam a força orientadora da sua vida. Sim, você fez a maior parte deste trabalho antes, nos andares inferiores. Entretanto, agora você o irá fazer em outro nível, num estado mais alto de consciência. Realizará o trabalho com uma consciência de amor – amor-próprio e amor incondicional.

VOCÊ TEM O QUE É PRECISO!

Morar no terceiro andar será uma tarefa fácil, porque você possui todas as informações de que precisa para viver qualquer situação. Sabe que o amor cura qualquer coisa e enquanto estiver aqui no terceiro andar seu trabalho consistirá em dominar o uso do amor em todas as situações – primeiro amor-próprio e, em conseqüência, amor incondicional pelos outros. Se, por qualquer motivo, em algum momento você deixar de utilizar amor, não será capaz de ir em frente. Não será capaz de tomar uma decisão ou não será capaz de dar continuidade às decisões que tomar. Por quê? Porque você não pode mais enganar o amor! Quando você realmente se ama e ama as outras pessoas, você honra sua palavra.

Estar no terceiro andar não significa que você não terá mais as reações emocionais normais às situações da vida, freqüentemente estressantes. Significa que irá se recuperar mais rapidamente de uma revolução emocional, porque aplicará amor à situação. O que o amor faz aqui? Este é o mantra do terceiro andar, a oração que você irá recitar frente a qualquer adversidade. Ser capaz de aplicar amor a uma situação não significa covardia ou fraqueza. Significa simplesmente que você faz tudo a partir de uma consciência de amor, em vez de agir a partir do medo, da raiva ou da confusão. Se refletir por um instante a respeito de suas tarefas caseiras, saberá que a última tarefa antes que a casa esteja brilhando normalmente é a mais difícil. Você já fez tanto durante tanto tempo, que quer simplesmente descansar. Também sabe que não deve adiar: se não fizer isso agora, não só o trabalho ficará incompleto, como terá que retomá-lo amanhã, quando irá se sentir pior do que se sente agora. Portanto, reúna todas as suas forças e ataque este último pequeno detalhe, trazendo a luz para dentro.

DEIXE A LUZ ENTRAR!

Luz é conhecimento. Onde não existe conhecimento existe a escuridão. A luz é a presença do dia, onde as coisas podem ser vistas e admiradas. À medida que começamos a praticar todas as coisas que aprendemos nos andares inferiores, trazemos a luz para aqueles que ainda não começaram sua jornada ou para aqueles que estão apenas no meio do caminho. À medida que aplicamos os princípios à nossa vida e ela começa a mudar de rumo, trazemos um raio de esperança para os que estão nos observando. Entretanto, quando permitimos que antigos hábitos, antigos pensamentos, antigos medos guiem nossas ações, nós retrocedemos. Não queremos fazer isso. Retroceder pode empurrar-nos de volta para o primeiro ou para o segundo andar. Não queremos voltar para lá! Queremos ficar exatamente onde estamos. Se é assim, temos que investir para praticar o que sabemos e não nos deixarmos ficar paralisados pelas nossas formas antigas de fazer as coisas.

Dizer algo e não sustentar com ações significa que estamos, por algum motivo, paralisados. Talvez não tenhamos dito a verdade ou estejamos confusos e tenhamos perdido de vista nosso objetivo. Foi isso o que aconteceu com Karen. Ela não disse para Stan a verdade a respeito do que estava sentindo, por medo de aborrecê-lo. Ela assumiu a responsabilidade por ele e pela vida dele sem contar a verdade absoluta – que ela havia superado o relacionamento. Karen fizera seu trabalho e andara pela casa do amor. Tinha chegado ao terceiro andar legitimamente, mas estava envolvida em um relacionamento com alguém que morava no porão, culpando outras pessoas por sua situação, acreditando que os outros eram o problema. Será que uma pessoa que mora em um andar superior pode ter um relacionamento satisfatório com alguém que mora em um andar inferior, alguém que não fez todo o seu trabalho? Lógico – às vezes.

APROXIME-SE E TOQUE – MAS NÃO CAIA!

O segredo de um relacionamento entre duas pessoas que vivem em andares diferentes será a capacidade de manter sua posição. Será que somos capazes de seguir no nosso curso sem nos deixar paralisar pelas questões de nosso parceiro? Se o amor está realmente presente, irá ajudar-nos a encontrar um lugar em comum, algum terreno onde os dois possam ficar. O difícil para você é não tentar convencer a outra pessoa de que ela deve fazer o que você está fazendo. A parte complicada para ela é não se sentir ameaçada pelo que você está fazendo. O amor ajudará a equilibrar a situação. A resistência ajudará a construir seus músculos espirituais. Porém, preste atenção para não permitir que a diferença os faça entrar em conflito. Infelizmente, Karen tornou-se cúmplice de Stan. O resultado foi paralisia.

Não é amoroso pedir que as pessoas façam o que não somos capazes de fazer. Você sabe o que uma pessoa consegue fazer observando o que ele ou ela faz. Algumas pessoas pedem ajuda. Admitem prontamente que não sabem o que fazer e que gostariam de ajuda para tentarem descobrir. Esta é uma pessoa do segundo andar. Esta é uma pessoa que, pelo menos, está mostrando algum interesse em dar um jeito na vida. Se vai realmente conseguir é outra história. Lição do porão: disposição. Existem situações nas quais só se precisa de disposição. Se tiver, a vida e o universo darão o empurrão de que você precisa. Stan não pediu ajuda ou apoio, uma indicação clara de que não estava disposto. Talvez, como a maioria dos habitantes do porão, nem estivesse consciente de que precisava de ajuda. A coisa mais amorosa que Karen podia ter feito era manter-se em constante comunicação com Stan, procurando torná-lo consciente de seus verdadeiros sentimentos da melhor maneira que pudesse. Precisava reconhecer o que estava sentindo e expressar para ele. Isso a manteria segura. Isso teria evitado a paralisia. Isso teria evocado o poder e a presença do amor. Quando você está vivendo no terceiro andar da casa do amor, aprendendo como praticar o que sabe, você tem que invocar o poder e a presença do amor em todos os momentos. Se não o fizer, irá voltar para os degraus entre o segundo e o terceiro andares, tentando superar mais alguns de seus problemas. Foi exatamente o que aconteceu com Karen e quase aconteceu com Faye.

VOCÊ TEM LIBERDADE PARA ACREDITAR NO QUE QUISER ACREDITAR!

Tim era médico. Faye era enfermeira. Foi assim que se conheceram. Ela era uma enfermeira muito dedicada e competente e ele era uma estrela em ascensão na cirurgia. Tim gostava da maneira como Faye trabalhava. Ela se concentrava. Era detalhista. Trabalhavam bem juntos e ele sempre pedia que ela fosse designada para ajudá-lo nas cirurgias. Um dia, depois de quase um ano trabalhando juntos, ele a convidou para jantar. Foi maravilhoso, e eles continuaram saindo. Tim sempre brincava, por ela ser tão calada. Mas ele gostava disso, porque era um grande tagarela. O que Tim não sabia era que o silêncio de Faye era um comportamento adquirido. Ela crescera em uma família onde seu pai dominava totalmente sua mãe, até mesmo, em algumas ocasiões, fisicamente. Tim não percebeu que você se torna o que vê. Ele não sabia e Faye não ousava falar sobre o assunto.

Faye vira sua mãe passar por anos de maltratos mentais, emocionais e às vezes físicos. O pai de Faye trabalhava em um depósito de madeira, assistia aos jogos de beisebol e bebia cerveja. Para o pai de Faye, tudo tinha que estar perfeito. Ele exigia que as coisas fossem feitas de uma determinada maneira. Infelizmente, esqueceu-se de dizer à mãe de Faye que maneira era esta e ela tinha medo demais para perguntar. De muitas formas, Faye sentia-se exatamente do mesmo jeito com Tim. Tudo tinha que ser perfeito. Para crédito de Faye, ela havia entendido mais ou menos o que deixava Tim satisfeito. Ainda assim, sentia que ele tinha poder de comando sobre ela, um poder sobre o qual ela não podia falar e não sabia o que fazer. Então, quando ele a pediu em casamento, ou quando lhe disse que ela se casaria com ele, ela obedeceu.

Quando voltaram da lua-de-mel, Faye havia começado a se perguntar se fizera a coisa certa. Sua mãe e todos os seus amigos disseram que ela havia feito a coisa certa. Uma moça tão calada, casada com um gênio da cirurgia! Como ela podia estar errada? Tiveram um grande e lindo casamento porque Tim e sua família pagaram tudo. Como podia estar errado? Mas ela tinha essa sensação em seu estômago, havia sinos tocando de leve em sua cabeça. No início, Faye resistiu, mas, quando percebeu que estava se fechando, resolveu examinar o que estava sentindo. O sentimento foi ficando cada vez mais claro à medida que os meses iam passando. Tim era mais do que dominador. Ele a repreendia. Repreendia-a de uma forma tão sutil, que ela levava alguns minutos para entender que estava sendo repreendida. *"Ah, você é uma enfermeira competente, por que não tentou se tornar médica? Então poderíamos realmente trabalhar juntos."* "Seu cabelo é bonito, mas se fosse mais curto, ou talvez com reflexos, ficaria muito melhor." Coisas assim. Segundo Tim, Faye era sempre boa, mas não boa o suficiente.

Ela nunca chegou a se dar conta que os elogios de Tim não tinham como objetivo torná-la uma pessoa melhor. Ainda que ele dissesse freqüentemente: "Quero apoiá-la para que você se torne uma pessoa melhor", Faye nunca entendeu o que havia de errado com a pessoa que ela era. Ela não achava que havia algo errado, mas se seu marido dizia o que ela deveria fazer, talvez ela devesse. Seus ouvidos ouviam o que ele dizia, seu cérebro estava entendendo, mas seu corpo gritava: "Alerta Vermelho! Alerta Vermelho!" Quanto mais ela tentava ignorar, mais alto o alarme tocava. O alarme interno de Faye tornou-se tão alto, que ela começou a ter urticária. Nosso corpo nunca mente. Ele nos diz exatamente o que precisamos saber o tempo todo. No terceiro andar, temos que escutar. Temos que investigar. Temos que encontrar a causa do alarme e reagir à informação. Faye era nova no terceiro andar e ainda não havia entendido isso muito bem.

VOCÊ NÃO PODE ESCONDER A VERDADE!

Após três anos de casados, Tim começou a insistir para que

Faye parasse de trabalhar e lhe desse filhos. Havia chegado a hora, de acordo com o calendário de Tim, de ter filhos. Toda vez que ele falava isso, sinos e apitos disparavam na cabeça dela. Faye ficava paralisada. Não sabia por quê, mas sabia que não estava pronta. Tim tirou as pílulas anticoncepcionais de Faye, porque disse que estava na hora. Como Faye sabia que não era a hora para ela, conseguiu outra receita com outro médico e guardou as pílulas em seu armário no trabalho. Imaginava quanto tempo Tim levaria para perceber que ela ainda estava tomando anticoncepcionais. As urticárias pioraram e os sinos e apitos continuaram a disparar. Passaram-se quatro meses antes que ele a confrontasse: "O que há com você? Por que não pode ter filhos?" Sinos, apitos, luzes e urticária, todos dominaram seu cérebro antes que ela tivesse oportunidade de pensar. Como ela não estava pensando, as palavras meio que caíram para fora de sua boca. A queda foi bastante barulhenta: "Não quero ter filhos com você. Nem mesmo gosto de você! Você é parecido demais com o meu pai!"

Tim ficou boquiaberto! Não, ficou chocado! Não, ficou magoado! Apague isso, seu ego era grande demais para que ele ficasse magoado. Ficou enfurecido! Os sinos e apitos haviam parado e Faye podia sentir a urticária desaparecendo. Quando você toma coragem para dizer o que precisa dizer, o resto da coragem vem até você. Tim perguntou o que ela queria dizer. Se não quiser saber alguma coisa, não pergunte! Tim perguntou. Faye respondeu. Disse que ele a humilhava. Continuou, e disse que ele era egocêntrico. Ainda lhe informou que suas dicas e indiretas dirigidas a seu desenvolvimento pessoal a irritavam. Mesmo estando zangado do jeito que estava, Tim ouviu, realmente escutou. Então disse a Faye que ela estava tendo um desequilíbrio hormonal, talvez por causa do corte abrupto das pílulas anticoncepcionais. Disse que iria conseguir uma receita de algum remédio e que ela devia parar de comer açúcar refinado durante algum tempo. Ela olhou para ele como se ele possuísse duas cabeças, chamou-o de idiota e saiu em disparada da sala. Em algum ponto no fundo de seu cérebro, Tim pensou: "Ela está grávida! Ah, meu Deus! Ela está grávida! É por isso que está tendo essas alterações de humor!" Quando estão entrando no meio-tempo, algumas pessoas ficam surdas!

Mal se falaram durante os dois dias seguintes, o que significava que Tim não estava tentando melhorar a aparência de Faye de forma nenhuma. Mas o clima entre eles era tão pesado, havia tantas questões flutuando no ar, que você conseguia tocá-las, quase vê-las.

Tim estava ficando um pouco nervoso. Faye não era assim, ele se queixou para sua mãe. Ele tinha uma visão muito diferente daquele pequeno conflito, o que também relatou à sua mãe. Adquirira um produto estragado! Ela nunca fazia nada por si mesma, a não ser que ele dissesse como fazer! Ela era bastante inteligente, mas nunca tentava conseguir uma posição melhor e nunca havia realizado nada que valesse a pena mencionar! Sim, era enfermeira, mas e daí? Talvez tivesse habilidades, mas sua esposa devia ser cirurgiã. Sua esposa possuía habilidade para ser uma cirurgiã bem paga. Em vez disso, contentava-se com uma posição secundária. Será que ele havia cometido um engano? Sim! Ele estava falando tão alto, que não ouviu Faye entrar na sala. Este foi o primeiro erro. O segundo foi dizer: "Oi, querida! Posso fazer alguma coisa por você?" Quando *ele sabia* que ela não estava falando com ele.

A mãe de Tim era o tipo de mãe que não gostava de ver seu único filho aborrecido. Não gostava da idéia de que alguma mulherzinha, cujo casamento ela havia pago, estivesse aborrecendo seu filho único e altamente qualificado. Achou que ela e Faye precisavam ter uma conversa de mulher para mulher. Na verdade, ela disse: "Vou consertar essa pestinha!" E claro que ela não contou para o filho que iria conversar com sua esposa. Apenas achou que deveria conversar com ela e colocá-la na linha. Além do mais, estava ficando velha e queria alguns netos com os quais pudesse passar algum tempo antes que todos os seus dentes caíssem!

Será que Faye percebia o partidão que conseguira? A mãe de Tim queria saber. Havia centenas de milhares de mulheres que se orgulhariam de estar casadas com um cirurgião brilhante. Provavelmente havia o dobro que saberia como tratá-lo. Será que ela percebia a sorte que tinha? Os sinos e apitos dispararam e depois pararam. Faye não estava com raiva nem aborrecida. Estava calma. Muito, muito calma. Estava calma como há muito tempo não se sentia, porque realmente ouvira o que a mãe de Tim estava dizendo. Veja, você tem que escutar o que as pessoas dizem, não o que você ouve. Tem que escutar as palavras, não a inflexão que usam. Tem que escutar as perguntas que fazem quando estão aborrecidas, porque essas perguntas revelarão quem essa pessoa é, quem pensam que você é e quem você pensa que é.

O DOMÍNIO DE SI FORTALECE O CORAÇÃO!

Faye escutou. Ela ouviu, ela viu. Entendeu que ainda não havia chegado à auto-aceitação e ao amor-próprio. Por isso havia se submetido à repreensão, à humilhação e à opressão. Como nunca se sentira segura sobre o que desejava de um relacionamento, aceitou a primeira coisa que lhe ofereceram, sem saber exatamente o que era. Como vira seu pai e sua mãe fazerem isso, acreditava que tinha que fazê-lo. Faye passou a maior parte da vida fazendo o que as outras pessoas queriam que ela fizesse. Estava finalmente modificando seu padrão de comportamento e por isso as pessoas se aborreciam com ela. Agora, eis aqui a verdadeira beleza de subir para o terceiro andar – estar lá não significa que nunca mais teremos problemas em nossa vida, com nós mesmos ou em um relacionamento. Porém, já que estamos aprendendo como fazer as coisas, quando os problemas começarem a aparecer na nossa vida no terceiro andar, saberemos o que fazer e estaremos dispostos a fazê-lo. O como, já aprendemos, é com amor. Faça com amor e faça imediatamente! Faye fez as malas e foi embora.

Faye sabia que estava na hora de passar algum tempo com ela mesma. Consciente de que estava morando na casa do amor, sabia que perdera alguns passos e que tinha que voltar e arrumar algumas coisas. A verdade é que isso não tinha nada a ver com Tim. Ele estava apenas verbalizando para Faye as coisas que ela pensava a respeito de si mesma. Ela sabia e aceitava isso. Veja, no terceiro andar dominamos a aceitação e estamos dispostos a praticá-la. Como é que se faz isso? É não se zangando com as pessoas quando elas lhe dizem o que você já sabe. Você não parte para a negação ou acredita que as pessoas não deveriam lhe dizer determinadas coisas. As pessoas podem dizer o que quiserem! A questão é como você irá reagir. Faye reagiu dando passos em direção à autocorreção. Os Quatro Ps. Não tinha certeza se queria terminar seu casamento, mas sabia que precisava de algum tempo e espaço para pensar a respeito. Ela levou três semanas. Neste período, não foi trabalhar. Não falou com Tim. Deixava uma mensagem na secretária eletrônica todos os dias, apenas para que ele soubesse que ela estava bem e que se falariam em breve.

Quatro semanas após a conversa de mulher para mulher, Faye conversou com Tim. A primeira coisa que fez foi pedir perdão por ter ido embora tão abruptamente. Excelente comportamento do terceiro andar: fale a verdade, admita que cometeu um erro. Não se desculpe por ter feito o que precisava fazer, mas peça perdão por causar qualquer problema ou sofrimento à outra pessoa. Faye disse a Tim exatamente como se sentia. Disse-lhe exatamente o que queria. Disse o que pretendia fazer para conseguir o que queria. E disse a Tim o que esperava dele no processo, perguntando se ele estava disposto a apoiá-la. Faye disse a Tim que percebera que o amava, mas que também sabia que tinham muito trabalho a fazer quanto ao seu relacionamento. Tim concordou e pediu o apoio dela. Juntos, trabalharam para transformar sua experiência no terceiro andar em uma experiência amorosa.

Quando ocorre uma mudança em alguém, todo mundo e todas as coisas em torno também mudam. No terceiro andar não nos aborrecemos por estarmos em uma experiência de meio-tempo. Estamos dispostos a nos envolver com as experiências que estamos tendo, sem nos assustarmos com elas. Somos muito mais capazes de refletir nas situações em que, anteriormente, ficávamos completamente aterrorizados, quando o que acontecia não parecia corresponder ao que gostaríamos que fosse. Sabemos que é necessário algum tempo para observarmos a nós mesmos e às nossas experiências com a mente aberta, para não seguirmos em frente fazendo o que fazíamos, da maneira como fazíamos, sem perceber a tristeza que causávamos a nós mesmos.

A confiança é o que vai tornar a sua estada no terceiro andar agradável e significativa. Esperemos que você tenha realmente aprendido a confiar em si, em Deus, nas outras pessoas e no processo da vida. Como resultado, quer esteja ou não em um relacionamento, irá se sentir muitíssimo bem. Quer tenha ou não dinheiro, sabe que irá conseguir. Você sabe que o pêndulo da vida balança para os dois lados e que, mais cedo ou mais tarde, irá – não, terá que balançar em sua direção.

Nesse meio-tempo, você está seguindo, fazendo o que pode fazer, sentindo-se bem em saber que as coisas irão mudar para melhor. Essa é a experiência que chamo de Reme Seu Barco. Reme, reme, reme seu barco. Faça o que pode fazer. Suavemente, correnteza abaixo. Não se aborreça. Vivencie sua experiência. Não lute contra a correnteza. Feliz, feliz, feliz, feliz. Levante-se, mantenha-se em sintonia. Você sabe que pode mudar sua situação no momento que quiser. Quando quiser fazê-lo, juntará todas as informações que acumulou em sua jornada pela casa do amor, e a mudança será inevitável.

ADIAR É UMA ROUBADA!

Jean e Andy estavam absolutamente apaixonados, nenhuma dúvida quanto a isso. Ambos eram jovens – ela tinha trinta e um, ele tinha trinta e cinco. Você acha que isso não é jovem? Claro que é, se você considerar que só se começa a saber das coisas depois dos trinta. Ambos haviam estado ocupados construindo suas carreiras. Ele era editor em uma grande empresa. Ela era produtora em uma grande estação de televisão. Divertiam-se juntos. Comunicavam-se bem um com o outro. Possuíam um futuro brilhante que ambos antecipavam ansiosamente. Continuavam adiando o casamento por motivos relacionados a suas carreiras. Além disso, não havia urgência nem histeria. Sabiam que queriam se casar; simplesmente não estavam com pressa.

Foi bem no meio da apresentação de um programa jornalístico que Jean recebeu o telefonema. Que tipo de emergência?! Andy fora levado às pressas para o hospital. Havia sofrido um ataque cardíaco. Para surpresa geral, algumas horas depois, este jovem brilhante estava morto, com trinta e cinco anos. Jean ficou arrasada. Mais do que isso, ficou danada da vida. Danada consigo mesma por não ter aproveitado a oportunidade quando a teve; danada com Andy por ter morrido, e danada com Deus por fazê-la passar por isso! Ela sofreu em seu funeral. Vasculhou o apartamento dele. Vasculhou suas coisas. Retomou seu trabalho uma semana depois, com toda a eficiência de que era capaz.

Existem algumas coisas tão dolorosas, que, quando você as sente, acha que vai morrer. Acha que não é possível sobreviver à experiência. Você tem medo deste tipo de dor. Você não consegue falar nem pensar a respeito da dor. A única coisa lógica que você é capaz de fazer quando começa a sentir a dor é reprimi-la. Jean reprimiu sua dor com comida.

Menos de nove meses após a morte de Andy, Jean ganhara mais de trinta e dois quilos. Nenhum de seus amigos ousava dizer nada a ela, apesar de todos notarem as mudanças. Todos perceberam que ela estava um pouco mais temperamental do que o normal e atribuíram ao fato de ela estar tentando adaptar-se à vida sem Andy. Jean percebeu que se tornara muito indiferente, mas atribuía isso ao fato de estar trabalhando muito. Só quando o novo produtor executivo a convidou para sair foi que os sinos e apitos começaram a disparar em sua cabeça. Ele fora transferido de outra estação e não conhecia a história dela. Ninguém ficou surpreso quando ela recusou o convite, com a maior agressividade. Jean ainda era uma mulher bonita, apesar do peso. Ainda era excelente produtora. Ninguém falava nada a respeito de seu peso ou de seu mal humor porque sabiam o que havia acontecido.

Chegou a um ponto em que Jean explodia por qualquer coisinha, espantando todo mundo. Só o pobre produtor não percebeu nada e continuou perseguindo Jean. Finalmente, começaram a conversar, primeiro a respeito de trabalho, depois sobre eles próprios. Um dia, ele notou o anel de noivado no dedo dela e perguntou a respeito, achando que este era o motivo pelo qual ela não saía com ele. De qualquer jeito, ele gostava de Jean e queria ser seu amigo.

No instante em que ele fez a pergunta, a dor explodiu no corpo de Jean e ela se voltou contra ele, dizendo coisas bastante desagradáveis. Ele simplesmente esperou até que ela tivesse terminado, antes de perguntar: "Por que você está tão zangada?!" Ela reagiu, gritando e dizendo que não estava zangada. O estúdio inteiro ficou imóvel. A dor atingira o ponto de ebulição e entornara em cima da cabeça do produtor. Ela bateu nele. Ele deu um passo para trás e ela bateu nele de novo. Ele agarrou as mãos dela, abraçou-a e recusou-se a soltá-la. Todo mundo no estúdio parou de respirar. Jean parou de lutar. Colocou a cabeça no ombro dele e chorou. Chorou durante muito tempo, porque era a primeira vez que chorava desde que Andy morrera.

Entregue-se aos sentimentos. Reconheça-os e expresse-os. Se não o fizer voluntariamente, o fará involuntariamente, e às vezes de forma inapropriada. No terceiro andar, você tem que viver em total honestidade. Tem que falar a absoluta verdade a respeito de tudo, o tempo todo. Se optar pela negação ou pela crítica, a dor que irá sentir em seu corpo será tão intensa, que você irá explodir. As experiências do terceiro andar não são sobre o certo ou o errado. São sobre força e coragem. Não são sobre manter a imagem ou o ego. São sobre estar vulnerável. O amor incondicional nos torna vulneráveis às experiências e às pessoas. Se não estivermos vulneráveis, não poderemos nos abrir. Se não nos abrirmos, não poderemos conhecer o amor nas muitas formas que ele assume. No terceiro andar, o ponto principal de todas as nossas experiências será aceitar o fato de que tudo o que fizermos por amor será o melhor que podemos fazer naquele momento. Devemos aceitar isso, porque é a mais absoluta verdade.

Capítulo 12

TROCANDO A MOBÍLIA DE LUGAR

Stella passou sete anos em um relacionamento com Matt. No final dos sete anos, ela era a mãe solteira de duas crianças e, como muitas outras, passara alguns anos em um relacionamento com um homem bastante decente. Quando Matt foi embora, Stella dedicou sua vida às crianças. Ela acreditava firmemente que, se você cria uma criança direito, não terá que consertar um adulto. Estava determinada a lhes dar o melhor. Nesse processo, nunca deixou que outro homem entrasse em sua vida.

Quando se separaram, Stella ainda era jovem. Disse a si mesma que não queria dar mau exemplo para as crianças tendo vários homens entrando e saindo de sua vida. Eu não sei dizer por que ela achou que não poderia encontrar um parceiro certo e estabelecer uma relação estável. A verdade é que Stella andava zangada. Ela ia zangada à igreja. Ia zangada à reunião do grupo de apoio às mães solteiras. Participava muito da vida de seus filhos, ainda que estivesse zangada, e se dedicou totalmente a eles, usando isso como um disfarce para negar sua raiva. Nesse meio-tempo, também estava negando a si mesma o prazer, a felicidade e o companheirismo de um relacionamento que realmente queria, mas que tinha medo de não conseguir.

As crianças são companhias legais, mas existem alguns aspectos de um relacionamento amoroso que as crianças não podem fornecer. Stella transformou seus filhos em seus parceiros e companheiros e, enquanto ela aprendia com eles muita coisa a respeito de amor incondicional e paciência, não aprendia o suficiente para eliminar a raiva que carregava há tanto tempo. Durou muito tempo e passou muito rápido. Stella percebeu que seus filhos eram adolescentes quando uma garota ligou para seu filho. Bem, ele tinha dezessete anos e estava se preparando para a faculdade. Era um bom garoto, que tirava notas altas e nunca dera um instante de trabalho para sua mãe. Ainda assim, por algum motivo, Stella sentia-se muito desconfortável com o novo interesse amoroso de seu filho.

Uma mãe que se sente desconfortável pode tornar nossa vida muito difícil. Ela realmente não pretende, mas torna. Stella passou a monitorar os movimentos de seu filho muito atentamente. Isso incluía restrições nos fins-de-semana, hora de chegar nos dias úteis e controle, isso mesmo, controle de seus telefonemas. Quinze minutos por dia, nada mais. Se passar dos quinze minutos hoje, isso será deduzido de seus quinze minutos amanhã. Vê o que eu quero dizer? Ela se sentia muito desconfortável. Ele era um filho tão bom! Agüentou isso apenas porque amava e respeitava sua mãe. Pelo menos agüentou até ela se recusar a deixá-lo ir em uma viagem com amigos para esquiar. "Essa menina vai? Vai. Bem, então você não pode ir!"

Mesmo um bom filho que tira notas altas tem seu limite. Esse menino de dezessete anos, que estava com um pé fora da porta da casa de sua mãe e dentro da universidade, havia alcançado o seu. *"Você está com raiva apenas porque eu tenho alguém e você não tem! É por isso que você não sai com ninguém há dez anos! É por isso que não se arruma nem sai! É por isso que gastou sua vida comigo, mas eu não vou ficar aqui, e você vai ficar sozinha!"* No terceiro andar, a verdade nos atacará do lugar mais inesperado! Irá pular na nossa cara. Vai balançar o dedo no nosso rosto e lavar a roupa suja em público. Se temos negado a verdade, ela vai nos morder com tanta força, que vamos querer contra-atacar, mas seremos incapazes de fazê-lo. Podemos até mesmo tentar retrucar com algo do tipo: "Não ouse levantar a voz comigo!" Isso é muito pouco para impedir que a verdade o ataque!

"Você está com ciúmes de nosso relacionamento com papai. Você quer que nós o odiemos como você o odeia. Você está com raiva porque ele tem uma nova vida e uma nova esposa. Mesmo quando ele tenta ser seu amigo, você não deixa. Se não parar de ficar zangada com ele, irá me perder do mesmo jeito que o perdeu!" Desculpe-me, mas ela pediu isso. As crianças são tão claras, tão observadoras, podem ver através de você como um aparelho de raios X. Sabem o que você faz e, às vezes, por que faz. Stella havia criado seus filhos não para que desafiassem a autoridade, mas para que falassem sua verdade quando os representantes da autoridade estivessem violando princípios e integridade. Ela tinha orgulho disso em suas crianças. O que não percebeu foi que tudo o que ela lhes ensinou também se aplicava a ela!

Ela nunca havia falado mal do pai deles, mas estava envolvida em um cabo-de-guerra silencioso pelo amor e afeição dos filhos. Sempre que as crianças iam visitá-lo, voltavam com presentes que Stella considerava coisas frívolas, coisas que ela não podia dar a eles (carrinhos com controle remoto, calças de grife, aparelhos de som e assim por diante). Ela achava que ele estava comprando o carinho deles, enquanto ela dava duro para construir um lar para eles. Sempre que acontecia algo importante, papai aparecia. Ele dizia uma palavra e as coisas se resolviam. Todas as vezes que ele fazia isso, Stella tornava a ficar com raiva por ele a ter trocado por uma mulher mais jovem.

Bem lá no fundo, Stella estava contente por os filhos terem uma relação amorosa com o pai. Ele sempre os sustentara financeiramente, embora no começo apenas esporadicamente. Entretanto, no momento em que ele deu um jeito na vida *com aquela mulher*, Stella nunca mais teve que ligar perguntando pelo cheque. A verdade é que Stella estava tentando puni-lo por havê-la abandonado. Decidira que, ao deixá-la com duas crianças, ele havia arruinado sua vida. Por isso, determinou que ele precisava ser punido. Todas as vezes que ele via como ela trabalhava duro, como era dedicada, como a vida dela era completamente centrada nas crianças, ela rezava para que se sentisse culpado. Aparentemente, ele não se sentia.

O que você dá, você recebe! Quando você mora no terceiro andar da casa do amor, irá receber tão rápido, que não terá escolha a não ser assumir inteira e total responsabilidade por si e por seus atos. Não pode culpar os outros, esconder ou evitar problemas. Os holofotes estão em cima de você! É quente! É desconfortável! Você tenta se lembrar do quer dizer daqui por diante. Você sabe que está sob observação e quer fazer tudo certo. Esqueça o certo! Você está no meio-tempo. Mesmo em um meio-tempo no terceiro andar, nada é certo, e está tudo bem, mesmo que pareça completamente errado! Você tem que andar mais um pouco. Fazer apenas mais um pouquinho de faxina. Mais importante, você tem total capacidade para reavaliar se ainda quer o que um dia pensou querer. Esses são todos comportamentos do terceiro andar – permitir que seus problemas venham à tona para que você possa fazer as mudanças necessárias, com amor.

POR QUE EU FAÇO O QUE FAÇO?

Fomos sempre ensinados que nosso trabalho na vida é sair e encontrar o parceiro perfeito, quando na verdade nosso trabalho é encontrar a perfeição que existe em nós. Como eu não sabia o quanto era perfeita, tinha medo de que as pessoas me abandonassem. Achava que, se abrisse meu coração para elas, iriam pegar o que queriam e me abandonariam. Através das várias experiências que tive em todos os tipos de relacionamentos, aprendi que as pessoas não nos abandonam simplesmente. Têm que ter uma razão para nos abandonarem. Se não possuem uma razão válida, irão fabricar uma, só para poderem ir embora – para saírem do caminho do amor. Havia uma parte minha, uma parte de minha própria psique que dizia: "*Se você der às pessoas tudo o que elas querem, elas não irão abandoná-la como sua mãe fez!"* Quando eu tentava fazer isso, tornava-me uma estúpida bajuladora de pessoas, evitando a dor do abandono. Fazia o que achava ser preciso para mantê-las a meu lado, perto de mim. Afinal, acabei irritando-as e elas me abandonaram de qualquer jeito. Eu achava que era amor. Os parceiros achavam que eu os estava sufocando. No final, acabei rejeitada ou abandonada. Eles conseguiram escapar das garras da minha carência inteligentemente disfarçada de amor.

Algumas pessoas pulam dentro do estádio do relacionamento, fazem o gol, recebem os duzentos paus e nunca mais se ouve falar delas. Então existem aqueles que já ficaram noivos dezoito vezes e nunca chegaram ao altar. Também existem aqueles que fizeram seu trabalho espiritual, que criaram uma vida significativa, com propósitos, que examinaram minuciosamente seus problemas, os arrumaram, e ainda assim não conseguem encontrar ou manter um relacionamento amoroso comprometido. Não existem garantias!

Não existe garantia de que, no final do dia, depois de todo o trabalho que teve, você vá conseguir um parceiro, ter um relacionamento ou salvar o relacionamento no qual se encontra. A questão a respeito do terceiro andar é que essas preocupações não são mais fundamentais para você. Ter um relacionamento ou estar apaixonado não é mais um aspecto fundamental na sua vida. Isso não significa que você não queria ter um relacionamento. Quer dizer que não irá mais perder noites de sono por não ter um. O que é fundamental para você no terceiro andar é curar-se para poder servir e dar apoio a quantas pessoas puder, de todas as maneiras que puder. Você mudou da atração física do porão, carente, pegajosa, "tenho que ter você, meu bem", para "o amor está presente o tempo todo". Amor é o que eu sou. Amor é o que eu dou. Amor é o que eu recebo. Você enxerga tudo como amor. Você vê o dinheiro como amor. No terceiro andar, você está aprendendo a lidar com todas as situações que surgirem, até que realmente encontre uma parceria que ajude você a crescer.

Eis um erro gigantesco que às vezes cometemos: achamos que podemos rezar e meditar durante tanto tempo e com tanta intensidade, que Deus irá mandar alguém para nos amar. Não podemos trabalhar para amar a nós mesmos, encontrar a nós mesmos com a única finalidade de encontrar e amar outra pessoa. Devemos fazê-lo para nosso próprio bem. Temos que amar, honrar e respeitar nós mesmos para nosso próprio bem – sem nenhuma outra condição. É só no terceiro andar que isso faz sentido. Nos andares inferiores ainda estávamos lidando com muitas questões. Agora, estamos prontos. Prontos para fazer a mudança do amor condicional para o amor incondicional. Agora, estamos prontos para ficar em nossa própria companhia, em vez de sozinhos. Passamos por um processo de meio-tempo no qual nos tornamos autoconscientes e capazes de fazer os desvios e as mudanças necessárias para a transformação espiritual. Não estamos mais à procura apenas de satisfação física, emocional ou sexual. Desejamos a verdadeira e total experiência do amor. Se é isso o que estamos procurando, é isso que iremos conseguir.

A PRÁTICA LEVA À PERFEIÇÃO!

Uma coisa é estudar espiritualidade em um livro, ou em uma escola onde recebemos apoio, onde o professor está ali dizendo o que fazer e como fazê-lo. Mas para que queremos aprender? Aprendemos para poder sair e colocar o que aprendemos em prática. Na sala de aula adquirimos e desenvolvemos a habilidade. No mundo externo, você afia sua habilidade, colocando em prática tudo o que aprendeu. Eventualmente, irá encontrar alguma comunidade ou experiência onde todos desejam saber o que você sabe. Ou onde todo mundo sabe o que você sabe e quer ajudar você a crescer mais.

Como é que você pode pegar o que aprendeu sobre o amor e aplicar em todas as áreas de sua vida? Junte resistência com amor. É assim que irá afiar suas habilidades. Encontre seu eixo e mantenha-se firme nele. Não tente converter os outros à sua forma de pensar. O fato de ser a única pessoa que pensa da forma como você pensa não quer dizer que há algo errado com o que você faz. Significa que todas as vezes que encontra resistência, você tem uma oportunidade de fortalecer mais um músculo do amor. Não duvide de si. Saiba que a resistência irá aparecer em níveis diferentes, com personagens diferentes. Cada vez que você enfrenta resistência, estará desenvolvendo sua energia.

DE REPENTE, ACONTECEU!

Ralph, que tem cinqüenta e cinco anos, está divorciado há vinte e cinco anos. Durante esse tempo, teve vários relacionamentos que terminaram amigavelmente, e ele continua amigo de todas as parceiras que teve. Quero dizer, eles saem para jantar, mandam cartões de aniversário um para o outro, dão uma passada na casa um do outro no Natal e tudo o mais. Ele tem dois filhos de relacionamentos depois do divórcio. Conhece seus filhos, participou de suas vidas da melhor maneira que pode e eles nunca dão um passo sério sem discuti-lo com o pai. São amigos de verdade.

Ralph tem muitos amigos. Em todos os lugares do país onde você vá existe alguém que conhece Ralph. E é difícil ouvir alguém falando qualquer coisa negativa a respeito dele. Tudo o que ele faz é amar e servir as pessoas. Não importa quem você seja; se houver qualquer coisa que Ralph possa fazer para ajudar, ele o fará, alegremente e de boa-vontade, sem impor nenhuma condição. A qualquer hora que você ligue, em qualquer momento que precise dele, qualquer coisa que ele tenha e que você necessite, ele lhe dará. Também não o faz em detrimento próprio. Se ele não tem, não hesita em dizer: "*Eu não tenho isso agora, mas serei capaz de arranjar. Pode esperar?"* Este homem é o amor total, completo e incondicional em figura de gente!

Pode estar sendo chato ficar falando sobre ele, ou você pode achar que estou idealizando. Tranqüilize-se, é claro que Ralph tem suas contradições. Mas se estou falando apenas desses aspectos é porque quero realmente dar uma imagem de como é o amor no terceiro andar. Se Ralph topa com alguma coisa que ele acha que você vai gostar ou pela qual você se interessaria, ele a compra e manda pelo correio. Temos uma amiga que certa vez perdeu contato com a filha adolescente. Ela tinha uma idéia de onde a garota estava, mas não tinha como chegar lá. Liguei para Ralph, pedindo para ele tentar entrar em contato com a moça. Ele pulou no carro sem pensar duas vezes. Não a encontrou, mas fez o esforço. Como resultado de sua capacidade de amar, tudo o que Ralph precisa chega até ele de alguma forma.

No terceiro andar da casa do amor você se torna um professor. Ralph é um professor. Ele ensina os outros pela sua maneira de agir usando o amor. Provavelmente esta é a razão pela qual ele tem tantas amigas que foram parceiras em potencial, mas com as quais escolheu não se envolver. Poderia ter se envolvido, mas não o fez. Não procurou uma relação romântica só para satisfazer seu ego. Como é que ele se tornou tão sereno? Ele fez uma faxina completa na casa durante o caminho para o sótão. Aprendeu a ter paciência e muita confiança no processo da vida. Aprendeu a ouvir seu corpo e respeitar o que sente, sem inventar desculpas, se empenhando em dizer ou fazer a sua verdade e em ouvir a dos outros.

Certa vez, ele teve um emprego no qual sua supervisora o tratava como um criado. Ela morava um degrau abaixo do porão! Comportava-se de forma maldosa. Ralph percebeu que ela era muito insegura e sentia-se ameaçada por tudo e por todos. Ele fez o que pôde para fazê-la sentir-se confortável. Tudo o que ela exigia dele, ele fazia sem se sentir mal, pensando: "Qualquer que seja a lição aqui, eu vou aprendê-la!" Às vezes, eu escutava o que ele contava, e me dava vontade de esbofetear a mulher. Mas Ralph continuava, dizendo: "Vou aprender! Essa experiência vai me ensinar uma coisa importante!"

Quando você despeja amor em algo ou em alguém, isso traz à tona tudo o que não é amoroso. Quando você mistura paz à massa, isso realça tudo o que não é pacífico. A mulher não podia agüentar! Não podia agüentar a disposição luminosa de Ralph e o amor que ele despejava em seu trabalho ou em cima dela. Quando não agüentou mais, encontrou um motivo para eliminá-lo. Era uma razão minúscula, que não teria sobrevivido à menor argumentação, mas Ralph decidiu não brigar. Ele disse: "Estamos em junho. Vou tirar férias durante o verão. Tenho certeza de que alguma coisa vai aparecer até o outono."

Duas semanas após a demissão, a supervisora contou para alguém que havia demitido Ralph e explicou o motivo. Esta pessoa, que sabia a verdade, contactou Ralph, contratou-o e quase dobrou seu salário. Nesse meio-tempo, ele não teria que começar a trabalhar até o outono. A lição é que existem pessoas que irão jogar todas os seus problemas em cima de você. Você não pode permitir que isso altere quem você é ou o que faz. Se você sabe quem você é, um pouco de desconforto não deverá assustá-lo ou perturbá-lo. Apenas continue amando a si e aos outros. Acho que vocês vão gostar de saber que, nesse meio-tempo, Ralph encontrou uma mulher maravilhosa e eles estão transformando a vida juntos.

É TUDO PARTE DO PLANO DIVINO

Nunca é demais repetir: o meio-tempo é o momento e a oportunidade de construir um relacionamento melhor com nós mesmos. É um processo de auto-reflexão e autoconsciência em que temos que trabalhar se quisermos ver resultados. O meio-tempo é a oportunidade que temos de aprender a reconhecer todos os relacionamentos e experiências como meios de cura espiritual e transformação. Em todas as circunstâncias, temos que continuar aprendendo a amar a nós mesmos. O amor tem uma tal força, que, se nos engajarmos no processo de amor-próprio, iremos avançar na direção que desejamos.

O meio-tempo é um processo que resulta em movimento e mudança, levando-nos a tomar posse de nossa identidade. A ver as coisas de outra perspectiva, para fazer as coisas com uma consciência diferente, para recebê-las de mente e coração abertos, mostrando que aprendemos algo através das experiências passadas e que estamos prontos para aplicar o que aprendemos.

Podemos nos encontrar no meio-tempo em qualquer área da nossa vida. Os resultados podem ser diferentes, mas o processo é sempre o mesmo:

1. Amem a si mesmos, não importa o que aconteça! Nunca deixem que o que está acontecendo ou o medo do que poderia acontecer roube sua capacidade de amar a si mesmos. Percebam que o meio-tempo irá fatalmente criar confusão em seu pensamento, mas não se importem, pois isso é inevitável. O meio-tempo é necessário para trazer-nos de volta ao amor-próprio.
2. Sintam e reconheçam o que estão sentindo. Em vez de se afastarem para evitar a dor, aproximem-se e sintam. Sintam qualquer mágoa, dor, confusão ou fraqueza. Sintam sua vulnerabilidade e reconheçam que se sentem vulneráveis. Quando estiverem sentindo o que quer que esteja se passando dentro de vocês, saibam que não há problema em se sentir assim. Não se julguem. Não digam a si mesmos que não deveriam. Sintam! Reconheçam! Superem!
3. Expressem o que estão sentindo verbalmente ou por escrito. Vocês irão descobrir que é absolutamente necessário expressar seus sentimentos no meio-tempo. Vocês têm que dizer a alguém como se sentem. Se tentarem reprimir, irão sufocar e aquilo que vocês tentaram reprimir irá ser vomitado de forma bastante desastrosa, no momento mais inapropriado. Vocês

podem evitar muito estresse e possivelmente algum constrangimento simplesmente escolhendo como expressar o que sentem. Escrevam! Conversem com um amigo! Mas, pelo amor de Deus, nunca tentem ignorar o que sentem e nunca ajam como se o sentimento não existisse.

4. Esclareçam o que querem. O que querem fazer? Como querem se sentir? Como podem transformar a experiência que está sendo vivida? Quais são as dificuldades? O que estão dispostos ou são capazes de fazer para viver a experiência da forma mais pacífica possível? Sim, eu sei que são muitas perguntas, mas são perguntas que vocês têm que fazer se quiserem sair enriquecidos do meio-tempo.
5. Não procurem ou esperem que qualquer um torne sua experiência de meio-tempo melhor ou menos dolorosa. Vocês precisam passar algum tempo com vocês mesmos e juntar as pecinhas que deram para os outros. Se trouxerem outra pessoa como forma de distração ou compensação para o meio do processo, podem fazer um diagnóstico errado da causa de seus males.

Ainda que as circunstâncias que levam cada um de nós ao meio-tempo sejam únicas e individualizadas, o processo que nos leva ao meio-tempo e o de estar nele é bastante universal.

Primeiro, não saberemos qual é o problema. Depois, saberemos qual é o problema, mas não saberemos o que fazer a respeito. Depois, saberemos o que fazer a respeito, mas nossos problemas, nossas dificuldades nos impedirão de fazê-lo. Então, seremos forçados a olhar para nossas dificuldades e selecioná-las para chegar a uma solução. Então, saberemos o que fazer, mas não como fazê-lo. Então, seremos convocados pelas forças da vida para fazer o que formos capazes de fazer, o que temos que fazer com persistência.

Nesse meio-tempo, existem determinadas perguntas, muito específicas e oportunas, que são necessárias:

A que estou reagindo?
Será que eu disse a verdade? Para mim? Para todos envolvidos?
Qual é a minha visão do que está acontecendo?
O que espero de mim? Para mim?
Qual é minha intenção?
Posso me amar, não importa o que aconteça?
Posso amar os outros, independente do que façam?

No meio-tempo, nossas experiências e lições servem para ajudar-nos a desenvolver e articular claramente as respostas a essas perguntas. O motivo pelo qual o processo e as perguntas são tão importantes no meio-tempo é que nos irão ajudar a fazer uma ou mais das seguintes coisas:

- Encontrar nosso eixo, nosso *eu,* e aprender a aceitá-lo.
- Parar de cometer os mesmos erros em nossos relacionamentos.
- Aprender a reconhecer nossos problemas recorrentes através das experiências nos relacionamentos.
- Ficar equipados para destruir nossas fantasias a respeito do amor.
- Descobrir o verdadeiro valor e significado do amor.

O meio-tempo não existe para tentar resolver os problemas. Sim, você irá passar muito tempo procurando resolvê-los, mas este não é o objetivo. O objetivo é aprender a abraçar o amor. Deus aceita todo mundo exatamente como é e no terceiro andar iremos aprender a fazer a mesma coisa. Em vez de pensarmos que temos que resolver nossos problemas, podemos usar o meio-tempo para rearrumá-los. Isso é feito determinando quem você escolhe ser quando vive suas experiências. Se tem sido uma vítima, pode mudar isso. Se tem sido um inimigo, brigando, resistindo, negando, debatendo-se com suas experiências passadas, pode rearrumá-las. Se tem conspirado contra si, usando o que aconteceu com você como uma barreira que não permite novas experiências, você pode rearrumar a forma como pensa sobre o que fez e sobre onde esteve. Torne-se um estudante de suas experiências, estude o que elas lhe ensinaram e compartilhe com os outros o que aprendeu. Ame suas experiências, percebendo que tudo o que você é, você é porque superou seu passado.

Quanto mais você for capaz de incorporar o que aprendeu nos andares inferiores ao que faz, mais perto estará de se tornar uma verdadeira expressão e exemplo de amor. Entretanto, isso não significa que você não terá as experiências normais e estressantes que todos os seres humanos precisam enfrentar. Não significa que você irá flutuar ou criar asas. Não significa que terá dentes mais brancos ou hálito mais fresco! Mesmo no terceiro andar você às vezes irá chorar. Mas saberá que está cada vez mais perto de saber quem é e por que veio para cá. Ainda haverá momentos em que irá querer agarrar alguém pelo pescoço e esganá-lo até a morte. Mas não irá fazer isto! Saberá que tem que perdoá-lo e perdoar-se. Haverá também momentos em que você só desejará sentar-se para refletir, sentir e fazer perguntas. Isso é um ótimo sinal! Quanto mais tempo você passar na companhia do seu *eu*, mais você será capaz de aproveitar o tempo que irá passar no sótão.

O SÓTÃO

Dê um passo para trás. Olhe em volta. Está tudo perfeitamente arrumado. Está bonito. Você também. Você fez um bom trabalho! Chegou até o alto – até a suíte O Amor É Lindo. Existem dois mantras – orações, se preferir – que você pode levar para a suíte. São: "Eu tenho direito aos milagres" porque "Sou como Deus me criou para ser". Você é um milagre e, neste sentido, todas as as outras pessoas também são.

Capítulo 13

COLOQUE OS PÉS PARA CIMA E RELAXE!

O sótão da casa da vida é como a consciência das crianças, que vivem totalmente confiantes, aceitando a si mesmas e aos outros. As crianças não sabem o que está errado até que outra pessoa lhes diga. As crianças não sabem que as pessoas são feias até que ouvem a versão de alguém sobre o que é feio. No sótão da casa da vida há um coração infantil através do qual todas as coisas são boas, mesmo depois de lhe terem dito que não são. É aqui, no sótão da casa do amor, que vemos, sentimos e aprendemos a reconhecer a presença de Deus em nossas almas e em todas as outras almas.

No sótão nos comprometemos a mudar nossa consciência para um estado de amor, amor-próprio incondicional. Percebemos que, se não estivermos dispostos a fazer essa mudança, estaremos sempre querendo, esperando para ver se quem e o que queremos irá aparecer. Entendemos que, como seres humanos, temos a tendência a bajular as pessoas, dançar em volta da verdade, duvidar de nós mesmos e envolver-nos com uma série de coisas que fingem ser amor. Porque sabemos disso a nosso respeito, nos comprometemos a eliminar todas as coisas que nos afastaram do amor. Deve haver uma mudança natural em nossa consciência à medida que amadurecemos, mas às vezes isso não acontece. Carregamos nossa programação da infância para nossa busca pelo amor. "Sai da frente, menino!" Somos *treinados* para sermos empurrados. "Não me responda!" Somos *treinados* para não sermos ouvidos. "Pode esperar até que eu termine?!" Somos treinados para colocar as necessidades dos outros antes das nossas. Examinem suas experiências. Lembrem-se das emoções que experimentaram. Reflitam sobre o que fizeram no passado. Expressem esses sentimentos para si mesmos. Perdoem-se por não tê-los expressado naquela época. Criem uma nova reação. Desenvolvam novas expectativas em relação a vocês mesmos.

Durante sua jornada, vocês tiveram experiências do sótão. Isso aconteceu quando vocês se permitiram ser totalmente abertos, totalmente vulneráveis à experiência do amor. Nesses momentos, vocês não estavam preocupados com o que iria ou poderia acontecer. Estavam relaxados. Estavam confiantes. Então, seus problemas vieram à tona e vocês mudaram para medo. Os relacionamentos trazem nossos medos mais profundos à tona. O medo de falharmos, de sermos abandonados, de que gritem conosco e de não correspondermos ao que esperam de nós. Não temos consciência da maioria dessas expectativas, mas elas formam o conflito que experimentamos quando amamos com medo.

Isto significa: querer algo quando se está com medo de poder tê-lo ou mantê-lo. Pedir algo quando se está com medo de não merecê-lo ou de não ser digno de tê-lo. Procurar algo com medo de, se conseguir, machucar-se. Cada uma dessas coisas são tijolos que vão sendo eliminados à medida que mudamos e desejamos de fato atingir o amor incondicional. No sótão da casa do amor juramos que nunca mais iremos permitir que o medo nos roube a experiência do amor.

A BATALHA NÃO É SUA!

Quando Pamela era jovem, ela era muito gorda, tinha as pernas muito tortas e não podia dançar ou pular corda. As crianças implicavam com ela sem piedade. Ela continuou gorda durante a adolescência, o que significava que não conseguia arrumar um namorado. Tinha poucas amigas, pessoas que não eram cruéis o bastante para rejeitá-la da humanidade. Foi para essas garotas que ela confidenciou seus mais profundos sentimentos, incluindo o fato de estar apaixonada por um rapaz. Ele era um rapaz lindo. Alto, atlético, tudo. Não é crime gostar de alguém! Temos liberdade para gostar de quem quisermos, especialmente aos dezesseis anos. O crime é cometido quando suas prestativas amigas tentam armar um encontro entre você e o cara alto e atlético, e você conclui que é um desvio da natureza.

O crime foi brutal! Foi maligno! Este cara não só caiu na gargalhada quando soube, mas seguiu Pamela pela escola fazendo outras pessoas rirem dela com ele. Quando não tem outro jeito, você se afasta, agindo como se não ouvisse os comentários maldosos, cruéis e brutais sendo vomitados sobre sua pessoa pelo objeto do seu amor. Você anda o mais rápido que pode, numa tentativa de fugir, mas seus joelhos não cooperam. Milagrosamente, a atenção do atleta é desviada por um espécime feminino mais atraente.

Pamela parou de gostar daquele rapaz quase que imediatamente, mas não permitiu que a experiência a fizesse parar de gostar de todas as pessoas. De vez em quando, um cara chamava sua atenção, mas ela nunca, nunca disse nada a ninguém a respeito. Mantinha tudo dentro de si, acreditando ser feia, gorda, indigna de ser amada e todo o resto. Entretanto, quando você tem um bom coração, a vida não lhe dá as costas. Um dia, para grande surpresa e prazer de Pamela, um rapaz ousado veio direto em sua direção e convidou-a para sair. Pamela ficou extasiada! Ficou chocada! Deu uma olhada no rapaz e percebeu que havia um grande problema. Ele não era da mesma raça que Pamela. Bem, isso é um verdadeiro dilema do meio-tempo! Se você espera há dezessete anos que um cara a convide para sair, será que deve ser tão seletiva quando alguém finalmente a convida? Pamela não conseguia descobrir, portanto, não tentou. Nesse meio-tempo, teve um encontro maravilhoso.

Isso foi apenas o começo. Por algum motivo estranho, Pamela não conseguia atrair ou manter a atenção dos homens de sua própria raça, enquanto que, ao mesmo tempo, outros homens, de todas as nacionalidades, a achavam tão agradável quanto atraente. Pamela se agarrou a essa arena internacional de encontros. Ela se esbaldou! Aprendeu tanto a respeito de si mesma e dos outros! Também viajou bastante. De vez em quando perguntava-se por que os homens com os seus antecedentes étnicos não estavam interessados nela. Nunca recebeu uma resposta plausível, então continuou saindo com quem quer que aparecesse. E sabe do que mais? Ela teve os mesmos problemas e desafios que suas amigas que estavam envolvidas em encontros com homens da mesma raça. Teve que ultrapassar as mesmas questões internas. No final, o meio-tempo de Pamela tornou-se uma lição importante de aceitação e tolerância. Ela continua solteira, mas está procurando em todos os lugares disponíveis.

Crianças que não foram ensinadas a amarem a si mesmas e que não experimentaram a aceitação, tolerância, piedade e perdão do amor podem agredir e rejeitar umas às outras. As crianças que recebem este tipo de tratamento precisam de uma cura poderosa. Têm que aprender sobre o perdão e o consolo do amor. Poucas crianças são ensinadas a fazer isso. Recebem a crítica e a rejeição como provas de que há algo errado com elas. Todo o problema, independente de quem você seja, é falta de amor. Ensinamos nossos filhos a amarem seus pais. Ensinamos a amarem os outros membros da família. Ensinamos a amarem as coisas. Só não ensinamos é a amar a si mesmos e às pessoas de um modo geral.

Por vivermos em uma sociedade que nos dá uma visão da perfeição, temos que rejeitar qualquer coisa que não combine com essa visão. Aprendemos isso desde muito cedo. Batizamos nossos filhos, vamos com eles à missa, lemos para eles histórias da Bíblia. Ensinamos o que devem dizer, como dizê-lo e quando dizer tudo o que dará ao mundo a impressão de que estão sendo muito bem educados. O que não estamos ensinando aos nossos filhos são os princípios. Não estamos ensinando a eles as atitudes. Não estamos ensinando a atividade do amor. Eles nos ouvem falar e, quando falamos, criticamos, julgamos e somos intolerantes, não aceitamos os outros e somos impiedosos porque nós, os adultos, não nos lembramos da verdade a respeito do amor.

VOCÊ ESTÁ EM UMA MISSÃO!

"O que dá sentido à minha permanência na Terra é despertar para minha dimensão divina, celebrar a vida e fazer o que me traz alegria!" Neste meio-tempo, temos que aprender a viver entre pessoas que não acreditam nisso, a superar as questões internas que nos impedem de acreditar nisso e a nos empenhar em descobrir a luz em nossas almas que nos ajudará a incorporar essa afirmação. Quando olhamos em volta para o mundo de hoje, fica realmente difícil acreditar que o amor possa curar os males que nos infestam. Como o amor pode curar o câncer, as doenças do coração ou a AIDS? Como o amor pode alimentar crianças famintas? Ou acabar com a violência nas ruas? Parece simplista dizer que o amor é a chave para a cura. Para falar a verdade, parece até ridículo! Entretanto, se constatarmos os resultados concretos de nossos esforços em direção ao amor, não fica mais tão ridículo, simplista e inverossímil.

Praticamente eliminamos o conceito de amor da essência da vida. Sim, ensinamos amor na família e na igreja, mas não ousamos ensinar amor nas escolas ou em agências governamentais. Talvez a forma como ignoramos seletivamente o conceito de amor seja um reflexo da intenção de ignorar Deus. Ninguém é ousado o suficiente para admitir que devemos ignorar a Força Criativa da vida; porém, deixamos muito claro que Deus tem que ser relegado a certas áreas, em determinados dias, como se realmente acreditássemos que Deus não está presente em todas as áreas, o tempo todo.

Então existe a minúscula questão de que a maioria dos seres

humanos tem conceitos muito diferentes sobre o que é o amor ou o que deveria ser. Como chegamos a um consenso? Como encontramos um denominador comum com o qual possamos concordar em relação ao que é o amor e ao que pode fazer? Longe de mim prescrever uma fórmula de cura para o mundo! Ouso dizer, porém, que acredito que se cada um de nós começar a fazer seu trabalho individual, arrumando nossas questões individuais, liberando nossos medos pessoais, o amor irá ouvir o chamado e responder. Que lugar melhor para começar do que nos nossos relacionamentos, nas alianças que formamos em um esforço para dar e receber amor? Que lugar melhor para invocar e praticar os princípios do amor – verdade, confiança, perdão, aceitação, compreensão e paz? Nesse meio-tempo, enquanto estamos tentando alcançar um consenso sobre o amor, cada um de nós pode praticar os princípios do amor. Cada um de nós pode invocar a presença do amor como o fundamento de cada escolha e decisão que tomamos. Cada um de nós pode se esforçar por revelar amor em cada palavra e em cada um dos nossos atos. Ao fazer isso, acordaremos a verdade e o amor de Deus em nossos corações. Encontraremos mais motivos para celebrar e para conquistar alegrias. Viveremos a partir de uma perspectiva muito mais simples, mas muito mais feliz. Na verdade, sei que este é o objetivo das experiências do meio-tempo: nos ensinar como viver, abraçando a simples verdade a respeito da vida e de Deus enquanto nos envolvemos em uma celebração feliz de nós mesmos e uns dos outros. Este é o objetivo que devemos ter em mente à medida que avançamos pela vida, a casa de Deus, para o sótão.

Quando você chegar à suíte O Amor É Lindo, terá uma missão muito importante. Ensinar amor. Sim, você fez um pouco disso no terceiro andar, mas agora tem que dedicar sua vida a isso. Tem que sair ativamente e encontrar pessoas que precisam saber sobre o amor. Tem que se banhar em amor. Tem que escovar os dentes com ele. Tem que usá-lo como perfume. Tem que derramar amor em cima das coisas e das pessoas, através de seus pensamentos, palavras e atos. Deixe-me repetir isso. Seus pensamentos! Suas palavras! Seus atos! Neste nível de seu desenvolvimento, você limpou tão bem o seu subconsciente, que, não importa o que você pense, o amor irá se manifestar.

Pense amor. Veja amor. Invoque o amor no sótão da vida. Você está em boa companhia, tem muito apoio e proteção. É aí que mora Jesus. É aí que mora Buda. É aí que moram Krishna e os arcanjos Miguel, Ariel, Uriel e Gabriel. É aí que moram as sábias avós, as enfermeiras e aqueles que curam. Este é o reino do Espírito. É a mais alta faculdade de sua mente. Quando você ultrapassa todas as suas questões humanas e chega a este nível de consciência, está em companhia dos mestres. Você se tornou a luz do mundo. Eu peço calorosamente que você faça tudo o que estiver em seu poder para deixar sua luz brilhar.

De Iyanla Vanzant:

UM DIA MINHA ALMA SE ABRIU POR INTEIRO

Este livro é um precioso companheiro na jornada que empreendemos em busca da felicidade. A autora nos guia durante quarenta dias e quarenta noites para tratar de nossa relação com o Divino, com os outros, com nossos sentimentos e processos.

Ela nos fala da Verdade, da Confiança, da Escolha, dos Limites, do Perdão, da Raiva, do Medo, da Culpa, da Alegria e do Amor, totalizando quarenta valores e sentimentos que fazem parte essencial da Vida. E fala como uma amiga inteligente, sensível e disposta a compartilhar generosamente sua histórias e reflexões.

De Louise Hay:

MEDITAÇÕES PARA A SAÚDE DO CORPO E DA MENTE

"O corpo é um espelho de nossas crenças e pensamentos mais íntimos. Ele está sempre conversando conosco. Foi para aprender a escutar o que ele tem a dizer e a incorporar as suas lições para o seu bem estar que criei estas meditações.

Se você deseja investir na sua saúde, as meditações irão ajudar a tornar sua vida e seu corpo íntegros. Eu sei que você tem, dentro de si, tudo de que precisa para conseguir isso.

Quando você começar a compreender o processo que leva à saúde ou à doença, será capaz de assumir o controle consciente das mudanças que deseja fazer. Este é um processo muito emocionante que vai se tornar uma das aventuras mais felizes da sua vida."

Inclui um CD com exercícios de meditação.

De James Van Praagh:

EM BUSCA DO PERDÃO

"As histórias e reflexões deste livro têm por objetivo desenvolver em você um dom que todos nós recebemos, mas que a rigidez de nossa formação muitas vezes bloqueou: o dom de perdoar, de ter compaixão e de tratar a si e aos outros com amor.

Quero ajudar você a fazer as pazes com a sua consciência, a se livrar da culpa e a tornar o mundo à sua volta mais hospitaleiro, sem a pressão de julgar nem de ser julgado. Um mundo no qual podemos expressar o amor e a nossa espiritualidade.

Para isso ofereço também essas meditações que têm o poder de curar e de transformar, cultivando em você uma nova consciência voltada para o crescimento e para a felicidade."

Inclui um CD com exercícios de meditação

EM BUSCA DA ESPIRITUALIDADE

O autor nos leva a uma viagem da alma através do tempo para revelar os mistérios do mundo espiritual e do processo da reencarnação, mostrando, entre outras coisas, o que acontece na morte e como uma alma escolhe o seu renascer.

Relatando tocantes histórias da comunicação após a morte, o autor demonstra como nossas energias espirituais podem ser bloqueadas por emoções negativas como a culpa e o medo. Ele ensina exercícios e meditações que vão nos ajudar a nos manter centrados, e oferece as chaves para desenvolver o nosso crescimento espiritual e o de nossos filhos.

De Brian L. Weiss:

A DIVINA SABEDORIA DOS MESTRES

"Este livro vai descrever a sabedoria espiritual presente em nossa jornada desde antes do nascimento até a morte e depois dela. O que pode nos ajudar e o que pode nos atrapalhar. O que pode nos abrir portas e o que pode fechá-las. O que eu tenho aprendido em meus reencontros com os Mestres.

Acredito que nosso maior objetivo na vida é atingir o conhecimento íntimo de que somos almas imortais, trazidas a esta escola chamada Terra para aprender lições sobre amor, compaixão, paciência, equilíbrio e harmonia, não-violência, fé e esperança. Não posso dizer que aprender nesta grande escola seja fácil. Para se tornar iluminado e feliz é preciso muito trabalho.

O que eu posso dizer é que se você ler este livro com a mente aberta e o coração repleto de amor, você estará andando na direção certa. Cada passo que você der será sagrado."

MEDITANDO COM BRIAN WEISS

A Busca do Equilíbrio, da Cura e da Espiritualidade

O mundo de hoje invade nosso cotidiano e até mesmo os momentos de descanso e prazer com pressões e demandas que se acumulam, tumultuando nossa mente. Torna-se cada vez mais difícil nos voltarmos para dentro de nós mesmos, tentando iluminar nosso íntimo e visualizar a causa de nossas angústias.

Através da meditação, vivenciamos uma beleza interior que nos faz repensar tudo o que nos rodeia e a nós mesmos. Que nos faz confiar na capacidade – que de fato possuímos – de utilizar e direcionar nossas energias para a purificação de nossos corpos e mentes, para a descoberta e o desenvolvimento de nossa espiritualidade.

Inclui CD com os exercícios de *Relaxamento Profundo* e *Meditação para Cura.*

MUITAS VIDAS, MUITOS MESTRES

Muitas Vidas, Muitos Mestres conta a surpreendente e controvertida história do Dr. Brian Weiss e seu trabalho com a paciente Catherine, que, apesar de tratada durante 18 meses com a terapia tradicional, só apresenta cura satisfatória ao regredir às suas vidas passadas.

SÓ O AMOR É REAL

Só o Amor É Real descreve o drama da procura de almas gêmeas – duas pessoas que estão marcadas para todo o sempre pelo amor que tiveram em outras encarnações e que percorrem vidas e vidas, sempre buscando uma à outra.

A CURA ATRAVÉS DA TERAPIA DE VIDAS PASSADAS

Relatando casos reais ocorridos em seu consultório, o Dr. Brian Weiss mostra como a terapia de regressão pode curar as dores físicas, o pesar pela perda de pessoas queridas, os relacionamentos conflitivos e os mecanismos nocivos de defesa, ajudando-nos a criar relações amorosas, desbloquear talentos reprimidos e transformar nossa visão da vida e da morte.

De Nick Bunick:

OS MENSAGEIROS

O livro narra a história real de Nick Bunnick, bem-sucedido empresário americano que, através de sessões de regressão, descobre ter sido a reencarnação do apóstolo Paulo, descrevendo sua convivência e amizade com Jesus desde o início de sua vida pública até a crucificação, a experiência na estrada de Damasco e o engajamento na pregação da autêntica mensagem cristã.

De Daniel Goleman:

A ARTE DA MEDITAÇÃO

Aprenda a tranqüilizar a mente e a relaxar o corpo, a aliviar as dores físicas, a fortalecer seu sistema imunológico e a desenvolver a percepção e o poder de concentração. Daniel Goleman, o consagrado autor de *Inteligência Emocional*, ensina a alcançar esses benefícios através de tradicionais técnicas de meditação adaptadas à vida moderna. Inclui CD com quatro tradicionais técnicas de meditação: *Meditar Respirando, Meditar Relaxando o Corpo, Meditar Concentrando* e *Meditar Caminhando.*

De Mitch Albom:

A ÚLTIMA GRANDE LIÇÃO

Talvez tenha sido um avô, um professor ou um amigo da família. Uma pessoa mais velha, paciente e sábia, que se interessou por nós e nos compreendeu, quando éramos jovens, inquietos e inseguros. Uma pessoa que nos fez olhar o mundo de uma perspectiva diferente e nos ajudou com seus conselhos a encontrar nossos caminhos. Para Mitch Albom, essa pessoa foi Morrie Schwartz, seu professor na universidade.

Talvez, como Mitch, você tenha perdido o contato com seu grande amigo. Você seguiu pela vida, as lições foram se apagando... Você não gostaria de reencontrar essa pessoa para tratar das grandes questões que ainda lhe causam angústia, tal como fez em sua juventude?

Mitch Albom teve essa chance vinte anos depois de deixar a universidade. Ele redescobriu Morrie nos últimos meses de vida. Visitou-o durante quatorze terças-feiras, até a sua morte. Nesses encontros, trataram de temas fundamentais para a felicidade e a realização humana. Foi essa a última grande lição: um ensinamento sobre o sentido da vida.

De Elisabeth Kübler-Ross:

A RODA DA VIDA

A fascinante e comovente autobiografia da médica que fez de sua profissão um ato de amor. Elizabeth Kübler-Ross é a mulher que transformou a maneira como o mundo vê a morte, trazendo imenso consolo e esperança para os doentes em estado terminal e para seus entes queridos.

Neste livro que se lê como um romance, Kübler-Ross exorta-nos a viver plenamente e a amar. Sua história é uma aventura do coração, vigorosa, controvertida, inspiradora, um legado à altura de uma vida extraordinária. Uma leitura interessantíssima e indispensável para alimentar a fé e a esperança no ser humano.

De Richard N. Bolles:

QUAL A COR DO SEU PÁRA-QUEDAS?

Como conseguir um emprego e descobrir a profissão de seus sonhos

Segundo Richard Bolles, os caçadores de emprego dividem-se em dois grupos: aqueles que querem achar um emprego o mais rápido possível, mesmo se o trabalho não corresponder àquilo com que sonhavam, e aqueles que têm tempo, paciência (e dinheiro) para enfrentar a caça ao emprego de maneira mais seletiva, com o objetivo de atender suas expectativas de profissão ou de trabalho.

Considerado a Bíblia sobre a caça a empregos e "o mais completo guia sobre emprego e carreiras que existe", *Pára-quedas* foi apontado pela Biblioteca do Congresso americano como um dos 25 livros que marcaram a vida dos leitores, tendo orientado milhões de pessoas a encontrar o seu caminho profissional.

De Fadynha:

MEDITAÇÃO PARA GESTANTES

Uma obra fundamental para que uma gravidez saudável e um parto feliz tenham reflexos positivos na criança que vai nascer. A autora registra sua experiência de trabalho durante 20 anos, com mais de 7.000 grávidas, neste livro que vai abordar as principais questões ligadas à gestação.

O livro é acompanhado de um CD com uma meditação que, realizada regularmente, contribuirá para a serenidade da gestante, a participação do pai no processo e o bem-estar do bebê.

De Yitta Halberstam & Judith Leventhal:

PEQUENOS MILAGRES

Um avião cujo embarque você perdeu e que sofre um acidente. Um encontro inesperado com alguém que traz solução para um problema angustiante. Um objeto que parecia perdido e é encontrado. *Pequenos Milagres* é uma coletânea de mais de cinqüenta dessas extraordinárias, comoventes e enternecedoras histórias. Sua leitura nos ajuda a ficar atentos para percebermos estes momentos e entendermos seu significado.

De Monique Le Poncin:

PENSE MELHOR, VIVA MELHOR

Um guia prático de ginástica cerebral

Sabemos que só usamos uma parte mínima do nosso potencial cerebral. O resto fica em silêncio. A Ginástica Cerebral apresentada neste livro é capaz de reativar zonas adormecidas e mobilizá-las, ampliando as capacidades cerebrais e – este é o seu maior objetivo – mantendo o cérebro jovem e ativo.

INFORMAÇÕES SOBRE EVENTOS NO BRASIL

Para receber informações sobre as palestras e seminários de nossos autores no Brasil e sobre os próximos lançamentos da Sextante, queira entrar em contato com nossa Central de Atendimento, dando seu nome, endereço e telefone para:

SEXTANTE
Av. Nilo Peçanha, 155 - Gr. 301 - Centro
20020-100 - Rio de Janeiro - RJ
Tel.: (021) 524-6760 - Fax: (021) 533-1622
DDG: 0800-22-6306 (ligação gratuita)
E-mail: salvend@openlink.com.br